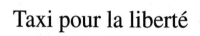

Taxi pour la liberté

Gilles Gougeon

# Taxi pour
# la liberté

UNE ÉDITION DU CLUB QUÉBEC LOISIRS INC.

© Avec l'autorisation des Éditions Libre Expression
© 1999, Éditions Libre Expression Ltée

Dépôt légal — Bibliothèque nationale du Québec, 1998
ISBN 2-89430-400-5
(publié précédemment sous ISBN 2-89111-817-0)

Imprimé au Canada

*À mes filles.*

## REMERCIEMENTS

Merci à Francine, dont la présence généreuse a permis de si nombreuses absences, et à mes collègues qui ont partagé les risques de la recherche de la vérité.

# Préambule

Décembre 1990. Sanaa.
À un mois de la guerre du Golfe, des centaines de milliers de Yéménites sont chassés d'Arabie Saoudite ; un geste de solidarité des Saoudiens envers le Koweït, parce que le Yémen a manifesté sa sympathie envers Saddam Hussein.
Expulsé, Mohammed s'apprête à traverser la frontière définitivement...

Décembre 1990. Berlin.
Un an après la chute du mur et la réunification des deux Allemagnes, le racisme et la xénophobie commencent à faire fuir des familles turques qui vivaient en Allemagne depuis vingt ans.
Dans vingt-quatre heures, Greta aura quitté l'Allemagne pour toujours...

# 1

Ses longs cheveux noirs étaient blonds désormais. C'était si magique qu'elle en titubait de joie. De cette joie que distille la rage lorsqu'on ne l'a jamais laissée éclater. Comme beaucoup de jeunes Allemandes de son âge, Greta portait un jeans délavé, un t-shirt *Metallica*, une veste de denim et un blouson de cuir noir. En cette fin d'après-midi de décembre 1990, au moment où le soleil fouillait encore les arcades meurtries de l'église du Souvenir, elle remontait lentement la Kurfürstendamm, cette grande avenue de Berlin, pour tenter de fixer dans sa mémoire les derniers moments de cette vie européenne que son père allait interrompre en ramenant la famille en Turquie. Quelques heures plus tôt, elle avait pensé fuir, mais Berlin lui était étranger et elle n'y connaissait personne. Avant de retrouver les siens à l'hôtel, elle avait décidé de changer de tête.

\* \* \*

– Ne touchez pas! avait ordonné Mustafa.

La famille Tancir se baladait joyeusement dans les grands magasins de Berlin. Les parents laissaient les jumeaux de neuf ans et Fuzuli, leur grand frère de onze ans, gambader d'un comptoir à l'autre.

– Où est passée Taylin? avait demandé le père en turc.

– Au comptoir des lunettes, avaient répondu en allemand les jumeaux.

– Becuchi, va la chercher, avait-il ordonné à sa femme.

Lorsque la mère retrouva sa fille, cette dernière refermait vivement son sac.

– Taylin!

11

– Maman, je te l'ai souvent demandé : ne m'appelle plus «Taylin». Greta! C'est Greta, mon prénom.

– Ça va, ça va… Greta, on te cherchait. Ton père n'est pas content.

– Je m'en fous!

– Greta, je t'en prie. Je sais. Ce qui arrive ne te plaît pas. Mais, tu verras, tu seras agréablement surprise.

– Maman, n'essaie pas de me convaincre. Ma décision est prise. Je ne rentre pas en Turquie!

– Tu n'as pas le choix, tu le sais, avait répondu doucement la mère en glissant affectueusement la main dans les cheveux noirs de sa fille.

– Ah! laisse-moi, avait-elle rétorqué en détournant la tête. Continue les courses avec papa et les garçons. Je vous retrouverai à l'hôtel en fin de journée.

– Greta!

– *Auf Wiedersehen!*

Elle avait lancé cet «au revoir» en allemand comme un juron, une ultime tentative pour se convaincre qu'elle allait réussir à colmater cette brèche par laquelle les eaux turques commençaient à noyer son identité. Décontenancée, la mère avait regardé sa fille sortir et était revenue vers sa famille.

– Ne t'inquiète pas, Mustafa. Elle voulait se promener seule.

– Seule? Elle n'a que dix-neuf ans…

Mustafa avait grogné. Il était furieux.

La famille, amputée de Greta, poursuivait la visite des boutiques et des magasins dont les murs et les étagères croulaient sous l'opulence des décorations de Noël. Les garçons, bien qu'un peu inquiets de l'absence de leur sœur aînée, n'en continuaient pas moins à arracher une à une aux parents les décisions d'acheter des gadgets. Ils se doutaient bien qu'ils ne retrouveraient pas à Konak l'abondance et la richesse des comptoirs allemands.

\* \* \*

À Solingen, où ils habitaient depuis presque vingt ans, Mustafa et Becuchi Tancir n'avaient pas vu venir ce départ précipité vers la Turquie.

«Mustafa! Que t'est-il arrivé?» avait crié Becuchi en apercevant le visage tuméfié de son homme et le sang sur ses vêtements. Cet incident était survenu trois mois auparavant lorsqu'une bagarre avait éclaté entre des travailleurs immigrés et un groupe d'une vingtaine de jeunes néo-nazis qui, depuis quelque temps, montaient des actions aussi rapides que violentes contre les Turcs.

«Tiens. Lis ça», avait-elle dit à son mari en lui tendant un tract lourd de slogans antiturcs trouvé sur le palier de leur appartement. Habitués à certaines provocations racistes envers leur communauté, les Turcs de ce quartier de Solingen avaient pris l'habitude de ne pas trop s'en faire. «Tant que ce ne seront que des slogans...», entendait-on souvent. Mais, ce jour-là, la feuille d'injures avait été distribuée au moment où Mustafa et quelques collègues avaient été attaqués à la sortie d'un café où se réunissaient les Turcs après le travail. Les tensions raciales étaient vives dans la ville. Pourtant, les Allemands étaient habitués à côtoyer ces milliers d'étrangers, qu'ils avaient laissés s'installer dans une zone périphérique, surnommée «Istanbul».

Expatriés au début des années soixante-dix alors que l'Allemagne invitait les Turcs à venir y travailler, Mustafa et Becuchi faisaient aujourd'hui partie du contingent de deux millions de Turcs qui fournissaient à la République fédérale d'Allemagne une main-d'œuvre vigoureuse à bon marché. Mustafa avait été tour à tour embauché comme manœuvre sur les chantiers de construction, aide-cuisinier, éboueur, chauffeur de camion, brancardier, avant de trouver un emploi dangereux pour la santé mais très payant cependant : ces dix dernières années, il avait travaillé dans l'atelier de fusion des métaux d'une entreprise de coutellerie où les vapeurs nocives commençaient à provoquer chez lui une toux chronique inquiétante.

Becuchi, tandis qu'elle donnait naissance à trois garçons en douze ans, travaillait au noir à la maison : couture et assemblage d'équipement de sport pour un sous-traitant taïwanais installé à Solingen. Logée dans un HLM, la famille avait pu accumuler des économies grâce auxquelles on avait fait étudier les enfants. Mustafa avait aussi investi des milliers de marks dans une maison de rêve qu'il avait fait construire pour ses parents, là-bas dans son village. Une maison où il pourrait emmener la famille en vacances car aucun de ses enfants ne connaissait Konak.

Mustafa toussa, cracha un peu de sang et s'épongea la figure. Fuzuli et ses deux frères furent bouleversés de voir le visage de leur père aussi meurtri. Comment cet homme dont ils idéalisaient la force et craignaient l'autorité pouvait-il avoir été battu de la sorte ?

– Un simple accident de travail, leur expliqua-t-il ; allez vous coucher !

Lorsque, deux semaines plus tard, le père et la mère annoncèrent aux enfants qu'ils allaient rentrer en Turquie, jamais ils ne firent allusion à la montée du racisme et aux nombreuses attaques dont étaient maintenant victimes les immigrés turcs. Les garçons, ennuyés à l'idée de perdre leurs amis, tentèrent évidemment de convaincre leurs parents de renoncer à cette décision. Mustafa leur fit miroiter une vie exceptionnelle dans une maison si grande qu'ils pourraient y accueillir tous leurs amis. Mais ce genre d'argument était indéfendable face à leur fille.

D'ailleurs, en apprenant la nouvelle, elle explosa.

– Pas question ! Je reste ici. Tout ça est de ta faute, lança-t-elle à son père.

Greta remonta dans ses souvenirs.

Elle avait onze ans, presque douze. Elle venait d'avoir ses premières règles. Comme c'est la coutume, ses parents, surtout son père, lui avaient expliqué qu'elle était maintenant une femme et devait donc porter le foulard islamique, le tcharchaf. Heureuse de se sentir admise parmi les « grandes », elle arborait le foulard tout comme ses copines allemandes s'amusaient à se maquiller, pour se vieillir un peu. Un jour, en rentrant de l'école, elle vit une bande d'adolescents attaquer un groupe de jeunes Turcs. Ils criaient des slogans hostiles en frappant à coups de poing et de pied ces fils et ces filles d'immigrés. « Retournez chez vous ! À mort les Turcs ! » hurlaient-ils. La jeune Taylin fut entraînée par sa copine Greta derrière une voiture en stationnement. Les deux amies terrorisées virent les Allemands arracher le tcharchaf de la tête des jeunes Turques, les bousculer en visant la poitrine et les traiter de putains en menaçant de les violer. L'attaque fut fulgurante et d'une violence inouïe. Le groupe disparut aussitôt que les sirènes des voitures de police se firent entendre.

Taylin enleva son tcharchaf pour rentrer à la maison. Elle raconta l'incident à sa mère, qui tenta de la rassurer.

– Ce n'est qu'une coutume, ce foulard, lui dit-elle ; tu n'es pas obligée de le porter. Je vais en parler à ton père.

Rien n'y fit. Mustafa obligea sa fille à porter le tcharchaf chaque fois qu'elle sortait. Sauf pour se rendre à l'école, Taylin commença à refuser d'aller dehors, convaincue que ce foulard la désignait comme prochaine victime des jeunes racistes. Peu à peu, elle perdit contact avec ses amies, à l'exception de cette jeune Greta qui venait jouer avec elle à la maison. Taylin en vint à identifier son père comme celui qui mettait sa vie en danger. «Tu es méchant; tu veux que je meure», lui avait-elle lancé lors d'un affrontement virulent.

Ce jour-là, cette enfant de douze ans comprit que la seule façon de survivre était de devenir allemande.

Sept ans plus tard, elle était persuadée qu'elle allait enfin y arriver lorsque son père avait décidé de rentrer en Turquie. Depuis quelques mois, elle avait cédé aux avances de Hans Schneider, le frère aîné de sa grande amie Greta. C'est lui qui avait suggéré son nom au directeur d'un théâtre qui cherchait une préposée au vestiaire. Les soirs de week-end, ils se rencontraient donc parmi les autres étudiants qui gagnaient ainsi un peu d'argent. Cette camaraderie d'adolescence avait soudainement fait place à une passion amoureuse insoupçonnée de tous. Chaque fois qu'ils le pouvaient, elle et Hans se retrouvaient discrètement pour s'étreindre, se séduire, se découvrir et, depuis peu, faire l'amour. Et voilà que son père venait déchirer brutalement son rêve et assassiner celle qu'elle croyait être enfin devenue : Greta.

\* \* \*

Becuchi essayait de camoufler son anxiété. Greta se promenait seule dans ce Berlin inconnu. Mais, secrètement, elle admirait la fougue de sa fille unique; une enfant qui lui ressemblait à s'y méprendre, mais dont le caractère et la détermination lui venaient sans doute de son père. Jamais elle n'oserait l'avouer mais elle l'enviait de savoir tenir tête à Mustafa.

– Tu n'aurais pas dû la laisser partir, lui reprocha Mustafa.

– Comment l'aurais-tu retenue, toi?

– Comme ça, répondit-il fermement en lui montrant sa grosse main noueuse d'ouvrier.

Une heure plus tard, les bras chargés de sacs et d'emballages multicolores, la famille rentrait à l'hôtel en taxi.

– On a un chauffeur! se vanta l'aîné des garçons.

– Ce n'est rien, ça! Attendez de voir ce que je vous réserve à Konak!

Calée dans le siège de cuir de la Mercedes, Becuchi se sentit subitement riche. Une voiture avec chauffeur, les avenues de Berlin, les enfants inondés de cadeaux : jamais elle n'avait vécu pareil moment. À quarante ans, sa vie prenait un virage qui la rendait à la fois triste et heureuse. Triste de quitter l'Allemagne où elle aurait souhaité que grandissent ses enfants. Heureuse malgré tout de savoir qu'en rentrant en Turquie elle vivrait confortablement comme peu de femmes de Konak pouvaient en rêver. Sa seule inquiétude : comment Taylin y survivrait-elle?

\* \* \*

Greta pleurait de cette rage que nourrissent les rêves détruits. En franchissant la ligne de rimmel bleu qu'elle avait tracée sous ses yeux, les larmes dessinaient sur ses joues des graffitis qu'elle imaginait aussi durs et violents que ceux qu'elle avait vus sur les vestiges du mur de Berlin. Elle sentait maintenant un autre mur surgir en elle; des tonnes de béton qui lui interdiraient l'accès à ses ambitions de jeune fille moderne et occidentale.

Les premiers néons prenaient la relève du soleil. Ce n'était pas encore la nuit, mais il fallait faire vite. Le coiffeur avait mis deux heures de plus que prévu à dorer sa toison.

Dans l'ascenseur qui l'aspirait vers le neuvième étage de l'hôtel, elle eut envie de fuir; cet hôtel, c'était l'antichambre de la Turquie.

Lorsque les portes s'ouvrirent sur le silence du couloir, elle secoua la tête et s'avança vers un grand miroir qui dominait un guéridon de marbre. Elle glissa les mains dans ses cheveux qui coulèrent entre ses doigts comme des fils d'or. Sous ses yeux, elle effaça les graffitis bleus du rimmel. Elle appliqua sur ses lèvres juste assez de rouge pour mettre son père en colère. Pour mouler un peu plus sa poitrine, elle prit soin de bien enfouir son t-shirt dans son jeans; ainsi Mustafa ne pourrait douter un seul instant que c'était une femme, non une enfant, qu'il ramenait dans son pays. «Ce pays n'est pas le mien», murmura-t-elle.

En approchant de la chambre, elle entendit cette musique qui depuis si longtemps lui donnait le vertige. Derrière la porte, c'était l'Islam, l'Orient qui chantait. Jamais elle n'avait pu s'habituer à ces longues mélopées braillardes et naïves dont les subtilités et le charme échappaient à cette jeune Allemande «évadée de Turquie à la naissance», comme elle s'entêtait à le répéter. Elle releva fièrement la tête, inspira profondément et frappa à la porte. La musique cessa. Ses trois jeunes frères lui apparurent en même temps quand la porte s'ouvrit. Étonnés, ils reculèrent et se mirent à hurler de rire. Mustafa et sa femme s'approchèrent, ahuris. La mère se mit à pleurer. Greta intercepta la main de son père qui allait s'abattre sur elle.

– Tu peux me frapper si tu veux, ça ne me fait rien : je n'existe plus, lui dit-elle en allemand.

– Tes yeux! dit sa mère. Qu'as-tu fait à tes yeux?

Greta avait masqué ses yeux noisette sous les lentilles azur qu'elle venait d'acheter quand sa mère l'avait rejointe au comptoir des lunettes.

Ses frères caressaient affectueusement ses longs cheveux blonds pendant que le père, encore debout dans le vestibule, tremblait de rage.

– Viens ici, lui ordonna-t-il en toussant.

Elle s'avança en prenant naturellement sa mère par le bras. Elle avait toujours craint son père, et ne l'avait jamais affronté ouvertement.

Adolescente, elle avait compris qu'elle vivait à cheval sur deux univers. Dans le logement de Solingen, c'était la Turquie avec sa langue, sa religion, ses coutumes, sa culture. Une fois la porte franchie, elle se trouvait de nouveau en Allemagne. Elle se sentait solidement enracinée dans cette terre allemande qui nourrissait maintenant sa vie quotidienne comme ses rêves. Pour protéger les morceaux d'identité germanique qu'elle accumulait secrètement, elle avait décidé de se faire discrète à la maison; comme tout le monde, elle utilisait la langue turque et ne se permettait pas souvent de contredire son père.

– Assieds-toi, lui commanda Mustafa.

Chaque fois qu'il voulait doubler le poids de son autorité, il obligeait sa fille à s'asseoir. Il tolérait mal qu'elle soit maintenant plus grande que lui. Greta refusa.

– Tu peux me parler debout.

– Greta, nous allons tous trois nous asseoir, si tu veux bien, dit la mère en lui prenant le bras.

Mustafa regarda sa fille droit dans les yeux, ouvrit un sac et en sortit un petit paquet.

– Non! hurla-t-elle en découvrant le contenu de l'emballage.

– Oui, Taylin! Nous rentrons au pays demain. En descendant de l'avion, tu porteras le tcharchaf.

Becuchi baissa les yeux en tapotant les mains de sa fille. Greta laissa tomber le tcharchaf par terre et se réfugia dans la salle de bains. Dans la glace, elle vit pour la première fois pleurer cette Allemande aux yeux bleus. «Jamais je ne mettrai ce voile sur mes cheveux blonds», se dit-elle en sanglotant.

Ce tcharchaf, elle croyait pourtant avoir réussi à s'en débarrasser. Deux ans après l'incident raciste qui avait tant effrayé sa fille au début de sa puberté, Becuchi avait réussi à convaincre Mustafa de laisser tomber l'obligation de porter ce carré de tissu qui s'ajoutait aux autres barrières déjà existantes entre les Turcs et les Allemands. Depuis, jamais il n'avait été question du tcharchaf.

Parce qu'elle craignait que son père ne lui taillât les cheveux pendant son sommeil, Greta n'allait pas fermer l'œil cette nuit-là. Elle combattit l'épuisement en imaginant de nombreux scénarios de fuite; il lui fallait à tout prix s'accrocher à l'Allemagne. La Turquie, elle n'en connaissait rien. Elle savait qu'il y avait là-bas une famille, des coutumes, un mode de vie. Dans le logement de Solingen, elle vivait comme en Turquie; mais elle ne pouvait imaginer d'étendre ce petit territoire familial à tout un pays. Peu à peu, elle était devenue allemande. Du moins le croyait-elle.

* * *

Au comptoir de la Turkish Airways, le préposé aux billets fit venir son supérieur : la couleur des cheveux et des yeux de la jeune femme ne correspondait pas à celles de la photographie de son passeport.

– C'est bel et bien ma fille, grogna Mustafa, humilié. Elle nous a fait le coup hier…

– Elle a voulu faire une surprise à ses grands-parents, ajouta la mère. Une simple folie de jeunesse.

Demeurée silencieuse, Greta imagina qu'on refusait de la laisser monter à bord. Elle quitterait l'aéroport pour retourner à Berlin. Elle se voyait déambuler librement sur les grands boulevards, avaler une bière avec d'autres jeunes, rire et discuter en allemand.

– Ça va; pas de problème! dit l'agent d'embarquement. Toutefois, le vol est complet. Il est impossible d'asseoir tout le monde ensemble.

– Donnez-moi un siège seul, dit Greta.

Becuchi empêcha son mari d'intervenir.

– Laisse. Ce sera mieux ainsi.

Au moment du décollage, Greta eut l'impression qu'on lui arrachait l'âme; qu'une puissante main de fer la déracinait sauvagement de cette terre où ses parents l'avaient amenée alors qu'elle n'avait que treize mois. Aujourd'hui, à dix-neuf ans, quoiqu'elle fût instruite, trilingue et majeure, elle se sentait kidnappée par sa famille, par une culture et une religion qu'elle n'avait pas choisies.

Alors qu'elle aurait souhaité la proximité d'un hublot pour ce premier voyage en avion, on l'avait assise au milieu de l'appareil.

Vers treize heures, au-dessus de la Bulgarie, son voisin de droite leva les mains de chaque côté de la tête et se mit à prier silencieusement.

«*Allah akbar…*», voilà tout ce qu'elle entendit; la suite, elle la connaissait bien. Durant toute sa jeunesse, elle avait vu son père, son oncle, des amis turcs s'agenouiller chaque jour pour s'adresser à un Dieu omniprésent et tout-puissant, en fonction de qui il fallait vivre et mourir; un Dieu dont le prophète avait exigé qu'on l'interpelle toujours dans sa langue. Et c'est ainsi que, depuis bientôt un demi-siècle, son père, pourtant Turc, priait en arabe, une langue à laquelle il ne comprenait rien. «Si au moins il priait en allemand», se dit-elle.

Mais l'allemand allait-il encore servir à quelque chose? Elle sentait son pays, son enfance, ses rêves lui échapper.

Greta, la véritable Greta, la saluait de la main. Elle revit le visage de cette enfant de dix ans, aux mèches blondes et aux yeux bleus, qui l'avait naturellement entraînée à jouer à la marelle dans la cour de l'école de Solingen. Et depuis elles ne s'étaient jamais quittées. C'est par cette Greta Schneider, sa première et seule véritable amie, qu'elle avait découvert l'Allemagne.

Elles avaient toutes deux le même âge et le couple Schneider avait toujours considéré la jeune Taylin Tancir comme leur deuxième fille, celle qu'il n'avait jamais eue. On ne comptait plus les week-ends passés à la maison ou au chalet de la famille allemande. La camaraderie des deux enfants s'était transformée en complicité puis en amitié profonde. Le jour de ses treize ans, Taylin demanda à son amie si elle lui permettait d'adopter son prénom. Depuis, Greta et Greta prenaient un plaisir fou à se prétendre jumelles. Avec trois jeunes garçons sur les bras, les Tancir appréciaient que leur adolescente ait trouvé cette deuxième famille pour l'accueillir. Mustafa avait d'abord été réticent, mais Becuchi l'avait convaincu d'accepter.

Les images de sa jeunesse défilaient pêle-mêle dans sa tête : la découverte de sa différence, l'accueil des Schneider, l'apprentissage d'une certaine liberté, les premières sorties, les premiers baisers, la première et dernière cuite. Les premiers joints fumés entre copains ; et l'hilarité ; et un certain délire où les mots allemands bousculaient les phrases turques. Et l'odeur du mouton mijoté se mariant aux effluves de la choucroute ; et la longue plainte des musiques orientales peu à peu remplacée par la vigueur du rock allemand ; et la volonté de s'ancrer en Allemagne. Et cette décision irrévocable de remplacer «Taylin» par «Greta» ; de naître une seconde fois, dans les bras de Hans peut-être.

Maintenant que l'Allemagne n'envelopperait plus sa vie quotidienne, qu'elle ne pourrait plus se transporter d'un pays à l'autre, d'une culture à l'autre, la Turquie lui paraissait dès lors la négation de ce qu'elle voulait devenir. Et le tcharchaf imposé par son père en était le symbole le plus éloquent.

* * *

«Nous allons maintenant amorcer notre descente vers l'aéroport d'Istanbul ; vous êtes priés de redresser le dossier de votre fauteuil…»

La voix de l'hôtesse se perdit dans le cliquetis des ceintures qu'on attachait. Greta se boucha les oreilles et cessa de respirer. Elle sentit une main la plonger dans l'eau noire d'un lac froid. On allait la noyer ; jamais plus elle ne remonterait à la surface de ce monde où elle avait patiemment appris à nager.

L'avion survolait la mer de Marmara. «C'est comme une grande piscine, lui avait dit son père, car le fond est de *marmara*, de marbre…» «Le marbre, c'est pour les cimetières», pensa-t-elle.

En tournant sur la gauche, le pilote informa les passagers qu'on allait traverser le Bosphore. Au loin, on devinait les minarets de la Mosquée bleue et de la mosquée de Süleymaniye. Comme autant de glaives pointés vers le ciel à la frontière de l'Orient et de l'Occident, ces dizaines de stylets de pierre perçaient l'épais nuage de pollution enveloppant la ville à longueur d'année.

– Mademoiselle, attachez votre ceinture s'il vous plaît.

Greta sursauta. Elle avait vainement espéré voir ce vol détourné vers l'Allemagne. Ou un autre pays. Mais voilà qu'en touchant le sol l'avion ouvrait le premier sillon de cette terre étrangère dans laquelle on allait la transplanter. Byzance, Constantinople, Istanbul. Des siècles d'histoire allaient l'avaler pour la remodeler à l'image de sa famille et de ses ancêtres. Taylin allait supplanter Greta.

Dans le rugissement des moteurs qui freinaient l'avion sur la piste, Greta fut incapable de hurler. Cherchant un mouchoir dans son sac pour éponger ses larmes, elle en sortit le tcharchaf. Elle voulut le jeter sous le siège, mais, troublée, l'enfouit au fond de son sac.

# 2

Midi. Il s'était arrêté sur un haut plateau. Du sable, des rochers, encore du sable. Comment avait-on pu avoir l'arrogance de tracer une frontière dans un désert? Le soleil n'avait pas encore atteint son zénith, mais Allah ne s'en formaliserait pas : cette prière serait sa dernière en sol saoudien, la terre du prophète Mohammed dont il portait fièrement le nom. Mais, cette fois, même s'il croyait que tout ce qui arrive est voulu de Dieu, il eut envie de dire à ce Dieu qu'il ne comprenait ni n'acceptait l'injustice qui lui était faite.

Depuis qu'il avait quitté Riyad, la capitale, la colère avait cédé la place à l'humiliation. À quarante-sept ans, Mohammed découvrait qu'on n'avait pas besoin d'abattre un homme pour le tuer; il suffisait de le déraciner. La tête camouflée dans son foulard rouge et blanc, le corps enveloppé dans une longue tunique blanche, il pouvait facilement être confondu avec n'importe quel habitant de ce désert. Mais aujourd'hui, après huit jours de route, ce n'était pas un homme solide mais un fantôme blessé qui allait traverser la frontière. Il voulait hurler sa douleur, cracher le mépris dont il était victime. Il choisit de s'en remettre à Allah.

Avant de s'agenouiller, il ferma le moteur de son camion. «Tant pis pour l'air conditionné!» Puis, lentement, il déroula son petit tapis dont il prit soin d'orienter les chevrons vers le nord – vers La Mecque. Au moment où il offrait ses mains au ciel, une jeep de l'armée saoudienne s'approcha. Le patrouilleur stoppa son véhicule un peu plus loin et observa la scène sans interrompre les murmures de Mohammed. Il observa le camion et son chauffeur… «Sûrement un Yéménite qui rentre dans son pays», pensa-t-il. Il se dirigea vers le camion. Mohammed le vit, mais n'osa pas relever la tête. Il essaya de prier. Le militaire jeta un coup d'œil à l'intérieur du véhicule. Le petit bouquet de feuilles vertes enveloppé dans un sac de polyéthylène bleu qui traînait sur la banquette lui confirma qu'il s'agissait bien d'un Yéménite. Mohammed fit semblant de continuer de prier.

Un faucon planait dans l'air brûlant, dessinant des spirales au-dessus des gerbilles terrifiées que seuls quelques rochers isolés pouvaient abriter. Au loin, une rangée d'acacias balisait un oued qui rampait en contrebas des dunes mouvantes. Le bras gauche appuyé sur sa mitraillette, le patrouilleur se dirigea vers Mohammed. Ses hautes bottes de cuir noir enfonçaient leurs épaisses semelles dans la fournaise de sable sur laquelle Mohammed priait encore. Les deux hommes étaient seuls, sans autre témoin que le silence. Mohammed n'osait se relever, de peur que le soldat n'y voie un geste agressif et ne tire. Il vit la paire de bottes s'arrêter sous son nez. Son cœur se serra. Il releva lentement la tête.

– *Salaam aleikum*, dit le patrouilleur.

Mohammed respira librement. Un frère musulman qui lui souhaitait la paix ne pouvait avoir l'intention de le tuer.

– *Aleikum salaam*, répondit-il.

– Tes papiers!

– Dans le camion.

Il se leva, secoua sa tunique blanche, roula son tapis et se dirigea vers le Toyota. Il ouvrit la portière, fit redémarrer le moteur et la climatisation, et sortit une liasse de papiers jaunis qu'il soumit à l'examen du militaire.

– Tu sais qu'avant le coucher du soleil tu dois avoir quitté notre pays, menaça le soldat sans lever les yeux des papiers.

– *Votre* pays? répondit Mohammed. Tu vois ces feuilles, ces vieux papiers. C'est écrit que depuis quinze ans, j'habite légalement ce pays.

Mohammed disait vrai. Il vivait depuis longtemps dans ce pays, qui ne lui avait jamais accordé la nationalité saoudienne. Aujourd'hui, malgré son statut légal de travailleur immigré, on le mettait à la porte. Lui et huit cent mille autres Yéménites étaient expulsés de l'Arabie Saoudite parce que le gouvernement du Yémen avait affirmé «comprendre sans l'approuver» le geste de l'Irakien Saddam Hussein qui avait envahi le Koweït, pays ami de l'Arabie Saoudite.

– Et toi, tu es saoudien?

– Je suis égyptien.

Beaucoup d'Égyptiens travaillaient également pour les Saoudiens, comme policiers, militaires, fonctionnaires, instituteurs, mais l'Arabie Saoudite ne les chassait pas, parce que le gouvernement du Caire s'était rangé rapidement du côté des Koweïtiens, amis des Saoudiens, dans cette guerre du Golfe.

– Tu vis ici depuis combien de temps? demanda Mohammed à l'Égyptien.

– Dix-huit ans, répondit le militaire, agacé. Encore deux ans et je pourrai rentrer chez moi avec un peu d'argent. Mais sûrement pas autant que toi avec tes frigos!

L'atmosphère se détendit. Mohammed souriait. Le militaire avait dégagé son bras de la mitraillette.

– Tu parles! Les frigos, j'en ai cinq; c'est tout ce qu'il me reste. Si tu veux, je t'en vends un pas cher! Deux, si tu veux. Je te fais un bon prix.

– Tu blagues! Tu me vois rentrer à la caserne avec un frigo?

– Tu pourrais y cacher l'alcool de contrebande que vous interceptez à la frontière!

Les deux hommes riaient. Ils en avaient eu rarement l'occasion ces cinq derniers mois. Depuis que Saddam Hussein avait «récupéré» le Koweït, les pays arabes et musulmans étaient déchirés. Mohammed savait bien que Saddam ne gagnerait pas la guerre, mais ce dernier avait fait un geste symbolique majeur en s'attaquant à un pays riche. Dans un mois, dans un an, les menaces, les promesses, les engagements seraient oubliés comme les dunes qui, chaque nuit, sont effacées par le vent. Mais le symbole demeurerait gravé dans la mémoire de ceux qui ne pouvaient partager la richesse des maîtres du désert.

Le Yéménite salua l'Égyptien, qui remarqua l'énorme gourmette d'or à son poignet. Le militaire regagna sa jeep et reprit sa patrouille vers le nord. Dans le rétroviseur, il vit disparaître un petit nuage de poussière dorée, un écrin de sable où reposaient cinq frigos et un homme.

\* \* \*

Pour Mohammed, tout avait commencé en 1970, à vingt-sept ans; il était déjà veuf depuis deux ans, sa femme étant décédée des suites de l'accouchement de leur deuxième enfant. Pendant que sa mère élevait son fils et sa fille à Sanaa, il sillonnait le pays d'ouest en est au volant d'un camion chargé de caisses de fruits et de légumes dont le double fond camouflait des bouteilles d'alcool. Dans ce pays où l'alcool était interdit, les cargaisons arrivaient de Djibouti par le port d'Hudaydah et les contrebandiers les apportaient aux chefs de tribus nomades qui les faisaient ensuite transiter vers l'Arabie Saoudite par le Rub al-Khali, ce vaste territoire inhabité surnommé le «quart vide» dont la frontière encore incertaine chevauche celle du Yémen.

Lors d'un de ces voyages clandestins, il s'était laissé séduire par la fille d'un des scheiks nomades. Malgré la haute surveillance entourant les femmes, la jeune Fathma déjouait les gardiens du hameau et réussissait à rencontrer secrètement Mohammed à chacun de ses séjours. L'aventure durait depuis plusieurs mois quand, un soir, alors qu'ils étaient cachés dans le camion, Fathma repoussa l'étreinte de Mohammed.

– Tu dois m'épouser, Mohammed, dit-elle.

Mohammed chercha à fuir. Jamais il n'épouserait cette jeune fille. Jamais il n'avait voulu vivre parmi les nomades. Mais il vit une demi-douzaine d'hommes s'approcher du camion avec des torches. Le père de Fathma se détacha du groupe.

– Viens, Mohammed, dit-il. Nous allons discuter.

Les hommes l'escortèrent jusqu'à l'intérieur d'une grande tente pendant que des femmes emmenaient Fathma à l'écart. Mohammed crut l'entendre pleurer. Il s'assit sur un tapis rectangulaire où l'attendaient un plat de *saltah* et une théière fumante. D'un geste machinal, il caressa le manche de son poignard à lame courbée, son fidèle *jambiya*.

– Tu dois maintenant épouser ma fille, dit le scheik. Nous connaissons vos fréquentations. Tu es un homme solide. Je sais que tu prendras soin d'elle et que tu sauras lui donner des fils et des filles.

Otage de ce clan de nomades, seul, Mohammed se vit forcé de discuter. Arrosé de thé, parfumé d'encens, le palabre s'étira non pas toute la nuit, mais sur trois jours. On lui parla de dot, de pouvoir, de richesses à partager. Il savait qu'il devait se soumettre à la décision du chef; on lui avait d'ailleurs laissé entendre qu'il ne pourrait pas repartir du hameau. «Tu sais, avait ajouté un des frères de Fathma, nous levons le camp facilement. Tu pourrais avoir été victime d'un accident si jamais tu tentais de fuir.» Mohammed avait donc choisi de gagner du temps. Il demanda de revoir Fathma et de discuter avec elle. Le père accepta à condition d'assister à l'entretien. On le laissa dormir seul pour qu'il réfléchisse; non pas à l'offre de mariage mais aux arrangements. Il soumit une proposition au scheik.

– Je partirai demain avec Fathma et un de tes fils. Je dois retourner voir ma famille, mes enfants à Sanaa. Je leur présenterai ma nouvelle épouse. Puis je vendrai tout et je reviendrai.

Fathma se dit enthousiaste à l'idée de découvrir Sanaa. Secrètement, elle souhaitait s'évader. Avec méfiance, le père accepta.

– Et surtout, avertit-il, respecte ta parole. Si tu ne revenais pas, Mohammed, nous saurions te retrouver.

– *Inch Allah!* répondit-il.

Le trio monta dans le camion le lendemain avant l'aube. Mohammed choisit une route de montagne inhabituelle, mais qu'il connaissait bien. Le lacet étroit encerclait un des plus hauts sommets de la région avant de replonger vers la plaine sèche et rugueuse par une pente vertigineuse. Au faîte de la montagne, trois virages serrés forçaient les chauffeurs à reculer sur une étroite saillie avant de repartir à contresens vers le sommet. Une manœuvre périlleuse que seul un homme expérimenté pouvait pratiquer. Lors du premier virage, Fathma et son frère, ignorants de la manœuvre, furent effrayés. L'abîme semblait aspirer le camion.

– Combien de virages y a-t-il? demanda le frère.

– Quatre, répondit Mohammed.

Lors du deuxième, Fathma et son frère choisirent de ne pas demeurer dans le camion pendant la marche arrière. Celle-ci effectuée, ils y remontèrent et gardèrent le silence, apeurés, jusqu'au troisième virage. De nouveau, ils descendirent. Mohammed compléta lentement la manœuvre, embraya et écrasa l'accélérateur comme s'il voulait échapper à un éboulis. Il cria : «Rangez-vous!» Fathma et son frère s'adossèrent à la paroi du rocher et regardèrent le camion leur passer sous le nez à une vitesse étonnante. Dix secondes plus tard, ils comprirent que Mohammed les avait abandonnés. Fathma venait de perdre un mari et Mohammed, de regagner sa liberté.

\* \* \*

Mohammed était remonté dans le Toyota. La cabine était maintenant fraîche et les quelques kilomètres qui le séparaient de la frontière yéménite allaient être avalés doucement, amèrement. Il prenait à rebours la route empruntée une quinzaine d'années auparavant, après sa mésaventure avec le clan de Fathma. Ne pouvant plus remettre les pieds dans le territoire du scheik, il avait décidé d'imiter les centaines de milliers de ses compatriotes qui s'expatriaient en Arabie Saoudite pour gagner leur vie. À bord d'un vieux camion soviétique acheté d'un cousin communiste du Yémen du Sud, il avait franchi la frontière en 1975. Un Saoudien l'avait embauché comme chauffeur. Sous le couvert d'une compagnie de transport de fruits et légumes, on lui faisait faire de temps à autre, à son insu, la contrebande de l'alcool et de publications pornographiques entre le «quart vide» et Riyad.

Ayant découvert le contenu de ses chargements, et pensant aux risques de se retrouver entre les mains de la famille de Fathma, il décida de profiter d'un transport de légumes vers La Mecque pour s'y faire embaucher comme chauffeur par le cousin de son patron à la Banque islamique pour le Développement. C'était moins risqué. Un an plus tard, il quittait son emploi pour ouvrir un petit commerce d'appareils électroménagers. Le fils de son patron, qui ne savait que faire de ses millions, s'amusa à financer l'affaire. Il était donc installé dans ce pays riche d'où il expédiait chaque mois des sommes importantes qui faisaient vivre au moins deux douzaines de personnes de sa famille à Sanaa.

Quinze ans plus tard, tout allait s'effacer. Comme les dunes.

Il enfonça une cassette dans le lecteur et machinalement fouilla dans le sac bleu posé sur la banquette. Il arracha quelques feuilles, les plus jeunes, les plus vertes, de la branche de qat et les fourra dans sa bouche. Il monta le volume des haut-parleurs : une longue plainte nasillarde noya la cabine du camion. Il reprit quelques feuilles de sa branche ; il ruminait cette boulette verdâtre, les yeux fixés sur l'asphalte qui dansait sous la chaleur assommante du désert.

Le désert : une nappe de sable où les miettes de vie se déplacent secrètement pour fuir les morsures fatales du soleil et du vent ; un temple magique où l'espace et le temps s'amalgament pour abolir la frontière entre le réel et l'imaginaire ; une outre de silence qui abreuve les délires et les fantasmes les plus vertigineux.

Mohammed se sentait approcher de la frontière comme d'un précipice.

Il roulait vers le Yémen; seul avec ses frigos, son camion, ses économies et une branche de qat dont les feuilles mâchées le rendaient de plus en plus absent. Une boule verte gonflait dans sa bouche. Le qat, dont il avait fort peu fait usage dans sa vie, avait le même effet qu'une amphétamine; rien à voir avec les drogues qui auraient pu lui faire oublier la trahison de son partenaire saoudien, qui avait refusé de parrainer le prolongement de son séjour dans le pays; oublier qu'il avait dû céder pour un prix ridicule son commerce et la petite maison achetée récemment; oublier qu'il ne pourrait plus maintenant faire vivre sa famille comme il le faisait depuis si longtemps; oublier le mépris et l'humiliation.

\* \* \*

*Arabia felix.* Mohammed grimaça en se rappelant que c'était ainsi qu'on surnommait son pays. Comment pouvait-on encore se nommer «l'Arabie heureuse» quand le spectacle de la misère vous accueillait à la frontière?

– C'est là-bas, à trois cents mètres à gauche, lui lança le garde-frontière. Tu attends; on s'occupera de toi. Tu me donnes un peu de qat?

Assommé par la route de l'exil, Mohammed n'avait plus la force de se fâcher. «C'est ainsi qu'on m'accueille, pensa-t-il; moi qui les ai fait vivre, moi qui rentre au pays tellement plus riche qu'eux; moi la vraie victime de cette sale guerre.»

Ils étaient tellement nombreux à rentrer au pays que la barrière du poste-frontière de Harad était levée en permanence. Un coup d'œil sur les papiers et on les entassait dans un immense enclos, comme un troupeau de dromadaires épuisés. Ils étaient cinq mille, dix mille ou quinze mille selon les jours à errer en silence; rien à raconter puisqu'ils avaient tous la même histoire. Que des hommes.

Il était là, lui, Mohammed, avec ses cinq frigos dressés dans un camion rutilant, fardé de la farine ocre du désert. Des centaines de jeunes vendeurs se promenaient entre les véhicules et les tentes, offrant à ces riches démunis des brochettes de mouton froid et du yaourt tiède. Un vent fétide arrosait l'enclos de l'odeur d'excréments que le soleil mijotait depuis au moins douze semaines. Chaque jour, vers midi, les vendeurs de qat débarquaient. En une heure, les meilleures branches disparaissaient. Au fur et à mesure que les réfugiés laissaient la boule verte grossir dans leur bouche, les emballages allaient choir sur le sol. Ainsi, des dizaines de milliers de sacs de polyéthylène bleus frissonnaient sur le sable, témoins muets d'une transhumance catastrophique.

Mohammed chercha en vain à identifier quelqu'un, un ami, une connaissance avec qui il pourrait partager cette déception qui le rongeait. Il avait le sentiment de connaître tout le monde et personne. Les hommes, assommés par l'expulsion, parlaient peu. Ils digéraient lentement l'affront d'avoir été déclarés inutiles à leur famille. Ils étaient des rois nus, dépouillés de leur raison d'être et de leur dignité.

Il remarqua un camion bleu qui ralentit arrivé à sa hauteur. Sans lever les yeux, il remercia de la main le chauffeur, qui le laissa traverser. Le camion reprit lentement sa route et s'arrêta un peu plus loin. Un jeune homme sortit de la cabine, chercha quelqu'un des yeux, remonta et s'éloigna en jetant de nombreux regards dans le rétroviseur. Perdu dans la foule, Mohammed ne s'aperçut de rien. Le camionneur fit ainsi de nombreux arrêts dans le camp. Chaque fois, des dizaines d'expatriés entouraient le véhicule et achetaient leur branche de qat pendant que le chauffeur, légèrement distrait, semblait chercher quelqu'un parmi ses clients. Le lendemain, Mohammed vit venir le même camion. Il eut le réflexe de s'éclipser derrière un autre camion. Il observa alors le manège du chauffeur. Coiffé d'un turban, masqué de verres fumés, le jeune homme scrutait encore la foule. L'image du frère de Fathma lui revint à la mémoire pour la première fois. «Impossible», songea-t-il.

Deux jours plus tard, il soudoya un des rares officiers du ministère de l'Intérieur qui rôdaient par là. Pour cent dollars, il obtint l'autorisation de quitter ce qu'on avait malicieusement surnommé «le cimetière saoudien».

Mohammed roulait maintenant en direction du sud-ouest. Çà et là dans le désert, les hameaux se multipliaient. Habitués à la caravane quotidienne des exilés, les villageois ne leur accordaient que peu d'intérêt. Pour eux, ces expatriés revenaient bourrés d'argent. Plus riches que ceux qui n'avaient pu partir travailler à l'étranger. À mi-chemin entre la frontière et la mer, le Toyota fut doublé lentement par un camion bleu. Mohammed crut reconnaître le véhicule qu'il avait remarqué dans l'enclos des réfugiés. Le camion accéléra et disparut juste avant les faubourgs de la ville portuaire. Mohammed fut soulagé. Il pénétra dans Hudaydah au moment où le soleil se liquéfiait dans la mer Rouge.

«Rien n'a changé», murmura-t-il.

Dans la grande avenue vétuste menant à l'hôtel Empress, des dizaines de jeunes hommes, souvent des enfants, tiraient des brouettes que frôlaient dangereusement les camions et minibus qui slalomaient entre les trous du pavé et les animaux affolés.

Du ventre des immeubles, une pièce béante laissait couler vers la rue noire les langues blafardes des néons. À l'intérieur, allongés sur des lits surélevés, des dizaines d'hommes, réunis par de longs tuyaux bariolés, portaient à leurs lèvres le narghilé. Ils fumaient en silence.

Mais quelque chose avait changé.

Aux limites de la ville, là où les rues s'évanouissaient autrefois dans le désert, des milliers de petites flammes s'agitaient sous des voiles.

– C'est le quartier Saddam, lui expliqua un expatrié rentré de Djeddah.

Des centaines de tentes logeaient les réfugiés. Ces hommes désœuvrés semblaient paralysés; coincés entre l'inquiétude de rentrer dans une maison où personne ne les attendait et l'impossibilité de retourner chez les Saoudiens. Ils étaient déjà des milliers à camper dans la ville, à squatter leur propre pays. Découragé, Mohammed roula lentement vers l'hôtel, sans remarquer le camion bleu qui le suivait.

Une subtile odeur d'encens l'accueillit dans le lobby de l'Empress. L'hôtel avait conservé les meubles, les lampes et les tapis de l'époque où le pays était sous contrôle ottoman, de même que le nom légué par les anciens propriétaires indiens d'allégeance britannique.

Après avoir négocié la surveillance de son camion et de sa précieuse cargaison avec un jeune garçon – «C'est promis, chef; je dors dans le camion» –, Mohammed jeta ses valises dans la petite chambre crasseuse, se lava sous le mince filet d'eau tiède que laissa couler la pomme rouillée de la douche et se rendit au dernier étage du bâtiment, où la salle à manger offrait une vue imprenable sur la ville et le port. Il fut estomaqué. Mal éclairé, le restaurant grouillait de monde malgré l'heure tardive. Sur chaque table trônaient plusieurs bouteilles d'alcool : whisky, gin, porto, vodka, bière. Ça buvait, discutait, fumait, riait et mangeait goulûment. Une atmosphère de tripot. Dans ce pays où s'appliquait avec tant de rigueur la loi coranique, sur cette terre chiite où on coupait naguère la tête aux impudiques, Mohammed se retrouvait entouré d'hommes qui n'auraient jamais toléré la vue d'une seule goutte d'alcool dans leur maison alors qu'ici, dans cette ville portuaire, loin de leur famille, ils se permettaient de boire comme il eût été inimaginable de le faire quinze ans auparavant lorsqu'il avait quitté le Yémen.

Il avala rapidement un plat de saltah à la sauce verte et amère.

Ce soir-là, en fermant les yeux, Mohammed eut le sentiment que la terre s'était ouverte sous ses pieds. Dans la nuit chaude et moite de décembre, le ventilateur du plafond allait paresseusement remuer l'odeur d'encens et l'amalgamer à tous ces souvenirs qui, un à un, viendraient hanter les rêves d'un homme abandonné au confluent de ses illusions, de ses déceptions et de ses ambitions détruites.

# 3

Au moment où elle ouvrit les yeux, son regard se fixa vers le ciel, où les dernières cigognes voyageaient vers le sud à l'approche de l'hiver. «Elles sont libres», soupira Greta.

Elle avait refusé de se balader dans Istanbul pendant les vingt-quatre heures que la famille s'y était arrêtée avant qu'un cousin de son père ne vienne les chercher.

– Ma fourgonnette est neuve; une Ford! avait-il lancé fièrement. Vous y serez confortablement installés.

Les huit cents kilomètres qui les séparaient de Konak allaient être franchis en quinze heures.

Vaincue par la fatigue et le stress de son déracinement, Greta s'était assoupie lors de la traversée de la mer de Marmara, dont les vagues longues avaient bercé le navire transbordeur pendant deux heures. Les secousses du débarquement l'avaient réveillée.

Mustafa expliqua à ses enfants qu'Istanbul chevauchait les continents européen et asiatique.

– Ouvrez les yeux; vous êtes maintenant en Asie.

Pour marquer sa dissidence, Greta avait refermé les yeux et s'était obstinée à ne rien regarder. Même ses larmes, elle les avait refoulées. «Ils ne me verront plus jamais pleurer», s'était-elle juré. Elle n'avait donc rien vu de ces montagnes violacées, de ces hameaux arrachés à la pierre millénaire, de ces collines lisses recouvertes d'un épiderme crémeux comme de la nacre que crachaient les sources souterraines d'eau sulfureuse. Elle avait pourtant respiré l'odeur du gasoil des camions qu'on avait dangereusement doublés; elle avait entendu le braiment des ânes; elle avait salivé aux effluves des brochettes de mouton que la famille avait avalées sur la place d'un petit village. Mais elle avait refusé de s'ouvrir à ce nouveau monde qui, pour elle, n'avait de vérité que dans les livres d'histoire et les légendes anciennes.

Sa mère écarta doucement le tcharchaf sous lequel elle s'était réfugiée et l'embrassa délicatement sur la joue.

– Nous approchons, ma belle Taylin ; ne sois pas triste. Tu verras : Konak, c'est la famille, le bonheur et la richesse ; ton père l'a promis...

– Maman, ne m'appelle plus jamais Taylin. Laisse-moi au moins le prénom que j'ai choisi.

Greta eut envie de se blottir dans les bras de sa mère, de pleurer, de redevenir une petite fille. Elle posa sur elle un regard plein de tendresse et se réfugia de nouveau entre le tissu pourpre du tcharchaf et la grisaille de cette fin de journée qui collait à la fenêtre de la fourgonnette.

C'est Becuchi qui versa des larmes, qu'elle épongea discrètement. Elle aurait voulu expliquer à sa fille le geste d'amour que faisait son père en remmenant toute sa famille vivre sur sa terre natale. Lui expliquer aussi qu'elle aurait souhaité la voir vivre en Allemagne.

Un père généreux et autoritaire, c'est également ce qu'elle avait connu, elle, Becuchi. Née à Konak en 1950, elle avait rêvé d'aller vivre dans la grande ville voisine, Denizli. Son père, Turgut Demirel, un éleveur de moutons prospère, avait décidé de la garder près de lui ; elle travaillerait à la petite entreprise de tissage qu'il venait de créer à Konak. Becuchi avait tenté d'obtenir l'appui de sa mère pour aller étudier à Denizli, mais cette femme, comme toutes les autres du village, n'avait d'autorité que dans le périmètre de sa maison. Becuchi l'avait vue chaque jour s'éreinter à porter des fagots pour entretenir le feu de bois, nourrir les poules de la basse-cour, nettoyer la maison, fabriquer des vêtements, se levant avant tout le monde et ne se couchant qu'une fois la famille endormie. Becuchi s'était juré que, malgré la générosité de son père et la sécurité matérielle qu'il assurait à sa famille, jamais elle n'accepterait, comme sa mère et sa grand-mère, de réduire son existence à un mode de vie dicté depuis toujours par la volonté des hommes. À dix-huit ans, elle avait rêvé de Denizli comme aujourd'hui sa fille rêvait de l'Allemagne.

Elle fut arrachée à ses souvenirs au moment où la fourgonnette franchissait cette place publique. Justement, c'était Denizli que le chauffeur avait traversé sans s'y arrêter, sur les ordres de Mustafa. La Ford roulait maintenant sur un chemin de terre. Le cousin slalomait entre les moutons, les coqs et les ânes. Dans un virage, sur la frange d'un plateau dénudé, Mustafa ordonna au chauffeur de s'arrêter : en contrebas, une petite bourgade dont les maisons de pierres se distinguaient à peine du sol ; les rues boueuses retenaient des flaques d'eau dans lesquelles se reflétaient les volutes de fumée des cheminées. Le soleil venait à peine de se cacher derrière les montagnes dont les pentes se laissaient maintenant envahir par le manteau sombre de la nuit. Soudain, un cri, une plainte : «*Allah akbar...*»

Les petits haut-parleurs du minaret hurlaient par le métal fêlé de leur gorge la puissance de ce Dieu par qui tout existait. Quatre longs néons verts s'illuminèrent aux murs du minaret, d'où la complainte continuait de s'échapper comme les fumées des maisons. Au moment où Mustafa demandait à la famille de s'agenouiller pour prier, une moto frôla à grande vitesse la fourgonnette immobile. Alors qu'on entendait encore sa voix dans les haut-parleurs, le muezzin se dirigeait à tombeau ouvert vers le village voisin afin d'insérer la cassette de la prière dans un autre minaret avant que le soleil ne soit vraiment couché. Greta ne put s'empêcher de sourire pendant que le messager du prophète pétaradait vers sa prochaine destination.

La prière terminée, le père se leva ; avec émotion et solennité, il annonça :

– Les enfants, voici votre village !

Sauf en photo, aucun d'eux n'avait encore vu Konak.

Ce fut la fête. Les paysans avaient planté des torches le long de la rue principale menant à la place du marché. Les enfants couraient derrière la fourgonnette dont les flancs rouge vif, tapissés de boue et de poussière, semblaient exciter la petite meute. Le cortège s'immobilisa au pied du minaret. Tout le monde était là pour le retour de l'enfant prodigue : les vieux parents de Mustafa qui pleuraient, les frères et les sœurs impatients de recevoir leurs cadeaux, le maire heureux d'accueillir un homme riche, les vieux toujours aussi méfiants, les jeunes hommes qui, eux, rêvaient tous de partir vers cet Eldorado germanique dont ils connaissaient maintenant l'imperméabilité. Les femmes se tenaient derrière, admiratives et silencieuses. Ne manquaient que les parents de Becuchi, décédés quelques années auparavant. On entendit un murmure et des grognements lorsque Greta descendit à son tour et laissa volontairement tomber son tcharchaf révélant ainsi une splendide tignasse blonde. Quelqu'un cria :

– Mustafa, tu ramènes une Allemande !

Embarrassé, il répliqua :

– Ne te fie pas aux apparences ; c'est ma fille Taylin.

Il insista sur « Taylin » en lui jetant un regard si puissant qu'elle comprit qu'elle devait se taire.

Le maire, Adnan Gursel, s'approcha de Mustafa.

– Ça fait plaisir de revoir un ami d'enfance revenir au village.

– Tu te souviens de Becuchi ? répondit-il en lui présentant sa femme.

– Comment pourrais-je avoir oublié la plus belle fille du village ? dit-il en lui tendant la main.

Sollicité par d'autres vieux amis admiratifs, Mustafa s'éloigna un peu.

– Bonjour, Adnan. Tu n'as pas beaucoup changé, enchaîna Becuchi. Je te présente ma fille, Tayl… Greta.

– Même avec ses cheveux blonds et ses yeux bleus, il est impossible de se tromper : elle est aussi belle que toi, répondit Adnan.

Greta croisa avec fierté le regard de sa mère avant de baisser les yeux.

– Tu le connais aussi ? demanda-t-elle discrètement à sa mère.

Becuchi lui fit signe que oui. La question de sa fille la ramena vingt ans en arrière. Le père d'Adnan, Süleyman Gursel, était aussi maire de Konak ; un homme prospère qui avait même acheté une voiture à son fils. Becuchi, qui voulait s'évader le plus souvent possible de Konak, se laissait courtiser par Adnan, qui l'emmenait se balader du côté de Tavas et de Denizli, où il y avait un cinéma. Elle se surprit à fixer les yeux d'Adnan. Elle tourna pudiquement la tête vers sa fille. Elle éprouva un léger vertige. Greta et Adnan se regardaient comme s'ils se connaissaient depuis toujours. Elle attira sa fille vers elle :

– Je vais te dire un secret, chuchota-t-elle : c'est le premier garçon que j'ai laissé m'embrasser.

Greta étouffa un fou rire.

– Mais n'en parle pas à ton père. Il n'en sait rien !

35

Becuchi était heureuse; ce petit secret avait réussit à faire sourire sa fille.

Après de nombreuses embrassades et poignées de main, la famille remonta dans la fourgonnette.

– Voici maintenant la surprise, annonça Mustafa.

On roula silencieusement pendant une petite minute. Puis, après un virage, au bout de la rue surgit la « surprise » : elle dominait superbement toute la place, flanquée de deux lampadaires qui lui jetaient une lumière jaune crue; elle était haute, longue, imposante. Une immense maison bavaroise de trois étages, coiffée d'un véritable toit de chaume, régnait sur le petit carrefour. Éberlués, les trois jeunes fils de Mustafa lancèrent à l'unisson et spontanément, en allemand :

– C'est comme l'Allemagne! Comme chez nous!

Greta n'en croyait pas ses yeux. Elle habiterait ici, dans ce village perdu de Turquie, dans une maison allemande comme elle n'aurait pu en rêver quand elle était là-bas. On avait troqué son humble liberté contre une prison dorée. Chaque fois qu'elle sortirait de cette maison, elle passerait de l'Allemagne à la Turquie en un instant : une simple porte séparerait la richesse de la pauvreté, le rêve de la réalité, le vingtième siècle du dix-neuvième.

– Tu sais, lui glissa sa mère à l'oreille, nous habiterons les deux derniers étages; au rez-de-chaussée, tes grands-parents Tancir sont déjà installés. Et derrière il y aura ton oncle; il fera construire une maison identique. Nous serons tous heureux ensemble.

Greta sentait l'étau se resserrer. « Ils veulent m'étouffer », pensa-t-elle. Elle éclata en sanglots.

– C'est l'émotion, dit la mère. Laissez-la pleurer, elle lave ses souvenirs.

Cette maison était la fierté de Mustafa. À quarante-sept ans, il recommençait sa vie en installant sa famille dans le symbole de sa réussite. Non sans une certaine nostalgie, il refermait une parenthèse de vingt ans avec l'intention de reprendre certaines affaires là où il avait dû les laisser. Cette fois, il agirait sans que personne puisse intervenir.

Le père de Mustafa, Ismet Tancir, avait été propriétaire du seul café de Konak. Devant l'attitude souvent belliqueuse de son fils, Ismet lui avait suggéré de faire carrière dans l'armée. Après qu'il eut passé six ans dans l'infanterie, une grave blessure à un pied avait provoqué son renvoi «honorable» avec petite pension. En 1966, il rentrait donc à Konak avec l'intention de prendre la relève de son père. Il découvrit alors que ce dernier venait de perdre son commerce aux mains du maire Süleyman Gursel, envers qui il avait une grosse dette. Et Gursel venait justement d'ouvrir un deuxième café, le café des Jeunes, dont il avait confié la gestion à son fils Adnan. Humilié et découragé, Mustafa trouva du travail à l'atelier de tissage de Turgut Demirel. Bon ouvrier, ayant le sens de l'ordre et de la discipline, il se vit confier bientôt des responsabilités élargies qui devaient le mener à gérer la petite entreprise. Un jour, Turgut Demirel le convoqua après les heures de travail. Il pensait à lui pour prendre la relève : il n'avait qu'une fille, Becuchi, à qui il n'était pas question de confier l'entreprise. Il pourrait donc marier Becuchi et se retrouver patron de l'atelier de tissage. Mustafa fut séduit, d'autant plus que Becuchi était fort belle. Il avait vingt-six ans ; elle, dix-neuf. Mustafa se voyait déjà propriétaire prospère ; il envisageait de racheter en plus les deux cafés du village. Et pourquoi ne pas devenir maire ?

– Attends au moins que j'en informe Becuchi, lui avait dit Turgut Demirel.

Son avenir se dessinait donc clairement : il épouserait la plus belle fille du village et deviendrait riche et puissant. Le bonheur s'installait enfin dans sa vie quand soudain tout chavira. Une déchirure qui, vingt ans plus tard, paraissait encore mystérieuse aux yeux des habitants les plus âgés de Konak. Une énigme qui allait de nouveau nourrir les discussions au café des Vieux.

Épuisés, Mustafa et Becuchi demandèrent aux enfants de se coucher tôt. Greta s'effondra dans sa nouvelle chambre, dont elle avait pris soin de verrouiller la porte. À peine sous les couvertures, elle éclata en sanglots, un torrent de larmes qui inonda des rêves, des cauchemars, des vertiges qui finirent par l'assommer. Elle rêva surtout de Hans, dont elle cherchait, sans les atteindre, les bras et la bouche.

\* \* \*

Le café des Jeunes avait changé d'atmosphère.

– Alors, Kenan, tu crois vraiment pouvoir la rencontrer avant Selim ?

– Ismet, tu n'as rien compris. La Taylin des Tancir, ce n'est pas pour toi. Ali a une bonne longueur d'avance.

– Et pourquoi donc? répliqua Ismet, vexé.

– Parce que Ali a de l'argent. Son père et le père de Taylin…

– Greta! C'est Greta, son nom! lança une voix derrière le comptoir. Et je vous prie de vous mêler de ce qui vous regarde.

– Voyons, Ali; on blaguait…

– Avec Greta, moi, je ne blague pas.

Depuis l'arrivée de la famille Tancir, Ali, le fils adoptif du maire, était complètement transformé. Ce jeune homme de vingt ans, à qui son père avait confié la gérance du café des Jeunes, avait fait savoir à tous ses clients que Greta, la plus belle fille du village, était pour lui.

Comme Greta ne risquait pas de franchir la porte du café, traditionnellement réservé aux hommes, Ali s'absentait souvent pour essayer de la croiser, de lui adresser la parole, de se faire remarquer. Il l'apercevait parfois en compagnie de sa mère, mais n'osait jamais l'aborder. Moins il la voyait, plus il était fébrile. Au point que son père, Adnan, l'avait remarqué.

– Elle te plaît vraiment?

– Oh! oui.

– Je te comprends; moi aussi, sa mère me plaisait beaucoup à l'époque…

– Sa mère?

– Oui. J'ai bien connu Becuchi à l'âge de sa fille; et son père, Mustafa, aussi. Tu as raison : Greta est une fort jolie fille. Et toi, il est temps de penser à te marier.

Ali venait de comprendre que son père, pour des raisons qu'il ne pouvait soupçonner, allait lui ouvrir la porte de la famille Tancir.

\* \* \*

Il pleuvait dru. Les gouttes d'eau glacée mordaient la peau comme des crocs invisibles.

Greta marchait seule. Elle arpentait une à une les rues, comme pour repérer les failles, les issues, les trous par lesquels elle pourrait un jour s'évader. Pourtant, ce village, on y entrait et en sortait à volonté; sauf qu'il n'y avait nulle part où aller : toujours les mêmes chemins boueux, les mêmes montagnes, les mêmes troupeaux de moutons; le même vide.

Le croassement cinglant de deux corbeaux la secoua. Deux ânes tiraient une charrette plate sur laquelle étaient assis quatre hommes qui causaient en fumant. Derrière, ployant sous le poids de dizaines de fagots incrustés dans la nuque et les épaules, cinq femmes marchaient, lourdement voûtées. Greta explosa.

– Bande de fainéants ! Vous traitez vos femmes et vos filles comme des esclaves. Vous n'êtes que des paresseux ! Des pachas !

Hors d'elle, elle poursuivit, en allemand :

– Je vous hais, je vous déteste, je vous maudis…

La charrette s'était immobilisée. Sans en descendre, les hommes avaient regardé silencieusement les femmes. L'une d'entre elles déposa son fardeau par terre et s'approcha de Greta.

– Espèce de petite putain ! Fainéante ! Enfant gâtée ! Comment oses-tu nous parler ainsi ?

Greta était sidérée ; elle s'attendait à tout mais pas à ça. Une autre femme, plus jeune, rejoignit la première.

– Je t'interdis de parler de la sorte à nos hommes, Taylin Tancir. Nous travaillons tous. Nous, à la maison ; les hommes, aux champs avec les troupeaux. Ce n'est pas parce que ton père possède la plus grosse maison du village…

– Ce n'est pas parce que ton père se prend pour un roi que tu peux agir en princesse, intervint une troisième qui portait toujours sur son dos les trente kilos de bois de chauffage.

La petite caravane reprit sa route, les hommes toujours silencieux, mais visiblement satisfaits. En passant près de Greta, une des femmes lui cracha aux pieds.

Tout s'était passé si vite que Greta crut avoir rêvé ; elle émergeait d'un cauchemar. Les pieds dans la boue jusqu'aux chevilles, elle avait l'impression qu'on lui avait tapé dessus pour l'enfoncer dans le sol, l'immobiliser, l'isoler.

Les larmes coulaient et se figeaient sur ses joues. Elle se souvint des larmes qu'elle avait versées à Berlin, dans la rue, la veille de son départ. En allemand, elle hurla :

– Je vais revoir Berlin !

Les deux corbeaux survolèrent cette femme plantée au milieu de la route boueuse d'un village dont personne à Berlin ne se doutait de l'existence.

Ce soir-là, après le passage du muezzin, la rumeur circula chez les hommes réunis au café des Vieux que la fille de Mustafa était folle.

# 4

Le *mafraj* d'Abdallah était devenu le refuge favori de Mohammed. Située à l'étage supérieur de la maison, cette pièce réservée aux hommes était complètement recouverte de tapis; dans son périmètre, des montagnes de coussins se bousculaient paresseusement. C'est ici que, chaque après-midi à l'heure de la sieste, Abdallah et ses amis flânaient doucement, causant de la famille, de la vie, de politique; surtout de l'audace de Saddam Hussein et de la division du monde arabe face à ce conflit. Mais, au fur et à mesure que la boulette de qat grossissait dans leur bouche, les conversations ralentissaient, les phrases prenaient difficilement le virage des opinions, les mots glissaient à peine entre les lèvres des causeurs; les yeux de plus en plus rougis et vitreux, ils aspiraient les volutes d'un narghilé, allongés comme des pachas. Mohammed avait rencontré Abdallah par l'entremise du gérant de l'hôtel Empress, qui le lui avait décrit comme un homme d'affaires averti.

– Alors, tu ne crois vraiment pas possible d'ouvrir un commerce d'appareils électroménagers ici, à Hudaydah?

– C'est une bonne idée, Mohammed, répondit Abdallah, mais pas maintenant. Le retour des expatriés, c'est la catastrophe! Moins d'argent qui entre. Où vont-ils travailler? Pour eux, c'est le chômage et la misère…

– Eux et leur famille, continua Mohammed. Je suis impatient et inquiet de retrouver les miens. Ils ne savent pas encore que j'ai été expulsé…

– Mais au moins, toi, tu as tes frigos, un camion, de l'argent.

– Mes frigos? Chaque jour, je dois payer quelqu'un pour les surveiller et, même s'ils sont entreposés, eh bien! on a réussi à m'en voler un.

Mohammed errait dans Hudaydah. Il refusait de croire au diagnostic d'Abdallah. Il tenait à trouver un partenaire pour ouvrir son commerce. Mais, au fond de lui-même, il sentait bien qu'il cherchait plus une raison de ne pas rentrer à Sanaa. Il était humilié d'avoir été expulsé d'Arabie Saoudite, de ne plus se sentir chef de famille. «Je ne sers plus à rien, à personne», se répétait-il. Il en vint à se convaincre qu'il n'existait qu'une seule solution : reprendre du service comme camionneur.

Chaque jour, il arpenta les quais, cherchant à reconnaître un ancien collègue ou un vieux copain qui saurait l'orienter ou le pistonner. Personne ne lui prêta attention sauf un autre expatrié qui lui confia avoir buté contre le même mur que lui. Une nouvelle mafia avait pris le contrôle du transport et l'afflux des réfugiés ne faisait qu'augmenter la difficulté de trouver un emploi. Il fallait débourser de grosses sommes pour s'inscrire sur la liste des chauffeurs et, encore, on ne pouvait espérer rien d'autre que quelques voyages par mois vers le «quart vide». Mohammed vit surgir le fantôme de la famille de Fathma. Il frissonna.

Un matin qu'il flânait dans le port à regarder les bateaux immobilisés par la menace de la guerre, un homme s'approcha de lui.

– Tu es bien Mohammed, fils de Yusef?

Étonné, Mohammed faillit ne pas répondre. Mais la curiosité l'emporta.

– Il y a là-bas, dans le camion bleu, un homme qui croit te connaître.

Spontanément, Mohammed mit la main sur le manche de son poignard et recula d'un pas, prêt à fuir.

L'homme se retourna et fit de grands signes de la main au chauffeur. Un jeune homme descendit de la cabine. Il était grand, mince, et portait le pantalon bouffant des Yéménites, une chemise sans col et une veste brune. Il marchait droit, la tête enturbannée, un *jambiya* bien en vue accroché à la ceinture. Plus il approchait, plus il pressait le pas. Mohammed retint son souffle. «Non, c'est impossible», se dit-il. L'homme se mit à courir. Mohammed eut tout juste le temps d'ouvrir les bras.

– Papa!

– Hassan!

L'étreinte dura un long moment. Muet d'émotion, Mohammed finit par balbutier bêtement :

41

– Que fais-tu ici ?

Mohammed n'avait pas vu son fils depuis que ce dernier avait fait un voyage à Riyad pour le visiter, quatre ans plus tôt.

– Je savais que tu avais été chassé comme tous les autres, dit Hassan.

– Comment m'as-tu retrouvé ? demanda Mohammed en retenant son fils dans ses bras.

– Je t'ai vu dans le parking des réfugiés à Harrad.

– Et tu ne m'as pas parlé !

– J'ai compris que tu ne désirais pas être vu là-bas, parmi tous ces hommes refoulés.

– Et que fais-tu ici, à Hudaydah ?

– Je travaille, répondit Hassan en désignant le camion bleu. J'ai maintenant vingt-trois ans.

Mohammed crut revivre sa jeunesse. Son fils avait lui aussi choisi de s'exiler de Sanaa et, comme lui, il gagnerait sa vie à conduire un camion.

– Depuis quand as-tu quitté Sanaa ?

– Bientôt un an. Écoute, retrouvons-nous ce soir à l'hôtel Empress. J'ai une livraison très urgente à faire. Mon patron me surveille. Je ne dois pas parler aux étrangers et il ne sait pas que…

– Que je ne suis pas un étranger, dit tristement Mohammed.

– Je t'expliquerai tout ce soir.

– Tu sais où je loge ?

– À l'Empress. C'est là que descendent ceux qui ont de l'argent ! Les autres vivent sous la tente à la sortie de la ville.

Abasourdi, Mohammed regarda Hassan regagner au pas de course son camion et démarrer en le saluant de la main. Il resta planté sur le quai, assommé par cette rencontre qui lui laissa un arrière-goût de miel et de vinaigre. Son fils l'avait reconnu, interpellé, mais était rapidement reparti. Comment fallait-il interpréter ce geste ? Il allait en savoir plus dans quelques heures, au restaurant de l'Empress.

\* \* \*

Lorsqu'il pénétra dans la salle à manger, Mohammed eut peine à voir son fils, tellement il y faisait noir. Attablé avec d'autres hommes, Hassan se leva pour lui faire signe. Six bouteilles d'alcool déjà entamées circulaient entre les convives bruyants et joyeux.

– Mes amis, je vous présente Mohammed, mon père! claironna Hassan.

La dizaine d'hommes le saluèrent sans trop d'attention et continuèrent à boire et à manger. Mohammed embrassa Hassan qui, immédiatement, lui offrit un whisky. Embarrassé, Mohammed refusa.

– Hassan, dit-il, pourquoi ne pas nous asseoir ensemble, seuls tous les deux?

Les deux hommes se levèrent et choisirent une table près d'un balcon donnant sur le port.

– Incroyable... Incroyable..., murmurait Mohammed.

– Parle-moi de toi. Il y a longtemps que j'ai eu de tes nouvelles, dit Hassan.

– Pourtant je vous ai écrit, il y a à peine trois mois.

– Peut-être, mais moi, je ne vis plus à Sanaa depuis un an.

– Tu as quitté la famille?

– Comme toi, papa.

– Oui, mais moi, je devais vous faire vivre tous.

– Il n'y avait plus de travail à Sanaa. Rien.

– Et ta sœur? Et mes parents? Tu as de leurs nouvelles?

– Les grands-parents ne vivent que par toi; ils sont toujours heureux de recevoir l'argent que tu envoies...

– Et ta sœur?

Hassan parut embarrassé. Il devinait le gouffre qui s'était creusé entre son père et la famille. Il avala une gorgée de thé.

– Hassan, que me caches-tu?

– Eh bien, je ne sais trop comment le dire. Je... je lui ai trouvé un mari...

– Quoi? Un mari? Mais c'est à moi de...

– Papa, elle était d'accord. Tout le monde m'appuyait. Tu n'es plus là, papa. Nous ne pouvions plus attendre. C'est un bon garçon. Ils vivent à Taïz.

– À Taïz! Dans les montagnes.

– Oui. La famille de son mari cultive le qat...

Mohammed écoutait son fils raconter la vie des siens comme s'il s'agissait de celle des voisins. Mohammed le chef de famille avait été définitivement remplacé par Mohammed le pourvoyeur.

– Mais toi, l'interrompit Mohammed. Avec qui travailles-tu?

– Avec les copains que tu as vus à la grande table en arrivant. Livraison dans tout le pays.

– Fruits? Légumes?

– Le matin, oui. Vers midi, le qat. Et le reste de la journée, des animaux. Parfois des colis spéciaux.

– Tu vas loin?

– Jusqu'à la frontière du «quart vide».

– Tu ne fais pas ça?

Hassan lança à son père un petit sourire complice. Il frotta ensemble le pouce et l'index de la main droite.

– Mais oui. Tout le monde le fait. C'est ce qui est payant.

– Alcool? Contrebande?

– Si tu veux…

– Et les publications, les photos…

– Mais oui, voyons. Tout. On ne pose pas de questions. On roule.

Mohammed devint livide. Il comprit que sa longue absence l'avait sorti du terreau familial. On aimait bien recevoir l'argent qu'il expédiait régulièrement, mais sa présence, même morale, n'avait plus de poids. Il sentit chez son fils une distance qui lui fit comprendre qu'il ne revenait plus tout à fait chez lui.

La soirée fut de courte durée. Hassan avait rendez-vous chez des amis. Il proposa à Mohammed de le retrouver le lendemain soir à l'Empress.

Le lendemain matin, Mohammed laissa un mot à son fils : «Adieu!»

Il se dirigea vers les montagnes. Vers Sanaa. C'était jeudi, jour de congé, de mariages, de réjouissances. La route asphaltée s'accrochait aux parois rugueuses et hostiles de cette chaîne de montagnes dont le couvert végétal avait été calciné par les torrents de soleil et de vent qui depuis des millénaires s'acharnaient à en polir les flancs. Sur les sommets, une frange de dentelle rocheuse frissonnait dans cette lumière saupoudrée d'or qui donne au Yémen sa magie troublante. Mohammed n'était pas un étranger et pourtant, à chaque virage, l'émotion lui étreignait le cœur.

Dans son camion climatisé, il roulait sur cette ancienne route de l'encens où, il y a plus de quinze siècles, les caravanes arrivant de Dofar et de Qana se dirigeaient vers Gaza pour y déverser les trésors qui ont valu à ce pays le nom d'*Arabia felix*.

Il s'imagina rentrant chez lui avec des tonnes d'or, d'encens et de myrrhe, des pleins sacs d'épices et des tonnes de qat. Dans le caravansérail, il répandrait toutes ces richesses, réunirait la famille, le clan, la ville entière pour partager le plaisir de l'abondance et la magie des récits de voyage. Les tambourins crépiteraient et les hommes enturbannés danseraient en rangs serrés, faisant tournoyer les lames claires de leurs *jambiyas* dans les tessons de soleil giclant à travers les feuilles d'un énorme eucalyptus.

Ce n'était pourtant pas tout à fait un rêve. Émergeant d'une courbe profonde, il découvrit un petit plateau sur lequel étaient réunies une centaine de personnes. Une noce.

Il s'arrêta et fut immédiatement invité à se joindre au groupe. À gauche, les hommes dansaient, poignard à la main, soulevant de leurs pieds nus des volutes de poussière. Loin à droite, les femmes et les jeunes filles, totalement enveloppées de noir, discutaient, assises par terre, en mangeant des pastèques rouges. À la vue de l'étranger, elles se voilèrent complètement le visage.

Un coup de feu retentit. Mohammed s'approcha avec prudence de l'extrémité du plateau. Il découvrit une gorge profonde au fond de laquelle un jeune homme s'apprêtait à coiffer une roche d'une canette de métal. Une cible. Le claquement se répercuta sur les parois rocailleuses. Des dizaines de coups de feu se firent entendre. C'est ainsi qu'on applaudissait l'exploit du tireur.

Trois moutons embrochés rôtissaient au-dessus d'un brasier. Des jeunes garçons s'approchèrent de Mohammed et le parfumèrent d'encens. Un homme d'âge mûr sortit d'un sac une branche de qat qu'il tendit en souriant.

– Sois le bienvenu parmi nous, mon frère, lui dit-il toujours avec le sourire.

La douceur de l'accueil donna à Mohammed l'envie de se fondre dans le groupe. Il enleva ses chaussures, tira son *jambiya* du fourreau et se glissa dans la ligne des danseurs.

Il réalisa que, depuis des années, il vivait déraciné de cette fraternité qui donne un sens à la vie. Les convives de la noce l'avaient accueilli comme un des leurs. Il rythmait ses pas sur ceux d'une dizaine d'inconnus qui célébraient la naissance d'un couple. Mohammed ne connaissait plus cette vie de partage quotidien, de tendresse et d'amour. Il n'existait plus que pour une famille lointaine. Autour de lui, c'était le vide. Depuis si longtemps.

Trois heures plus tard, avant de reprendre la route, il offrit un frigo aux mariés ; un cadeau que le couple dut refuser.

45

– Nous habitons une grotte à flanc de montagne, dit le jeune homme. Nous espérons qu'un jour nous vivrons dans un village où il y aura l'électricité. Alors, tu reviendras et j'accepterai ton cadeau.

En montant dans son camion, Mohammed pleurait. Il avait été mieux accueilli par des inconnus que par son fils. Il se sentit coupable d'une rupture dont il était lui-même victime. «Si ma femme n'était pas morte... Si Saddam n'avait pas envahi le Koweït... Si je n'avais pas eu à rentrer...»

* * *

La route tel un turban s'enroulait autour des montagnes. De temps à autre, un hameau lové dans les rides des parois millénaires se confondait avec les flancs rocheux; il fallait un sens aigu de l'observation pour déceler la présence humaine qui s'y était incrustée. Dans ces grottes et ces hameaux vivaient plus de quatre-vingts pour cent de la population. Des paysans, des petits commerçants à qui il était impensable de vendre des frigos, des cuisinières électriques ou des ventilateurs. Le pays n'avait émergé du quinzième siècle qu'au début des années soixante. Auparavant, sous le règne des imams, le Yémen était un pays fermé, sans automobiles, sans radios, sans téléphones. Les guerres tribales et les révolutions qui avaient fait éclater le système féodal avaient également affaibli l'économie. On avait par la suite beaucoup tablé sur les devises étrangères expédiées par le million de citoyens expatriés pour relancer le pays. Mais voilà que, avec l'expulsion des centaines de milliers de Yéménites d'Arabie Saoudite, cette source de revenus allait se tarir. «Peut-être qu'à Sanaa je pourrai réussir à vendre des frigos», songea Mohammed sans trop y croire.

À plus de deux mille mètres d'altitude, la route s'élargit, la circulation se fit plus dense, les camions devinrent plus nombreux.

Sur un immense plateau, Sanaa, la plus vieille ville habitée du monde, offrait encore le spectacle étonnant de ses maisons carrées, hautes de cinq ou six étages et percées de nombreuses fenêtres. Les murs de grosses pierres brunâtres, sertis de cages extérieures et de petits balcons de bois ouvragés, étaient depuis des siècles les sentinelles de l'histoire arabe. Partout autour des maisons, c'était l'encombrement, le désordre. Mohammed s'enfonçait dans

Sanaa où il était né en 1943, une ville murée qui à l'époque fermait chaque soir la demi-douzaine de portes que comptait son enceinte, pour ne les rouvrir qu'au lever du jour le lendemain. C'était aujourd'hui une capitale plus ouverte dans laquelle flottaient toujours les mêmes odeurs : les marchés exhalaient les fragrances des épices, de l'encens et des eucalyptus, auxquelles le vent sournois mélangeait les effluves du sang séché des moutons abattus et du gasoil des camions et des autocars bruyants. Les affûteurs de *jambiyas*, plus nombreux que jamais, étaient assis à même le sol de leur petite échoppe, une boule de qat dans les joues, et caressaient les lames courbées de ces terribles poignards avant de les remettre dans les fourreaux. Partout dans les rues et les ruelles, des centaines de petits sacs de polyéthylène bleus jonchaient le pavé, témoignant, ici comme à la frontière, de l'attachement grandissant des Yéménites aux vertus du qat.

En traversant l'ancien quartier juif, il retrouva intactes toutes ces maisons plates construites autrefois quand les imams, pour marquer la «différence» des juifs, ne les avaient autorisés à ériger des habitations ne possédant qu'un rez-de-chaussée.

Le soleil venait de basculer derrière les montagnes qui ceinturent la ville. La lumière indirecte se prélassait encore sur les façades fabuleuses des maisons de Sanaa. Leurs murs de briques ocre sont parés de multiples fenêtres et corniches dont les contours blanchis à la chaux donnent aux bâtiments des allures de pains d'épice saupoudrés de sucre à glacer. Sous les derniers rayons du soleil, les étages supérieurs couronnaient Sanaa d'un diadème éblouissant. Une longue plainte s'étendit sur la ville, qui s'immobilisa. Il fallait prier.

Il traînait encore un peu de poussière d'or sur le sommet des montagnes quand Mohammed s'arrêta devant la porte de la maison familiale. Ému, troublé, épuisé, il resta assis de longues minutes dans son camion, les yeux fixés dans le rétroviseur où seuls quatre frigos au garde-à-vous témoignaient de quinze ans de travail à l'étranger. Il était encore perdu dans le silence de sa mémoire lorsqu'un homme âgé ouvrit la porte de l'immeuble.

– Mohammed, mon fils !

L'étreinte de son père le chavira. En quelques instants, la famille, le clan, tout le quartier entoura Mohammed. Des coups de feu retentirent et déclenchèrent le fracas des tambourins ; dans le vertige des *jambiyas* dégainés, une femme se fraya un chemin, les larmes aux yeux. Dans les vapeurs de l'encens, elle caressa le visage de son fils qu'elle n'avait pas vu depuis plus de dix ans.

– C'est la guerre? C'est Saddam qui t'a fait revenir? lui demanda un cousin.

Mohammed comprit qu'il lui faudrait maintenant tout raconter, rouvrir une plaie qui n'avait pas encore eu le temps de cicatriser. Si ce soir, on allait rire et pleurer, boire et manger, demain, on parlerait de l'avenir en essayant d'oublier le passé.

# 5

– La prochaine, ce sera une voiture de l'année !

De la fenêtre de sa chambre, Greta regardait son père se pavaner devant la Mercedes d'occasion qu'il venait d'acheter. Il caressait sa première voiture.

– Même Adnan, le maire, n'a pas de Mercedes, lança-t-il à ses fils admiratifs. Personne n'a de Mercedes à Konak...

– Sauf toi, papa, lui dit fièrement Fuzuli, l'aîné des garçons.

Après quelques mois à Konak, Mustafa avait lentement retissé les liens avec les hommes du village. Deux ou trois fois par semaine, il allait boire le thé au café des Vieux. Il en profitait pour distiller goutte à goutte ses projets qui faisaient saliver tous ceux que le chômage inquiétait. Il était la preuve vivante qu'on ne quittait plus Konak mais qu'on y revenait. Un discours qu'on n'avait pas entendu dans ce village depuis vingt ans.

– Et paraît-il qu'il va investir, avait affirmé le boucher en laissant entendre qu'il en savait plus mais ne pouvait rien dire.

La rumeur était ainsi lancée sans que Mustafa ait eu à promettre quoi que ce soit. De plus en plus de villageois s'arrêtaient chez lui pour le saluer. Sous prétexte d'admirer le «château», comme on avait baptisé la maison bavaroise, ils tissaient tranquillement des liens qui pourraient leur être utiles si jamais Mustafa devenait important au village.

– Il ferait un bon maire, avait un jour avancé un vieux lors d'une discussion animée.

L'hypothèse était vite parvenue aux oreilles du maire Adnan Gursel, par le biais du personnel du café, qui lui rapportait tous les ragots du village.

Un soir, entrant pour manger, Becuchi l'aborda ouvertement devant les enfants.

– Des femmes du village m'ont rapporté que leur mari avait dit que tu avais des projets.

– J'ai toujours eu des projets, Becuchi. J'en parlerai quand le temps viendra!

Le souper s'acheva rapidement. Silencieuse, Greta aida sa mère à tout ranger et alla s'enfermer dans sa chambre comme d'habitude, tandis que les garçons se précipitaient sur le jeu vidéo.

– Alors, maintenant que nous sommes seuls, tu peux m'en parler? dit Becuchi.

Mustafa expliqua qu'il voulait rouvrir l'atelier de tissage fermé depuis la mort du père de Becuchi. Il voulait créer des emplois, garder les jeunes au village, peut-être ouvrir un abattoir et, avec les profits, racheter les deux cafés.

– C'est donc vrai! Au village, on dit que tu pourrais devenir maire!

– Ah! ce sont des rumeurs; laissons-les aller. On ne sait jamais.

Elle sourit devant tant de projets.

– Et ce serait bien pour les garçons, reprit Mustafa. Je leur léguerais les commerces.

– Et Greta?

– Taylin, insista-t-il, c'est une autre histoire. Je sais qu'elle ne veut pas vivre ici. Mais je finirai bien par lui trouver un mari. Si ce n'est pas à Konak, ce sera peut-être à Tavas ou à Denizli. Mais, chose certaine, elle vivra parmi nous.

Becuchi baissa les yeux.

\* \* \*

Peu à peu la racine de ses cheveux redevenait noire. Après ces quelques mois à Konak, Greta avait compris qu'il lui fallait agir si elle ne voulait pas voir la Turquie se substituer à l'Allemagne.

Depuis son affrontement avec les femmes du village, lors de l'incident des fagots de bois, elle se sentait mise au ban; on osait à peine la saluer. Cet isolement lui convenait bien, car elle avait aussi compris qu'elle ne pourrait se lier d'amitié avec aucune autre jeune femme de son âge : la plupart d'entre elles étaient déjà mariées et mères d'un ou deux enfants. Seul Ali, le patron du café des Jeunes, la relançait avec ardeur. Mais elle ne lui prêtait aucune attention. Ce désœuvrement l'ennuyait mais, peu à peu, le confort de la maison et une certaine tolérance de la part de son père commençaient à rendre son séjour à Konak un peu plus supportable. Mais pas au point de lui faire abandonner l'idée d'en sortir. Prisonnière de sa famille, elle imagina que sa grand-mère saurait peut-être l'aider à convaincre Mustafa de la laisser retourner étudier en Allemagne. Elle décida de l'accompagner au marché chaque semaine, afin de l'apprivoiser et de la gagner à sa cause. À l'occasion d'une de ces sorties, elle s'ouvrit de ses ambitions.

– Tu sais, lui dit-elle, en Allemagne, mon père a beaucoup insisté pour que j'étudie.

– À quoi ça sert? lui répondit la grand-mère en tâtant des oignons et quelques poivrons. Tu vas te marier et faire des enfants, et tout ce que tu as appris en Allemagne ne te servira à rien ici, ni l'allemand ni les autres choses.

– Mais, grand-maman, te rends-tu compte...?

– Ma petite Taylin, l'interrompit la grand-mère, c'est toi qui ne te rends pas compte; l'Allemagne, c'est fini. Tu n'as jamais été et tu ne seras jamais allemande. D'ailleurs, tu as vu comment on traite les étrangers, surtout les Turcs, là-bas. On sait ce qui se passe; on le voit dans les journaux et ceux qui reviennent nous en parlent : on se sert de nous, on nous méprise, puis on nous invite à rentrer en Turquie. Ton père est très sage; il est parti juste à temps. Dis-toi que personne en Turquie n'a la chance de vivre comme toi dans une si belle maison, dans un village si paisible avec des gens qui ne demandent qu'à vivre heureux, sans problème. Tiens, regarde, nous sommes en hiver et nous trouvons tout ce qu'il nous faut : des oignons, des poivrons, des pommes de terre, du yaourt, des épices... et même des produits importés d'Allemagne! Et tu voudrais retourner là-bas?

– Mais je veux continuer d'étudier, d'apprendre. Qu'est-ce que je peux apprendre ici, à Konak?

– Ici, ma petite, tu vas apprendre à devenir une femme, une vraie femme. D'ailleurs, ton père t'en parlera, tu verras...

Ces derniers mots, Greta eut l'impression qu'ils s'étaient figés dans l'air glacé. «Une vraie femme, ici à Konak? Non, jamais», se dit-elle.

L'ennui régnait sur le village endormi par l'hiver. Les chaumières exhalaient l'odeur des feux de bois qu'on nourrissait de toutes ces branches que les femmes avaient transportées sur leur dos. L'humidité s'infiltrait par les fentes des fenêtres mal ajustées et des portes désaxées de ces bâtiments vétustes, plusieurs fois centenaires. Seule la maison bavaroise gardait sa chaleur. Mustafa y vivait comme dans une bulle, à l'écart d'un monde auquel il prétendait appartenir.

\* \* \*

– Entre, Mustafa. Entre.

Adnan Gursel attendait cet instant depuis quelque temps. De son petit bureau, situé au deuxième étage du bâtiment voisin de la mosquée, il pouvait sentir battre le pouls de son village sur la place du marché et observer le va-et-vient de ses concitoyens.

– Une voiture comme la tienne, Mustafa, ça se remarque à Konak.

Fier de son arrivée, Mustafa tendit la main au maire et prit place pendant qu'une adjointe préparait le thé.

– Que puis-je faire pour toi? demanda Adnan.

– Je crois que tu peux m'aider à faire quelque chose pour le village, répondit Mustafa, qui avait longuement préparé cette réplique.

– Si je puis être utile, balbutia le maire.

– Comme tu sais, je suis rentré d'Allemagne avec certaines économies. J'ai une famille, des garçons, et j'ai pensé rouvrir l'atelier de tissage qui a fermé après la mort de mon beau-père.

– Ça ne m'étonne pas de toi, Mustafa.

– Et ça pourrait créer quelques emplois…

– Pour que les jeunes restent ici, compléta le maire.

– Tout à fait. Alors, j'ai besoin d'un permis de la municipalité pour ouvrir cet atelier.

Adnan fit semblant de chercher un dossier dans le tiroir d'un gros classeur. Comme tout le monde du village, il avait entendu les rumeurs au sujet des projets de Mustafa. Sa réponse était prête, mais il s'attarda à chercher un document.

– Tu sais, c'est plus compliqué maintenant qu'à notre époque, dit-il en lui adressant un clin d'œil. Aujourd'hui, il y a les quotas, les règlements du ministère de l'Agriculture, les enquêtes de la section de la protection de l'environnement, les papiers, les autorisations…

– Je sais, je sais…

– Je ne peux que soutenir ton projet. Moi aussi, j'ai investi au village. J'ai créé des emplois dans les deux cafés…

– Et tu as permis à ton fils, Ali, de continuer de vivre auprès de toi.

– Très juste. C'est pourquoi je comprends quand tu me parles de tes fils et de ta fille.

Mustafa fronça les sourcils. Il n'avait pas parlé de Greta. Où donc Adnan voulait-il en venir?

– Donc, tu désires un permis pour ouvrir un atelier de tissage de la laine, enchaîna le maire. Ça peut être simple ou compliqué. Ça dépend des ententes...

– Quelles ententes?

– Eh bien, tu sais, comme je suis maire depuis plusieurs années, j'ai appris à contourner le système pour accélérer certaines décisions administratives. Je dois présenter tous nos projets aux autorités régionales afin que ça ne nuise pas à d'autres projets identiques qui pourraient être en cours de réalisation dans des municipalités voisines. Or je sais qu'à Tavas il est question d'un projet semblable au tien. Mais j'ai récemment rendu service au maire de Tavas; alors, si j'insiste pour faire accepter ton projet, ça pourrait peut-être s'arranger. Mais en retour...

– En retour, qu'est-ce qu'il te faut, Adnan? demanda Mustafa en frottant ensemble son pouce et son index.

– Oh! non, Mustafa. Pas question d'argent.

– Alors?

Lorsque Mustafa ressortit de la mairie, deux heures plus tard, il roula jusqu'au café des Jeunes, où on s'étonna de le voir entrer. Il commanda du thé, qu'il mit une bonne heure à siroter en observant Ali, le fils du maire.

Puis il rentra à la maison, où il avala son repas sans dire un mot.

\* \* \*

En attendant le retour des cigognes, les hommes du village s'affairaient à réparer les instruments aratoires, à nourrir les troupeaux de moutons et surtout à se réunir dans les deux cafés du village, où, officiellement, on ne buvait que du thé.

Le café des Vieux était situé au cœur du village. C'est là que se rassemblaient les hommes adultes, c'est-à-dire mariés. La porte s'ouvrait sur une grande salle enfumée où jusqu'à deux cents clients pouvaient s'asseoir pour causer, boire du thé, jouer aux cartes et aux dés. L'odeur des vêtements mouillés et du tabac brun imprégnait les murs, sur lesquels avaient jauni de grandes images en couleur des montagnes environnantes. Le ton des conversations était plutôt calme. Cet hiver, on discutait surtout des subsides à l'élevage que le gouvernement refusait d'augmenter.

– C'est pour que nous soyons acceptés dans la Communauté économique européenne, avait lancé le facteur.

– Je ne veux rien savoir de l'Europe, avait répliqué le boucher. Mon fils veut aller travailler là-bas et on le refuse; il y a vingt ans, on nous suppliait d'y aller. Maintenant...

– Maintenant, reprit le facteur, ils ont peur de nous. Ils craignent que s'ils nous acceptent dans la Communauté européenne nous les envahissions avec tous nos jeunes qui n'ont pas de travail.

La conversation se perdit dans le chassé-croisé des opinions, des regrets et des souvenirs, que les joueurs de cartes ponctuaient de gestes brutaux qui faisaient basculer pêle-mêle les rois, les dames, les as et les valets.

À deux rues derrière, au café des Jeunes, l'évasion se résumait au billard et aux cassettes vidéo.

Un soir, la porte s'ouvrit lentement. Les garçons qui jouaient au billard relevèrent la tête et furent sidérés. Les conversations s'interrompirent et tous les regards se fixèrent sur cette jeune femme qui osait s'introduire dans cet univers réservé aux hommes. Jamais une telle intrusion ne s'était produite à Konak.

Le café des Jeunes, c'est-à-dire des hommes célibataires, était légèrement en retrait de la vie régulière du village. Les fenêtres, aussi grandes que celles de l'autre café, étaient masquées par d'épais rideaux orange qui semblaient avoir absorbé toutes les frustrations et le dépit de ces garçons qui ne pouvaient plus rêver de partir à l'étranger. Les murs et les grosses colonnes de la salle étaient tapissés de cartes postales expédiées de tous les coins du monde où les expatriés du village avaient pu se rendre pour y gagner leur vie. En circulant dans l'établissement, on passait de Montréal à Berlin, de Chicago à Marseille, de Vancouver à Madrid, d'Édimbourg à Rome, de Stockholm à Vienne, de Dallas à Istanbul.

Deux grandes tables de billard occupaient la moitié de l'espace; autour, des tables de bois, des chaises brinquebalantes et quelques tabourets recouverts de vinyle rouge pouvaient accueillir une centaine de personnes. Plusieurs calendriers illustrés de photos de femmes blondes, blanches et dénudées rappelaient toutes ces années que certains, plus chanceux, avaient pu passer à l'étranger. Dans des théières opaques, le patron servait l'alcool dans lequel les jeunes ravalaient leurs rêves, imaginaient des voyages et tentaient de fuir leur désœuvrement.

Quand Ali, le fils du propriétaire, vit entrer Greta, il se précipita vers l'appareil de télévision où une plantureuse blonde avalait en miaulant l'immense pénis en érection d'un homme en habit de gala. Au moment où la cassette était éjectée du magnétoscope, un joueur claqua sa baguette sur le tapis vert de la table de billard.

– Non, cria-t-il, pas de femmes ici !

Ali s'approcha de Greta et l'invita à le suivre vers l'arrière du bar. Elle franchit un barrage de sarcasmes et de commentaires désapprobateurs en se glissant lentement entre les tables, où elle foudroyait du regard ceux qui désapprouvaient sa présence.

– Tu es folle, Greta ! Que fais-tu ici ? murmura Ali.

– C'est interdit aux femmes ? répondit-elle, l'œil narquois. Et qu'est-ce qu'elle faisait là, cette fille sur l'écran de télévision ?

– Voyons, Greta, tu sais bien que c'est ici une affaire d'hommes. Nous sommes entre nous, cet endroit est pour nous ; tu le sais bien.

– Ce que je sais, c'est qu'on m'a dit que j'étais ici chez moi à Konak, comme en Allemagne. Et en Allemagne on ne m'a jamais interdit d'entrer nulle part. Faudra vous y faire.

Ali n'avait que vingt ans, mais semblait en avoir cinq de plus avec sa moustache et son comportement fier. Depuis deux ans, à la demande de son père, il avait pris en main cet établissement. Lorsque Ali avait voulu partir au Canada, son père l'avait retenu en lui offrant ce commerce dont il deviendrait bientôt propriétaire.

– Mais pourquoi es-tu venue ici ? répéta Ali.

– Pourquoi venez-vous tous ici ? répliqua Greta.

– Moi, je travaille ici. Les autres…

– Les autres, enchaîna Greta, ils sont comme moi : ils s'ennuient, ils n'ont rien à faire, ils veulent voir des gens de leur âge, s'amuser, discuter. Tu crois que je peux faire tout ça seule dans la maison de mon père ? Et dans ce village, il n'y aurait que les hommes qui peuvent se réunir et s'amuser…? Tiens, donne-moi un peu de thé.

– Je t'en prie, Greta, ne reste pas ici. Si je te sers à boire, j'aurai des problèmes ; pas tellement avec les gars, mais...

– Oui, je sais, avec les femmes du village ! Tu as peur des femmes ? Vous avez peur des femmes ? demanda-t-elle à haute voix, se retournant vers ces dizaines de garçons interloqués. Moi, je n'ai pas peur de vous, les hommes !

– Tu devrais t'en trouver un, répliqua un joueur de billard légèrement éméché.

– Tu as déjà foutu le bordel dans le village, ne viens pas nous embêter ici, cria un autre en s'approchant d'elle.

Ali s'interposa pour l'empêcher de passer derrière le bar. En voulant faire vite, il heurta au passage un carton sur une tablette. La boîte s'ouvrit. Greta eut le temps d'y apercevoir des dizaines de revues pornos et quelques cassettes vidéo allemandes. Elle se pencha et prit une revue, puis se releva, le sourire aux lèvres, et l'offrit prestement au joueur de billard, maintenant à un mètre d'elle.

– La voici, la femme de ta vie, lui lança-t-elle en se dirigeant vers la porte.

– Greta, laisse-moi t'expliquer, lui dit Ali en l'accompagnant sous le regard sévère des autres jeunes hommes.

– M'expliquer ? J'ai tout compris. Vos revues pornos, vos petits films, il y en a plein les vitrines à Solingen et à Berlin. Le scandale ici, c'est que les femmes, vous les voulez obéissantes !

Elle s'éloigna du café des Jeunes sans se retourner, laissant Ali subjugué sur le pas de la porte. Un joueur de billard le prit par le bras et le fit rentrer.

– Remets la cassette vidéo. Tu verras, un jour, on la retrouvera dans un de ces films, la Taylin de Mustafa.

Ali le saisit à la gorge.

– Je t'interdis de parler d'elle comme cela !

Deux autres jeunes s'interposèrent.

Greta se doutait bien qu'elle allait se faire engueuler en rentrant, mais elle était enhardie par la victoire qu'elle venait de remporter en imposant sa présence au café des Jeunes. En mettant les pieds dans le salon, elle avait un certain sourire qui désarçonna son père.

– Tu me sembles bien joyeuse. Je peux savoir ce qui te fait sourire ? lui demanda Mustafa.

– Rien, papa ; je pensais à toi et à maman.

Mustafa, surpris, oublia de lui reprocher de se promener seule et de rentrer tard. Il crut le moment propice pour aborder avec sa fille un sujet qui lui tenait à cœur depuis longtemps. Les garçons étaient au lit; la mère s'était retirée dans sa chambre. Seul avec Greta, il l'invita à s'asseoir sur un canapé face à son fauteuil de cuir, où il s'enfonçait chaque fois qu'une discussion importante s'amorçait. Il lui offrit du thé. Intriguée, elle accepta.

– Greta…, murmura-t-il, tu vois, je ne t'appelle pas Taylin…, je sais que tu n'es pas particulièrement heureuse ici; je ne dis pas avec nous, mais ici, à Konak, en Turquie, dans notre pays…

– Dans ton pays, lui lança-t-elle pour le déstabiliser.

– Mon pays, si tu veux, poursuivit calmement Mustafa. Si j'ai travaillé aussi fort pendant si longtemps à l'étranger, dans ton Allemagne, c'était pour que nous ne vivions pas comme tous les autres, enfin, comme presque tous les autres de notre village. Si j'étais resté ici, eh bien! aujourd'hui tu serais une jeune femme de presque vingt ans, déjà mariée à un gars du village, tu serais une maman et tu irais chaque jour près des bosquets ramasser les branches, comme ces femmes que tu as insultées l'autre jour.

Greta se sentit rougir à l'idée qu'elle avait atteint des femmes alors qu'elle visait des hommes. Elle baissa les yeux et se mordit les lèvres pour ne pas répliquer.

– Alors, ma fille, continua le père, je veux que tu saches que l'Allemagne, pour ta mère et moi, c'était un détour pour arriver à bien vivre un jour en Turquie. Et toi, tu ne seras pas obligée de faire ce détour car maintenant j'ai assez d'argent pour que tout le monde, toute la famille… et la famille, ça te comprend, toi, Tayl… Greta, alors tout le monde pourra vivre à l'aise ici et pour long-temps. Quand tu te marieras…

Greta sursauta. «Je ne me marierai pas», pensa-t-elle. Elle eut la certitude que son père avait lu ses pensées. Il reprit :

– Quand tu fonderas une famille, il faut que tu saches que tu apporteras une très bonne dot, une petite fortune; et vous pourrez vous installer à l'aise ici, si vous le désirez, dans cette grande maison; c'est pour la famille.

Greta eut l'impression qu'un nouveau tour de manivelle venait d'être donné à l'étau qui avait commencé à se resserrer sur elle quand sa famille avait quitté l'Allemagne.

– Mais pourquoi me parles-tu de dot et de mariage? demanda-t-elle, la gorge nouée.

– Moi, Mustafa, ton père, j'ai pensé qu'il faudrait te marier bientôt. À ton âge, les filles doivent penser à se marier, n'est-ce pas?...

Greta vit venir l'orage. Elle laissa les nuages s'accumuler en silence.

Mustafa se servit un peu de thé sucré, s'enfonça dans son fauteuil, toussa et avala une bouffée de cigarette.

– Et, pour te marier, il te faut un homme, un vrai, solide, travailleur...

– Comme toi, glissa Greta.

– Quelqu'un capable de prendre soin d'une famille...

– Comme toi, fit-elle de nouveau.

– Laisse-moi parler! lui ordonna-t-il. Bon, il te faut un mari dont la famille soit déjà établie, à l'aise...

– Et riche comme toi? ajouta-t-elle.

– Si tu continues, Taylin, ragea son père, c'est moi qui le choisirai!

– Je crois que c'est déjà fait, répliqua-t-elle. Pourquoi ne le nommes-tu pas?

– Eh bien, puisque tu le veux, explosa Mustafa, ton mari, ce sera Ali! Ali, le fils du propriétaire des cafés, le fils du maire. C'est lui que nous voulons pour toi.

Greta sentit un petit vertige la repousser au fond du canapé. Sa langue humecta plusieurs fois ses lèvres desséchées. Puis, tout doucement, d'une manière incontrôlable, elle fut envahie par une immense envie de sourire, de rire, de s'esclaffer. Elle revoyait ce petit bonhomme d'Ali se précipiter sur la cassette porno, la retirer, la remettre, la retirer, la remettre. Elle éclata d'un grand rire sonore qui déconcerta son père.

– Tu ne sais donc pas? dit-elle, les larmes aux yeux. Ali est déjà marié! J'ai justement vu sa femme, ce soir, au café des Jeunes.

– Quoi! tu as mis les pieds là?

– Mais oui, et j'ai bien vu sa femme. C'est une grande blonde, une Allemande. Elle était nue et avalait un grand truc de chair rose qui sortait du pantalon d'un copain d'Ali...

Greta n'eut pas le réflexe d'éviter la main de son père. Il la gifla si fort que la mère se précipita hors de sa chambre.

– Mustafa! Ne la frappe pas! Ne touche pas à ma fille!

– C'est aussi ma fille et je ne tolérerai plus jamais son arrogance. Ici à Konak, dans mon village, dans ma maison, tu vas agir comme je le veux !

Becuchi s'était naturellement placée entre les deux. Mustafa était gris de rage ; Greta, rouge de colère.

– Ta maison, ton village, c'est la mort. Tu es un voyeur comme tous les autres hommes qui regardent passer la vie au café des Vieux ; comme tous les jeunes qui regardent les cartes postales de leurs rêves au café des Jeunes. Vous avez enfermé le rêve dans les cafés et c'est là que vous allez tous le boire ! Et tu voudrais que je vive ici, que je meure ici. Regardez-moi bien tous les deux : je vous aime, mais pas autant que la vie. Et ma vie, elle m'appartient. Elle est dans mon ventre et pour l'arracher il faudra m'ouvrir de vos propres mains.

Jamais les parents n'avaient entendu parler ainsi leur fille. Mustafa en resta interdit. Becuchi l'admirait silencieusement. Elle prit doucement sa fille par la main. Comme une enfant, Greta se laissa mener vers sa chambre. À la porte, elle s'effondra en larmes dans les bras de sa mère.

– Maman, maman, je…

– Chut ! ne dis rien. Tu en as déjà trop dit. Va dormir. Demain, nous reparlerons de tout cela.

Cette nuit-là, Greta dormit recroquevillée sur ce morceau de vie qu'elle sentait encore bien chaud au creux de son ventre.

# 6

«Quel imbécile je suis!» Mohammed s'en voulait d'avoir accepté ce travail de camionneur mal payé et dangereux. Il roulait de nuit sur les hauts plateaux qui précèdent la descente vertigineuse vers Sanaa, où il devait arriver à l'aube. «Ce n'est plus de mon âge», grommela-t-il, frustré. Il alluma la petite lampe de la cabine du Toyota et regarda pour la vingtième fois la photo de mariage que lui avait remise sa fille Balkis. Sous le voile qui ne laissait paraître que les yeux, on devinait un sourire et la joie de cette journée de fête à laquelle il n'avait pas été invité. «Tu étais si loin, papa», lui avait expliqué en pleurant Balkis, dont le mari avait accepté de la laisser s'expliquer seule avec son père.

À la naissance de ce deuxième enfant, plus de vingt ans auparavant, Mohammed avait décidé, à la suggestion de sa femme malade, de lui donner le prénom de la reine de Saba. Un prénom qui lui avait procuré de l'assurance au point qu'elle avait accepté de se marier, un an plus tôt, malgré l'absence de son père. C'est surtout pour la revoir que Mohammed avait accepté l'offre de Faysâl, ce marchand de qat de Sanaa, qui importait quotidiennement sa cargaison d'herbe fraîche de la région de Taïz, où sa famille avait troqué la culture du café contre celle des feuilles vertes. Arrivé la veille, Mohammed avait bouleversé sa fille, qui n'était pas prévenue de sa visite. Une soirée émouvante et houleuse les avait conduits au bord de la rupture. «Tu nous a abandonnés», lui avait reproché Balkis. «J'en ai souffert plus que vous», avait répliqué Mohammed. Une discussion marquée par de longs silences et quelques larmes, et qui s'était achevée sur une réconciliation où chacun reconnaissait l'écart qui séparait maintenant leurs routes. Balkis avait toutefois promis à son père que le premier fils qu'elle aurait se nommerait Mohammed. Touché, il avait saisi les mains de sa fille et les avait portées à ses lèvres. Il lui avait longuement parlé de sa mère, à qui elle ressemblait d'une manière troublante. Cette jeune femme, qui avait maintenant atteint l'âge de son épouse lorsque celle-ci mourut, avait juré qu'elle resterait en contact avec lui. «Où que tu sois, papa, je te retrouverai toujours», avait-elle murmuré avant d'aller dormir. Il réfléchit longuement à cette phrase mystérieuse. Incapable de dormir, il quitta la maison au milieu de la nuit pour aller chercher cette première cargaison de qat qu'il allait maintenant livrer à Faysâl.

Au sortir d'une courbe qui frôlait un précipice, il dut freiner brusquement : un camion semblable à celui de son fils lui barrait le passage. Des ombres en descendirent prestement, une torche dans une main, un fusil dans l'autre.

– Descends! ordonna un garçon en ouvrant la portière du Toyota.

Mohammed obéit pendant que deux autres hommes inspectaient sa petite cargaison.

– Tu sais que tu n'as pas le droit de transporter le qat?

– Ça, il faut en parler à mon patron, répondit Mohammed en laissant ses doigts glisser sur le manche de son *jambiya*.

– Ici, le patron, c'est nous!

– Alors, vous allez me payer? ironisa Mohammed.

Une gifle derrière la tête le fit basculer.

– Ne me frappez pas, implora-t-il. Je ne vous ai rien fait.

– Tu fais notre travail. La livraison du qat, c'est pour nous dans la région.

– Mais c'est la première fois, expliqua Mohammed. J'arrive d'Arabie Saoudite. On m'a chassé. Je n'ai pas de travail.

– Ce n'est pas une raison pour voler le travail des autres.

Mohammed tremblait. Seul face à trois hommes au milieu de la nuit, il décida de se taire et d'attendre la fin d'un petit conciliabule que tenaient les brigands. Celui qui semblait être le chef le saisit par le bras et l'approcha du précipice. Mohammed résista.

– Tu as peur, hein?

– *Inch Allah!* soupira Mohammed.

– Tu as raison d'implorer Dieu. Pour cette fois, on prend le qat, on te laisse le camion et la vie. Si on te retrouve sur notre chemin, poursuivit-il en poussant légèrement Mohammed vers le vide, c'est au fond du gouffre que tu prieras Allah.

Mohammed remonta dans son camion et disparut vers Sanaa, où il allait informer Faysâl que sa carrière de camionneur venait de se terminer.

– Ne t'en fais pas, dit Faysâl, je savais que tu courais un risque. On n'arrive plus à faire le commerce comme on veut avec toutes ces mafias.

– Si c'est comme ça pour le qat, mieux vaut oublier les appareils électroménagers.

– Mais il y a d'autres pays, mon ami. Tu n'as jamais pensé à t'installer ailleurs ?

– Justement, j'étais installé ailleurs…

– Mais il y a d'autres pays arabes ou musulmans. Il paraît qu'en Turquie on peut brasser de bonnes affaires.

\* \* \*

La nuit commençait à envahir les ruelles de Sanaa. Mohammed avait maintenant dans la bouche une chique de qat aussi grosse que celle de Faysâl, qui avait eu la patience de l'écouter. En se séparant de lui, Mohammed sentit qu'il ne le reverrait jamais. Il allait maintenant retrouver sa famille, ses frigos et les vertiges du désœuvrement. Mais, ce soir-là, il s'endormit avec la suggestion de Faysâl en tête ; une petite phrase qui se répétait sans cesse comme l'aiguille d'un phonographe qui saute et qui doucement inoculait dans sa tête le besoin de partir.

Mohammed passa quelques semaines à flâner, à rêver, à essuyer les reproches de certains qui voyaient en sa présence le signal de l'affaissement éventuel de leur qualité de vie. Il disposait de certaines économies, mais il sentait que, malgré l'argent qu'il continuerait de distribuer, c'est sa présence dans un pays riche qui semblait surtout rassurer tout le monde. Dans un pays pauvre comme le Yémen, il n'existait aucune perspective de richesse ou de stabilité. Son retour forcé avait marqué la fin d'un rêve pour tous les membres de sa famille. Un matin, en se levant avant l'aube comme d'habitude, la mère de Mohammed découvrit dans la cuisine une note d'adieu qui se terminait par ces mots : «Je suis parti chercher une nouvelle terre où je saurai retrouver mon honneur et votre bonheur.» Dans le caravansérail, on trouva un frigo sur lequel reposait un pot d'étain où brûlait encore l'encens des départs.

* * *

Dans le port d'Hudaydah, le camion de Mohammed était le dernier de la file. Au signal du préposé à l'embarquement, la colonne insolite s'ébranla : une semi-remorque remplie de blocs de pierre roses, deux Mercedes blanches, modèle 1978, une fourgonnette Mitsubishi sans pare-brise et le Toyota de Mohammed chargé de trois frigos recouverts d'une bâche. Le capitaine avait été clair : on allait essayer de se rendre en Égypte malgré les restrictions imposées par la guerre du Golfe.

– Mais personne ne sera remboursé si on doit rebrousser chemin !

Le caboteur ferait traverser la mer Rouge à cette petite bande d'intrépides. «Inch Allah!» lança Mohammed, détendu et souriant. Au moment où le navire s'éloigna du quai, un marin déroula une carpette sur le pont avant. Le soleil était au zénith. Il fallait prier.

C'était un vieux rafiot barbouillé de taches de rouille que les escales trop courtes dans de nombreux ports ne permettaient pas de poncer. L'équipage indo-philippin ne comprenait rien à l'arabe. Le capitaine, un Égyptien, donnait ses ordres en anglais, priait en arabe et chantonnait de vieilles rengaines françaises.

En temps normal, obtenir un visa pour la Turquie n'est pas chose facile pour un Yéménite. En temps de guerre, c'est impossible. Il n'y avait qu'une solution : le faux visa.

Avant de s'embarquer, Mohammed était retourné dormir à l'hôtel Empress, où il avait rencontré deux Yéménites originaires de Moka et un Éthiopien qui lui avaient expliqué l'importance d'obtenir non seulement un faux visa pour la Turquie mais également de faux enregistrements et une plaque d'immatriculation éthiopienne pour le véhicule.

– C'est essentiel, lui avait expliqué l'Éthiopien, car, même si tu as en main un visa, comment expliqueras-tu, toi, un Yéménite, que tu possèdes une plaque saoudienne ?

Les trois magouilleurs refusèrent le frigo qu'il leur offrit en dédommagement. L'affaire se régla en riyals saoudiens, dont il possédait une certaine somme en liquide sans compter ses économies qu'il avait eu la sagesse de déposer dans une succursale de la banque de Commerce et de Crédit avant de quitter l'Arabie Saoudite.

– Oh! ajouta l'Éthiopien, j'oubliais. Il serait bon que tu aies en poche une petite réserve en dollars américains; si tu veux, je peux t'en fournir.

Ce fut la dernière transaction avant le départ. Le bateau tanguait mollement parmi les vagues.

– Avec un peu de chance, on sera à Suez dans une petite semaine.

Mohammed se retourna pour découvrir un grand costaud barbu aux dents constellées de pépites d'or. À la manière dont son keffieh était replié vers l'arrière, il devina qu'il s'agissait d'un Palestinien. C'était le chauffeur de la semi-remorque.

– Et si on n'a pas de chance? répliqua Mohammed.

– Alors on se baladera sur la mer Rouge avec ma cargaison de pierres roses, dit-il en éclatant de rire.

Mohammed sourit légèrement et chercha à boire.

À tribord, la poupe d'une épave montrait impudiquement son cul rouillé au soleil qui le cuisait depuis sans doute de nombreuses années. Le capitaine avait choisi de longer les côtes de l'Afrique plutôt que le littoral saoudien. «C'est à cause de cette damnée guerre du Golfe qui nous fait perdre des millions», avait-il expliqué en injuriant les noms de Saddam et de l'Américain Bush d'un même souffle.

Après trois jours de navigation par temps calme, on vit scintiller à l'ouest les lumières de Port-Soudan.

– Tu vois, dit le capitaine à Mohammed, eux aussi, ils ont la guerre, une guerre civile qui dure depuis longtemps. Mais personne n'est intervenu, on les laisse s'entretuer. Ce n'est pas grave : ce ne sont que des Soudanais, des Noirs et des musulmans!

– C'est comme chez nous, dit le chauffeur aux dents d'or. Il n'y a que des champs d'oignons et de tomates. Crois-tu que l'Occident aurait laissé pourrir la situation en Palestine si, au lieu des légumes, on avait du pétrole?

– Tu as raison, continua le capitaine. Si tu as du pétrole, tu es riche et on te protège.

– Mais, reprit Mohammed, du pétrole, il y en avait en Irak et en Iran. Et pendant huit ans on les a laissés s'entretuer. Un million de morts!

– Et l'Occident soutenait Saddam à l'époque, ironisa le Palestinien. Des hypocrites !

– Pas plus que les Arabes riches qui se rangent du côté d'Israël aujourd'hui contre Saddam, enchaîna Mohammed.

– Attention ! Il n'y avait pas de pétrole à l'époque du Prophète, pas de pétrole dans le Coran, coupa le capitaine qui, par un geste autoritaire, mit fin à la discussion.

Il restait encore quelques jours à naviguer et il ne voulait pas voir transposées sur la surface réduite d'un petit bateau les vastes querelles qu'engendrent habituellement les conversations qui touchent la religion, la politique ou les femmes.

Après cinq jours de navigation où les seuls navires rencontrés n'étaient que des carcasses éventrées sur des récifs meurtriers, on contourna le Sinaï par l'ouest, en direction de Suez. L'arrivée dans ce port égyptien se fit dans un encadrement militaire aussi désordonné que menaçant.

Suez n'avait plus de magique que le nom. Cette ville, symbole de l'ouverture, de l'évasion vers le nord, avait l'allure d'une place assiégée tellement les militaires omniprésents s'agitaient dans les moindres petites rues. Évidemment, toutes ces installations de raffinage devaient être protégées contre les fameux missiles *Scud* qui pourraient bien s'y pointer le nez comme en Israël. On craignait aussi le terrorisme.

Après quelques heures de discussions par radiotéléphone, le capitaine, qui avait ses entrées à Suez, réussit à approcher le navire d'un quai situé à l'extrémité est du port. C'est sur de vieilles planches brinquebalantes que Mohammed, le premier, entreprit de descendre au volant de son camion. Après une longue et fastidieuse inspection typique de la superbureaucratie militaire égyptienne, un haut gradé le fit entrer dans une baraque où enfin les choses s'éclaircirent : ses papiers étaient en règle, il ne manquait que la «taxe de bienvenue», cinq cents dollars en espèces. Mohammed sourit discrètement en se rappelant le dernier conseil de l'Éthiopien à l'hôtel Empress d'Hudaydah. Tout se passait donc comme prévu. On lui donna quarante-huit heures pour atteindre Alexandrie et quitter le sol égyptien.

– Pour la Turquie, affirma Mohammed.

– Va où tu voudras, mais nous ne voulons plus te revoir, lui répondit le militaire en glissant les billets verts dans sa poche qui semblait en contenir déjà un nombre impressionnant.

On lui remit un visa de transit et, sans revoir ses compagnons du navire, il s'enfonça seul dans la nuit en direction du Caire et d'Alexandrie.

Il roula sans arrêt, même pendant la prière du lever du jour alors qu'il contournait Le Caire. Il eut à peine le temps de deviner sur sa gauche, dans les brumes matinales, la caresse du soleil sur la cime des trois pyramides. La route était encombrée d'ânes, de dromadaires, de camions, de charrettes remplies de légumes et de fruits. Il fonçait, ne s'arrêtant que pour faire le plein, manger quelques figues, boire du thé et se délier les muscles des jambes et du dos. Les yeux cernés, klaxonnant pour se réveiller, il parvint enfin aux portes d'Alexandrie pendant que la radio laissait couler une plainte centenaire chantée par la célèbre Oum Kalsoum. Il ne restait que quelques heures avant l'expiration de son visa de transit et il devait traverser cette ville inconnue.

Il lui fallait trouver le port. Épuisé, les paupières lourdes, il s'arrêta quelques instants pour réfléchir. Il rêvait d'une douche; il ne s'était pas lavé depuis une semaine. Il allait sombrer dans un sommeil profond lorsqu'un homme frappa fermement sur la portière.

– Tu ne peux pas rester là, cria-t-il, c'est réservé aux taxis!

«Taxi? Quelle bonne idée!» se dit Mohammed. Dans le dédale des petites rues et des grandes avenues, le Toyota suivait à toute allure un taxi vide qui fonçait vers le port. Il ne restait mainte-nant qu'une heure avant l'expiration du visa et partout il s'était heurté à des refus. Personne, ces jours-ci, ne s'aventurait sur la Méditerranée, surtout pas en direction de la Turquie.

– C'est la guerre, mon frère; il y a des *Scud* partout, même sur Israël.

C'est ce qu'on lui répondait dans les cafés où les agents des petits armateurs expliquaient leur impuissance à trouver un navire et un capitaine assez audacieux pour reprendre la mer.

Soudain le chauffeur de taxi eut l'idée de l'emmener de l'autre côté du chantier naval et des usines de produits chimiques. «Là, l'argent a encore plus d'odeur», lui avait-il murmuré.

Ici le port avait l'air d'un port. Comme une chatte endormie allaitant ses bébés, la mer faisait monter et descendre sur son ventre une douzaine de vieux rafiots mal chargés. Les quais empestaient encore les relents âcres du chanvre, qui saisissent d'abord à la gorge avant de remonter aux narines avec des effluves de prairie sèche, d'embruns salés et de fond de cale. Les poutres, mal équarries, laissaient pendre de longues lanières d'étoupe qui ne calfataient plus que les souvenirs d'une époque où les bateaux savaient encore faire longuement la cour aux quais.

– Tu verras, ça va marcher, lui dit le chauffeur de taxi en l'invitant à le suivre dans une taverne si sombre que Mohammed l'avait d'abord crue fermée.

L'autre lui avait lancé en ricanant :

– Ici, rien n'est jamais fermé, parce que rien n'a jamais vraiment été ouvert...

Deux heures plus tard, tout était réglé. Pour sept cents dollars et un frigo, le capitaine d'un caboteur allait l'embarquer. Direction : Sigacik, un petit port discret au sud-ouest d'Izmir, où l'on arriverait de nuit. Mohammed régla le taxi et s'endormit dans le camion au bout du quai en attendant l'heure du départ.

* * *

Le débarquement se fit tous phares éteints sur un petit quai de béton dont le caboteur s'éloigna rapidement sitôt l'opération terminée. Le capitaine avait remis à Mohammed une carte routière du pays.

– Tu rouleras vers Izmir, que tu contourneras pour ensuite te diriger vers Bandirma, un port sur la mer de Marmara. Là, tu prendras un transbordeur. Deux heures après, tu débarqueras à Istanbul. *Inch Allah!*

Tout se passa étonnamment bien. Même les policiers qui l'interrogèrent, lors d'un arrêt pour faire le plein, lui souhaitèrent la bienvenue après avoir scruté ses papiers d'identité. «Décidément, le faux visa est un *vrai* faux visa», se dit-il en remettant le précieux document dans sa sacoche.

Assis derrière le volant de son camion maintenant immobilisé au milieu d'une quarantaine d'autres véhicules sur le pont inférieur du transbordeur, Mohammed grelottait. Le voyage l'avait épuisé. L'air humide de la mer de Marmara, le vent glacial, le vertige de l'inconnu, tout contribuait à nourrir ce stress qui le faisait trembler comme un animal traqué. Pour la première fois, il eut peur. «Et si c'était une erreur? Si je n'étais qu'un lâche? J'ai tout abandonné alors qu'on avait besoin de moi. Je les ai trahis.»

Depuis le décès de sa femme, il avait toujours justifié son absence auprès des siens par la difficulté de trouver du travail au

Yémen. Maintenant qu'il avait revu ses enfants, Hassan et Balkis, qu'il avait retrouvé deux adultes détachés de leur père, la culpabilité tenue cachée avait émergé pour lui donner mauvaise conscience. Son fils qui magouillait avec les contrebandiers, sa fille mariée sans son consentement, voilà deux échecs qu'il eût voulu effacer. Mais comment faire ? Plus il s'éloignait du Yémen, moins il lui serait possible d'intervenir. Il avait failli à sa tâche de père. Comment pourrait-il se reprendre ? Était-il trop tard ? Ne valait-il pas mieux couper les ponts et recommencer sa vie ? En se prenant la tête entre les mains, il sentit sa lucidité lui échapper. Il allait basculer, s'évanouir peut-être, quand le son d'une guitare électrique le secoua violemment. Il redressa la tête, respira à fond et sortit du Toyota en titubant. Dans le camion parqué à côté du sien, le conducteur venait d'ouvrir la radio à plein volume. Il tourna lentement la tête vers Mohammed, lui sourit le plus gentiment du monde et le salua tout en prenant une gorgée de Coca-Cola. Devant l'étonnement de Mohammed, il baissa le volume pour lui lancer :

– Istanbul ! Rock !

En deux mots, il venait de pulvériser les derniers remords du Yéménite. Mohammed s'avança vers la proue du navire. Devant lui, une ville immense semblait sortir d'un monde magique. Des centaines de minarets, plus hauts et plus décorés que tous ceux qu'il avait vus dans sa vie, se tenaient au garde-à-vous. Le port fourmillait de douzaines de petits bateaux. Au loin, vers l'est, un immense pont arqué lançait sa structure moderne au-dessus du Bosphore, qui sépare, ou unit, l'Orient et l'Occident. Un Occident qui sautait aux yeux : sur le front de mer, les bâtiments modernes avoisinaient des palais largement inspirés de l'architecture européenne du dix-neuvième siècle. Entre eux, des néons plus lumineux les uns que les autres agitaient leurs messages publicitaires. Pepsi. Pentax. Toyota.

Il avait neigé pendant la nuit. Les immenses bulles de pierres de chacune des mosquées étaient recouvertes d'un drap blanc qui ne faisait qu'amplifier leurs incroyables dimensions.

Le bateau ralentit, comme pour permettre à Mohammed de respirer lentement les effluves de sa nouvelle vie. Il lui fallait absorber d'un seul coup tellement d'images, de mots et de rythmes inconnus qu'il s'agrippa au métal froid du bastingage. Fermant les yeux, il se sentit chavirer. Quand il les rouvrit, il était étendu sur le pont, entouré d'une vingtaine de personnes souriantes et visiblement heureuses de le voir revenir à lui.

– Vous avez glissé, lui dit un employé du navire. Vous n'êtes pas blessé. Tout va bien. Nous arrivons.

– *Inch Allah!* répondit machinalement Mohammed.

– *Thank God, he's all right*, enchaîna une dame vêtue d'un pantalon et d'une veste de cuir, qui s'éloigna en allumant une cigarette.

Mohammed se releva et retourna vers son camion pour se préparer à débarquer. Avant d'ouvrir la portière, il fit signe au camionneur voisin d'ouvrir la sienne. La musique envahit de nouveau le pont. Mohammed s'approcha et lui cria :

– Istanbul! Istanbul *very* rock!

Les deux hommes éclatèrent de rire et remontèrent dans leur véhicule pour le débarquement.

\* \* \*

– Laleli. Quel joli nom!

Mohammed était subjugué, séduit, heureux… et inquiet. Il avait gravi la longue pente qui sépare le port du quartier Laleli où on lui avait suggéré de s'installer. Il s'était déniché un petit hôtel coincé entre une pâtisserie rutilante de gâteaux au miel et un marchand de peaux de mouton. Le patron de l'hôtel lui avait expliqué que *laleli* voulait dire «tulipe» en turc et que, cette fleur étant originaire de Turquie, on avait fièrement nommé ce quartier du centre-ville en hommage à la *laleli*. Pour protéger son camion et ses deux derniers frigos, il avait négocié une place de parking dans une cour fermée.

Mais la découverte d'Istanbul n'arrivait pas à effacer le souvenir de sa famille. Il ouvrit les volets de sa chambre, admira le port et, subitement, comme on déchire une lettre d'adieu, il décida de rompre avec son passé.

Il se rendit chez un des nombreux marchands de vêtements de la rue voisine. Quand il revint à l'hôtel, le patron le reconnut à peine. Il portait un jeans, une chemise verte en coton, un pull et une veste de laine grise; un foulard vert et bleu s'enroulait autour de son cou et retombait sur sa poitrine. Chez le coiffeur, en face du grand hôtel Ramada, il s'était fait tailler les cheveux et la barbe, ce qui révélait un visage long et buriné, aux traits purs. Ses cheveux noirs bouclés, ainsi dégagés, le rajeunissaient. On l'avait gentiment parfumé d'eau de Vétiver, une fragrance inconnue qui lui donna envie de chanter. Il se contenta de marcher en souriant. Tôt le lendemain matin, il fut réveillé par le chant du muezzin. La nuit tardait à lever son voile et, quelque part de l'autre côté du quartier de l'Aquarium, le soleil accrochait ses premiers rayons aux cimes des immenses minarets. Il avala rapidement le thé, le gâteau sec, les olives et le fromage blanc du petit déjeuner; il avait envie de découvrir son nouveau berceau.

Sur le trottoir, devant l'hôtel, un autobus orange était garé. Une demi-douzaine de Polonais achevaient de le bourrer de vêtements de cuir qu'ils étaient venus acheter pour les revendre en Bulgarie, en Roumanie et en Hongrie. De chaque côté de la petite rue, des dizaines de vendeurs de vêtements, de tissus, d'articles de cuisine, de gâteaux, de radios-réveils et de ballons de football encombraient les trottoirs, où le soleil avait finalement fait fondre la neige. À l'intersection du boulevard, un petit attroupement d'où fusaient des rires et des exclamations attira son attention. Au milieu du large trottoir, un ours dansait. Son dompteur, un Tzigane vêtu de cuir rouge, faisait claquer un fouet de chaque côté de l'animal qui, muselé, grognait de dépit. Un touriste américain filmait la scène. Au moment où il voulut faire une image rapprochée de l'animal, le dompteur interrompit la séance et demanda de l'argent. L'Américain sortit de sa poche un paquet de billets. Avant qu'il n'ait le temps d'en tirer un pour l'offrir au gitan, celui-ci avait attrapé tout le paquet et s'enfuyait en courant avec l'ours, qui galopait aussi vite que lui, slalomant entre les marchands et les piétons si nombreux qu'ils empêchèrent le touriste de le poursuivre.

Amusé par l'incident, Mohammed se dirigea lentement dans la même direction que le dompteur d'ours. L'odeur du diesel que crachaient les dizaines de bus et de camions le fit tousser. Le boulevard débordait d'une marée humaine comme il n'en avait jamais vu dans une ville. Des hommes en turban croisaient des touristes bariolés; des femmes portant le tcharchaf discutaient avec des jeunes filles en jeans et blouson de cuir. Il retrouva le dompteur d'ours, qui, près de la terrasse d'un café, recommençait son manège. À l'arrivée d'un car de police, le gitan fit traverser le boulevard à son animal et disparut rapidement dans ce qui semblait être un cimetière.

Après trois tentatives suicidaires de franchir le flot de la circulation automobile, Mohammed réussit à traverser le boulevard pour s'approcher d'un minuscule trottoir qui menait à ce vieux cimetière. Habitué à l'aspect lunaire des cimetières arabes traditionnels, où un simple petit caillou marque le passage d'un homme de la vie à la mort, il fut estomaqué par l'ampleur des pierres tombales qui, avec arrogance, dressaient fièrement leurs frontons maculés d'orgueilleuses inscriptions. «Ils sont peut-être musulmans mais sûrement pas arabes!» se dit-il.

Dans l'univers des morts, il comprit à quel point il venait de changer de vie.

# 7

Greta mesurait le temps en observant le progrès du noir dans sa blonde tignasse germanique. Il y avait déjà trois mois qu'elle croupissait dans ce village du bout du monde où les pluies froides de mars succédaient lentement aux neiges de février.

À Konak, c'est avec tiédeur qu'on avait soutenu le gouvernement d'Ankara, qui appuyait les efforts de l'Occident contre les folles bravades de Saddam. Au café des Jeunes, cette guerre du Golfe aurait soulevé l'intérêt si elle avait créé des emplois. On continuait donc de rêver à l'Allemagne, à l'Europe et à l'Amérique.

Avec l'aide de sa mère, Greta avait convaincu son père de la laisser travailler à l'extérieur de Konak. Ça n'avait pas été facile mais Becuchi, au courant des tractations de Mustafa qui mèneraient au mariage de leur fille avec Ali, avait apporté un argument qui avait plu à son mari : «Lorsque Ali apprendra que Greta travaille à Denizli, il aura sans doute peur de la perdre. Il fera des pressions sur son père pour qu'il t'accorde rapidement les permis.» Mustafa avait mordu à l'hameçon. Mais ce que souhaitait secrètement Becuchi, c'est que sa fille vive dans un milieu plus ouvert que Konak et même qu'elle y rencontre un homme qui lui plaise. De plus, elle avait ses raisons à elle d'éviter à sa fille un mariage qui en ferait la belle-fille d'Adnan.

Chaque matin, à l'aube, Greta marchait un petit kilomètre jusqu'au carrefour où elle montait à bord d'un car qui, en une heure, l'emmenait à Denizli.

Cette petite ville offrait, comme toutes les capitales régionales, les services, les produits, l'anonymat et l'évasion qui manquent tellement à tous les villages et hameaux. Greta y avait déniché un emploi de téléphoniste pour une compagnie de taxis ; cinq jours par semaine, huit heures par jour, elle transmettait aux chauffeurs les adresses des clients. On l'avait embauchée parce qu'elle était trilingue et qu'on espérait ainsi mieux servir les étrangers, de plus en plus nombreux dans cette ville désignée comme pôle de développement industriel. Pour l'instant, tout le travail se faisait en turc, et les chauffeurs, peu habitués à recevoir des ordres d'une femme, ne se gênaient surtout pas pour la flirter ou la rabrouer. Mais elle était imperméable à tous ces commentaires arrogants, mielleux ou méprisants ; elle avait trouvé le moyen de sortir de Konak sans éveiller de doutes sur ses intentions réelles. Pour un premier pas vers la liberté, le prix à payer n'était pas trop élevé. D'ailleurs, chaque jour, au lieu de manger une bouchée au café voisin, elle avalait un casse-croûte en marchant dans la ville. « Il faut que je connaisse le nom des rues », avait-elle expliqué à son père venu l'espionner à quelques reprises. Elle avait ainsi repéré le terminus des autocars, deux hôtels, un bureau de vente de billets d'avion, une agence d'aide aux familles démunies, et une librairie où l'on trouvait des livres et des revues importés d'Allemagne. En quelques semaines, elle avait convaincu son père de lui faire confiance, d'autant plus qu'elle voyageait chaque jour avec une femme et deux hommes de Konak qui, comme elle, travaillaient à Denizli. Elle gagnait peu. Son père avait refusé la petite pension qu'elle lui avait offerte. Il y voyait une occasion de réconciliation avec cette enfant rebelle qu'il s'était engagé à marier au fils du maire.

Mustafa cherchait d'ailleurs encore à comprendre les motifs véritables qui sous-tendaient le marchandage d'Adnan Gursel. Il comprenait bien les sentiments d'Ali pour « la plus belle fille du village ». Il devinait bien aussi les raisons qu'avaient les deux familles puissantes du village de « marier leurs intérêts ». Il en était flatté. Cependant, un morceau du puzzle semblait manquer et Mustafa n'arrivait pas à le repérer. Ce mariage, d'abord planifié pour le printemps, semblait devoir être retardé. Mustafa n'avait pas encore obtenu les permis nécessaires à l'ouverture de l'atelier de tissage. Il prit donc rendez-vous avec le maire.

– Alors, lança Adnan, ça avance, ton projet ?
– Tu veux rire ? C'est plutôt à moi de te demander si je les aurai bientôt, ces permis. Tu m'as juré pouvoir faire tout débloquer rapidement. Et ça fait maintenant des mois que j'attends.

– Oui, Mustafa. Deux mois qu'on s'est entendus : les permis, ta fille… Mais voilà : ta fille, justement, n'est pas souvent au village.

– Elle a trouvé du travail à Denizli.

– Ali me dit qu'elle refuse tous les rendez-vous qu'il lui donne. À croire que c'est elle qui va décider qui elle mariera.

Mustafa fut piqué au vif.

– Tu sais très bien, Adnan, que je n'ai qu'une parole. Et ma fille mariera ton fils. À condition que j'obtienne évidemment les permis pour mon entreprise. Si je ne les obtiens pas rapidement, je ne pourrai pas empêcher ma fille de choisir un autre homme.

Adnan reçut ce commentaire comme une insulte. Ainsi, tel qu'on le lui avait rapporté, Mustafa se voyait nettement plus puissant qu'il ne l'était. Grosse maison, belle voiture, de l'argent, des projets d'entreprise et, bien sûr, le désir à peine camouflé de s'emparer de la mairie. Or Adnan considérait que le poste de maire appartenait à sa famille. Son père l'avait occupé avant lui et il avait en tête de préparer son fils Ali à lui succéder. Comme la population de Konak n'élirait jamais un célibataire, Ali devait rapidement prendre femme. C'est ainsi que, en proposant à Mustafa de marier Greta à son fils, Adnan rendrait ce dernier heureux mais aussi bloquerait la route au populaire Mustafa, qui n'oserait briguer les suffrages contre son beau-fils. Mais le refus obstiné de Greta d'accueillir Ali dans son entourage mettait cette stratégie en danger. Seul Mustafa pouvait faire débloquer l'affaire. Adnan joua donc sa dernière carte.

– Mustafa, je crois que c'est à toi d'agir. Tu m'as demandé les permis. Ça pourrait être long, très long ; à moins que je n'intervienne.

– Et pour accélérer le processus, tu m'as suggéré de marier ma fille à ton fils.

– On se comprend bien. Mais c'est à toi de bouger maintenant. Si ta fille ne t'obéit pas, alors les permis et tes projets…

– Ma fille m'obéira si les permis viennent d'abord !

– Je crois que tu n'as pas les moyens de me dicter les règles du jeu.

– Et pourquoi donc ?

– Je sais certaines choses que tu ne souhaiterais sans doute pas que les citoyens de Konak découvrent.

– Quoi, par exemple ? demanda Mustafa, ébranlé.

– Disons… les circonstances de ton départ pour l'Allemagne en 1970… Ça nuirait sans doute à ta réputation si l'on savait…

Comme un puissant coup de poing, la dernière phrase d'Adnan estomaqua Mustafa. Au bout de trente secondes, meurtri, il se leva, serra la main du maire et ne put que murmurer :

– Ali et Greta, ça va se faire au cours de l'été qui vient.

Il remit sa casquette et sortit lentement du bureau qu'il rêvait d'occuper.

Le soir, en rentrant de Denizli, Greta observa le ciel. Les cigognes n'étaient pas encore de retour. Elle rédigea une petite lettre, la première depuis son arrivée à Konak. Sur l'enveloppe, elle inscrivit le nom de Hans Schneider. Destination : Solingen.

\* \* \*

À Istanbul, Mohammed avait réussi à vendre ses deux derniers frigos à un marchand d'appareils électroménagers qui l'avait convaincu d'oublier ce secteur du commerce pour se lancer dans l'importation de produits du Yémen.

– Pourquoi pas le qat ? avait-il lancé, l'œil malin. C'est une « épice » que l'on connaît encore mal à Istanbul !

Mohammed se promenait souvent dans le Grand Bazar. Il s'y perdait pendant des heures comme pour entretenir la flamme du commerce qui brûlait toujours en lui.

Un long corridor. Une rivière de trésors. Baignée d'une lumière crue, chaque vitrine s'ouvre sur une petite caverne où des stalactites d'or et d'argent ruissellent sur les parois vêtues de velours, de miroirs et d'ampoules hallucinantes. Des colliers, des bracelets, des bijoux par dizaines de milliers. Hypnotisé, on se laisse entraîner vers une intersection d'où repartent d'autres corridors : à gauche un kilomètre d'épices, à droite un kilomètre de cuir, au fond une autre intersection d'où naissent d'autres avenues à vocation unique : les tapis, l'étain, les luminaires, les meubles, les vêtements ; et partout, par dizaines, des petits hommes, souvent des enfants, qui courent porter du thé. Ils répondent à des appels discrets lancés par microphone et relayés par de petits haut-parleurs de plastique brun accrochés à la porte de chaque boutique. C'est un réseau, une véritable société avec ses codes, ses normes, son langage, ses interdits. Un univers fantastique camouflé sous terre depuis des siècles ; l'écrin millénaire du commerce mondial.

Ce matin-là, alors qu'il ruminait l'idée de se lancer dans l'importation, il ne vit pas devant lui un petit homme qui transportait à bout de bras un plateau rempli de verres de thé. En le heurtant, il fit basculer la cargaison de boissons, qui lui inondèrent la tête avant d'être absorbées par la laine de sa belle veste grise. Le porteur de thé était aussi confus que sa victime, les deux s'avouant responsables de l'incident.

– Venez avec moi, fit le petit homme aux grands yeux tristes, je vous emmène chez un teinturier. Il va vous nettoyer tout ça. C'est un ami.

C'est ainsi que Mohammed fit la connaissance d'Ismaïl, le livreur de thé. Le soir même, ils partageaient un repas de poisson dans un restaurant du quartier de l'Aquarium, ainsi nommé parce qu'on n'y trouve que des spécialités de la mer.

– Tu es donc réfugié dans ton propre pays, fit Mohammed.

– J'étais parti au Canada au milieu des années quatre-vingt. Je voulais du travail; ici, il n'y a rien pour un paysan comme moi. J'avais un ami déjà installé à Montréal…

– Montréal, c'est comment?

– Grand. Et propre. C'est l'Amérique, mais on y parle deux langues. Le français, mais aussi beaucoup l'anglais.

– Et tu parlais l'anglais? Le français?

– Oh! Non. Mais là-bas, ils acceptent les immigrants et ils t'offrent des cours de français gratuits. J'ai étudié la langue pendant que je travaillais dans une entreprise de nettoyage de vêtements où tout le monde parlait anglais.

– Bizarre. On enseigne le français mais on parle l'anglais…

– Là-bas, quand tu es immigrant, tu ne te mêles surtout pas de cette histoire de langues. C'est politique. Tu apprends toutes les langues qu'il faut pour travailler.

La conversation se déroulait en anglais, les deux compères essayant tant bien que mal de trouver les mots qui leur manquaient pour éviter les silences frustrants.

– Mais, continua Mohammed, pourquoi es-tu rentré en Turquie?

– On m'a expulsé. Ce fut toute une histoire. Les journalistes s'en sont mêlés, il y avait la radio, la télé. Le gouvernement canadien nous a dit, après deux ans, que nous étions des «réfugiés économiques» et non des immigrants investisseurs ou des

76

réfugiés politiques. Pourtant on gagnait tous notre vie, on ne leur coûtait rien, on apprenait leurs langues.

– C'est comme en Allemagne. Il paraît qu'on ne veut plus des Turcs.

Ce fut ensuite au tour de Mohammed de raconter son histoire. Ismaïl écoutait religieusement. Il était impressionné par le récit de cet homme qui, sous des dehors sereins, semblait souffrir en silence. À la fin du repas, Ismaïl expliqua à son nouveau copain qu'au retour il s'était installé à Istanbul, loin de sa famille qui habitait un village de montagne «en Asie», car il trouvait plus facilement à gagner sa vie dans une grande ville qu'à la campagne. C'est ainsi qu'il était devenu livreur de thé le jour et que, trois soirs par semaine, il travaillait à la démolition des tanneries séculaires qui longent la Corne d'Or, car on voulait récupérer le terrain pour y construire le village des athlètes si la Turquie obtenait les jeux Olympiques d'été de l'an 2000.

– Tu ne vois donc plus ta famille ? demanda Mohammed.

– De temps à autre. C'est loin. Mais justement je compte y aller la semaine prochaine. Si tu veux, tu viens avec moi.

– Où ?

– À Konak, répondit Ismaïl.

* * *

Quelques jours plus tard, ils roulaient en autocar vers ce village de montagne dont Ismaïl avait parlé chaque fois qu'ils se rencontraient.

– Nous allons descendre à Denizli, expliqua Ismaïl, et, au matin, nous prendrons un car vers Tavas et Konak. À midi, nous serons dans la maison familiale.

* * *

– Denizli Taxis, répondit une voix de femme.

– Bonjour, Greta, ici l'hôtel Anatolia. J'ai deux clients qui désirent se rendre à Konak, près de Tavas. Tu connais ?

– Sûr que oui, c'est mon coin de pays. Un taxi pour Konak ?

– Oui, le plus tôt possible. Ils sont en retard.

– Comment peut-on être en retard pour Konak ? s'esclaffa Greta. Il ne s'y passe rien !… Bon, attends que je vérifie le prix ; c'est la première fois que j'envoie un taxi là-bas…

– Ils ont raté le car. Tu pourrais peut-être en profiter pour rentrer avec eux…

– Non mais, de quoi je me mêle! ricana la jeune fille. Voilà, j'ai trouvé : c'est quatre-vingt mille livres sans compter le pourboire, car la route est mauvaise, pleine de trous; c'est la fin de l'hiver.

– C'est d'accord, dit le gérant; tu m'envoies la voiture maintenant… et mes clients sont d'accord pour te ramener avec eux, sans frais!

– Dis-leur qu'avec moi ce sera plus cher! lança joyeusement Greta en coupant sec pour prendre un autre appel.

Peu après seize heures, un taxi s'arrêta à la porte de l'hôtel Anatolia. Ismaïl ouvrit la portière avant pour déposer sur la banquette les deux petites valises des voyageurs.

– S'il vous plaît, dit le chauffeur, on mettra les bagages dans le coffre. Vous avez accepté de ramener notre téléphoniste à Konak. On passe la prendre.

*　*　*

Le soleil lançait ses derniers feux dans le ciel orangé où il avait finalement brûlé les nuages gris qui affligeaient les montagnes depuis trois jours. Le taxi roulait péniblement, coincé entre les camions à remorque qui formaient, comme d'habitude, une longue caravane.

– Ce sont les chameaux du vingtième siècle, lança le chauffeur que le silence de ses passagers semblait énerver.

Depuis l'entrée de Greta à bord du véhicule, les deux hommes assis derrière s'étaient tus. Ismaïl avait salué cette jeune femme de son village qu'il ne connaissait pas. Mohammed, lui, fut hypnotisé. Jamais le visage d'une femme ne l'avait à ce point séduit. Son visage, oui, mais aussi sa chevelure volontairement dégagée du tcharchaf, un cou musclé, un regard énergique, des traits ciselés dans le granit et le cristal de la jeunesse. Assis derrière le chauffeur, il observait à loisir cette jeune Turque qui, pudiquement, après avoir remercié ses hôtes, avait détourné son regard.

Greta. Voilà tout ce qu'il savait d'elle. Un nom, une vibration, un son, un écho.

Après avoir nargué les plus hauts sommets, le soleil avait finalement disparu derrière les flancs noirs de la montagne. «Le soleil se cache toujours pour dormir», songea Greta, les yeux fixés au ciel encore baigné de lumière. Soudain elle fut secouée. Là-haut, dans les langes pastel de la nuit naissante, une volée de cigognes glissait majestueusement vers le nord.

– C'est le printemps! cria-t-elle. Regardez, c'est le printemps! Les cigognes! Regardez!

Ismaïl et le chauffeur jetèrent un œil intéressé vers les sommets des montagnes. Mohammed ne bougea pas. Greta, se retournant, allait l'inviter à suivre le vol des cigognes quand elle sentit les yeux noirs de cet inconnu la pénétrer jusqu'à l'âme. Troublée, elle baissa les yeux avant de détourner lentement la tête. Un long silence s'ensuivit. Le chauffeur avait les yeux rivés sur la route humide. Ismaïl suivait du regard le vol des cigognes. Mohammed et Greta, émus, n'osaient plus bouger. D'un coup de volant, le chauffeur déborda sur la gauche, passa en troisième vitesse et accéléra pour doubler un camion à remorque qui crachait la suie noire de ses muscles d'acier. Greta sursauta. Elle remonta prestement le tcharchaf sur sa tête et eut à peine le temps de deviner la naissance d'un demi-sourire sur les lèvres de cet Arabe au regard troublant. Ils détournèrent la tête. C'est ainsi que se passèrent les vingt dernières minutes du voyage. Le taxi entra en trombe dans Konak au moment où les moutons traversaient paresseusement la route en direction de la bergerie du facteur. Le chauffeur, pressé de repartir, offrit au groupe de descendre maintenant et d'oublier le pourboire. Mohammed lui tendit deux billets de cinquante mille livres. Pendant que le chauffeur cherchait la monnaie, Greta sortit discrètement. Lorsque le taxi repartit, Ismaïl attendait son copain au milieu d'une mer de moutons, une valise dans chaque main.

– Où est-elle? demanda Mohammed.

– Qui? répondit distraitement Ismaïl.

– Mais la jeune femme qui était avec nous.

Il n'osait prononcer son nom.

– Oh! je crois qu'elle est rentrée chez elle, dans sa famille…

– Tu sais où exactement?

– Mais ici, à Konak! Dis donc, toi, elle t'a troublé, lança Ismaïl en riant. Viens, on marche jusqu'au cœur du village et on arrive chez mes parents!

Mohammed suivit Ismaïl comme un enfant. Il ne savait plus où il était rendu et encore moins comment il était arrivé là.

Comme un otage qu'on libère au milieu d'un territoire inconnu, il ne pouvait décider d'aller dans une direction plutôt que dans une autre. Il n'avait plus aucun point de repère. Il se laissait guider par cet homme que le hasard avait planté au milieu de sa route de nomade. Un hasard qui avait provoqué une étincelle. Les odeurs de feux de bois encensaient le village. Le bêlement des moutons s'amenuisait. Quelques corbeaux se disputaient les lambeaux d'une poule morte. Mohammed resserra le nœud de son foulard, qu'il enfouit sous sa veste en en relevant le col. Il frissonna. Un couple de cigognes survola la mosquée, dont le néon vert tentait péniblement de s'allumer. Il marchait les yeux fixés sur ces maisons où elle avait disparu.

La famille d'Ismaïl accueillit le fils et son ami avec émotion et générosité. Les hommes, assis par terre sur les multiples tapis, se régalaient des nombreux plats à base de yaourt, de mouton et de poulet que l'armée de sœurs et de belles-sœurs s'affairait à préparer et à servir sous les ordres de la mère demeurée à la cuisine. Une petite fournaise répandait dans la salle du repas la douce chaleur du feu de bois que les femmes alimentaient avec régularité et discrétion. Aucune d'entre elles ne vint se joindre aux hommes; il y avait là un étranger, un inconnu, un homme qui ne devait pas entrer si vite en contact avec elles. Elles se tenaient souvent dans l'embrasure de la porte, d'où elles écoutaient silencieusement les récits de voyage des deux visiteurs. Ismaïl traduisait tout. Parfois, en emportant un plat, la mère posait une question, mais ses interventions s'arrêtaient là. Plus tard, quand l'étranger serait au lit, on se rapprocherait d'Ismaïl pour l'écouter, le questionner et s'assurer qu'il menait une vie convenable dans cette grande ville d'Istanbul.

Peu après vingt-deux heures, Mohammed, repu et distrait, demanda à se retirer. Il n'allait pas dormir; il voulait rêver. Cette nuit-là, pendant que le vent gémissait, coincé à la fenêtre, ce Yéménite de quarante-sept ans se sentit envahi par la chaleur vive d'un brasier secret dont il avait oublié l'existence depuis la mort de sa femme, vingt ans auparavant. Le regard de cette jeune fille, son odeur, sa manière d'occuper l'espace l'avaient ensorcelé. Elle avait sans doute l'âge de sa propre fille ou encore de Fathma, mais elle l'avait séduit comme une femme d'âge mûr aurait su le faire. Il n'y comprenait rien.

«Greta.» Il osa murmurer son nom.

Il le répéta lentement comme pour l'apprivoiser, s'y ouvrir, se laisser posséder comme jamais il ne s'était permis de le faire. Elle n'était encore qu'une image furtive. Il avait simplement entendu le son de sa voix, à peine deviné son odeur, tout juste imaginé la forme de son corps, mais elle l'avait enivré.

Il s'endormit au moment où le son métallique d'un haut-parleur froissa les premières lueurs du jour pour laisser s'échapper la longue plainte de la prière du muezzin. Il voulut saluer le nom d'Allah, mais il n'avait aux lèvres que celui de Greta.

* * *

L'autocar pour Denizli venait de ramasser ses quatre clients quotidiens. Silencieuse, Greta frissonnait; les cigognes n'avaient pas encore ramené la tiédeur du printemps. Dans la buée de la fenêtre, elle s'amusa à dessiner deux cercles. Comme une enfant, elle compléta le dessin en ajoutant des yeux, un nez, une bouche. Elle eut soudain l'impression qu'un des personnages la regardait droit dans les yeux, comme cet homme dans le taxi hier.

Elle s'était endormie en revoyant le visage émouvant de cet Arabe dont elle n'avait entendu que le prénom, Mohammed. D'où venait-il? Quelle langue parlait-il? Pourquoi était-il là? Des questions dont les réponses l'intriguaient. Il y avait au village un homme libre; il bougeait, se déplaçait, choisissait ses itinéraires. Cet homme l'avait touchée; il avait effleuré son âme, ranimé la petite flamme de liberté qui sommeillait en elle. Elle glissa la main sur les dessins et sourit.

* * *

Au café des Vieux, quelques dizaines d'hommes, les plus âgés du village, étaient assis aux petites tables entourant les deux poêles de fonte qui s'acharnaient à coups de bûches à tuer l'humidité et le froid de ce début de printemps. Dans l'odeur forte du tabac et l'arôme sucré du thé bouillant, le nom d'Ismaïl flottait au gré des conversations. Il avait l'air un peu fatigué, disait-on en insistant sur les grands cernes gris qui dessinaient des demi-lunes sous ses yeux bruns.

– C'est sans doute la ville, commentaient d'autres en claquant quelques cartes sur la table de bois.

– Et puis il y a son ami, suggéra un petit homme rondelet coiffé d'une lourde casquette de laine.

– C'est un Arabe, dit le serveur en distribuant les verres de thé.

– Ouais, fit un autre, un Arabe, comme Saddam. Avec les Arabes, on ne sait jamais à quoi s'en tenir : ils ne disent jamais la vérité, on ne sait pas d'où ils viennent, où ils vont, ce qu'ils font.

– Il a pourtant l'air sympathique, fit un autre.

– Oui, ils ont tous l'air gentils ; ils sourient toujours. Je me méfie des gens qui me sourient sans me connaître.

Sans agressivité, la conversation roula ainsi pendant de longues minutes, les uns soutenant qu'on ne pouvait pas juger quelqu'un sans le connaître, les autres soulignant leur méfiance devant les étrangers qui se rendaient «dans un coin perdu comme Konak».

Ismaïl et son père se baladaient dans le village en compagnie de Mohammed. Avec courtoisie et politesse, ce dernier acquiesçait aux commentaires sur les magnifiques montagnes entourant Konak. Pourtant, des montagnes, il en avait vu d'autres, et tellement plus spectaculaires, chez lui au Yémen. D'ailleurs, pour la première fois, il eut envie de parler de son pays, de ses montagnes, de sa famille. Il enviait Ismaïl de pouvoir circuler au milieu des siens, parler avec attachement d'un coin de pays qu'il pouvait montrer, raconter son enfance en identifiant des gens, des lieux et des paysages. Il y avait ici un vrai morceau de vie qu'on pouvait partager comme un gros baklava regorgeant de miel blond et de pistaches vertes. Ismaïl souriait à son père qui, fièrement, apostrophait tous ceux qui ne savaient pas encore que son fils était de passage.

Lorsque la porte du café s'ouvrit sur les trois hommes, le ton des conversations baissa comme si quelqu'un avait tourné le bouton du volume d'une radio. Le père d'Ismaïl salua tout le monde en soulevant sa casquette et entraîna son fils et Mohammed vers une table plantée au milieu de la pièce enfumée. Il commanda du thé et lentement promena son regard sur la soixantaine d'hommes assis autour de lui. Il semblait leur dire : «Voyez qui est là, c'est mon fils, celui qui vit dans la grande ville où il a rencontré un riche commerçant arabe ; regardez, ils sont ici pour moi, et chez moi !»

Peu à peu les conversations reprirent, surtout entre les joueurs de cartes, qui, à l'évidence, n'accordaient plus au jeu la même attention depuis l'arrivée du trio. Pendant qu'Ismaïl reprenait contact avec plusieurs de ces hommes qu'il connaissait bien, Mohammed observa discrètement le visage de ces villageois; des hommes de la terre dont les rides et le teint cuivré imitaient ces champs pierreux et rudes qui finissaient de se reposer en périphérie du village après un hiver de somnolence et d'immobilité. Ils portaient à leur front les sillons de la terre comme les seigneurs du désert arborent fièrement les bijoux du pétrole. Il ne comprenait rien à leur langue, mais l'acier de leurs regards furtifs lui laissait la troublante impression de ne pas être le bienvenu. Il voulut adoucir ce malaise. Il leva le bras et fit signe au serveur d'offrir du thé. D'un pas aussi lent que lourd, ce dernier s'approcha de la table et, conscient que Mohammed ne comprenait rien au turc, lança bien fort, pour que tout le monde entende :

– Je ne sers pas les Arabes, moi!

Le père d'Ismaïl posa fermement sa main sur le bras de son fils pour l'empêcher de bondir.

– Il n'a pas le droit de dire cela, répliqua Ismaïl en regardant son père.

– Je dis ce que je pense et comme je veux, poursuivit le serveur. Cet homme-là, je ne le connais pas et je ne veux surtout pas le connaître. Il n'est pas turc mais arabe, et pour moi c'est suffisant; les Arabes, Saddam, c'est pareil.

– Oui, oui, lança un autre homme du fond de la salle sans même lever les yeux de son jeu de cartes. Et d'abord, qu'est-ce qu'il vient faire ici, à Konak? Je vous le demande!

Mohammed ne comprenait plus rien.

– Que disent-ils? demanda-t-il en anglais à Ismaïl. Immédiatement, un petit homme chauve interrompit Ismaïl.

– Ne lui répète pas ce que tu viens d'entendre. Dis-lui qu'on discute, qu'il n'y a rien de grave.

– Non. Explique-lui qu'il n'y a plus de thé pour les Arabes. Que de la pisse de chameau! railla un autre homme en quittant la pièce.

Le père d'Ismaïl était déchiré entre la volonté de défendre l'ami de son fils et celle de ne pas se mettre à dos ces hommes, ces voisins, qu'il connaissait bien et avec qui il allait continuer de vivre après le départ de l'étranger.

– Dis-moi, fit Mohammed, ça ne va pas? Il faut partir, je pense.

Ismaïl, troublé, lui balbutia que certains avaient encore l'esprit échauffé par la guerre; que Saddam, les Arabes, les *Scud*...

– Ça va, dit Mohammed, j'ai compris : Saddam, la guerre, les *Scud*, c'est moi. C'est ça? C'est ce qu'ils disent? Allons, Ismaïl, ne t'en fais pas. Dis à ton père que ce n'est rien. Nous allons partir... Enfin... je vais partir.

Interloqué, Ismaïl regarda son ami se lever. Mohammed fit du regard le tour de la salle maintenant muette. Il plissa les yeux, esquissa un demi-sourire, porta la main droite à son cœur et lança, d'une voix douce mais sentie, deux mots en arabe que personne ne comprit. Il glissa comme un chat entre les tables, ouvrit lentement la porte et sentit dans son dos un immense malaise qu'il prit soin d'enfermer dans le café en refermant la porte.

Il était trop tard pour quitter le village, le car pour Denizli ne passant qu'une fois par jour, tôt le matin. Il consacra donc le reste de la journée à se promener avec Ismaïl sur les petits plateaux qui encerclent Konak. C'est au sommet d'une de ces collines qu'il remarqua le toit de chaume d'une des maisons, plus haut que les autres.

– C'est là qu'habite la jeune fille que nous avons emmenée en taxi, dit Ismaïl.

Le lendemain, quelques minutes avant que le soleil n'arrache sa plainte matinale au minaret du village, Mohammed grelottait aux abords de la route; il n'était pas question de rater le car pour Denizli. Lorsque la voix du muezzin écorcha le silence de l'aube, il s'agenouilla face au sud en direction de La Mecque. Oui, il n'y avait de Dieu qu'Allah et ce Dieu avait dirigé ses pas vers la Turquie, Istanbul, Denizli et Konak. Que faisait-il donc ainsi prostré, les genoux calés dans les sillons gelés d'une terre inhospitalière? La pétarade de la moto du muezzin ne brisa en rien sa concentration. Il lui fallait parler à ce Dieu, l'interroger, le provoquer. «Qu'est-ce que je fais ici?» se demandait Mohammed quand des voix vinrent froisser son recueillement. Deux femmes et deux hommes émergeaient des brumes matinales en parlant doucement. Ce n'est pas l'éclat des voix mais la musique de l'une d'entre elles qui le sortit de sa conversation avec Allah. Une musique, oui, mais encore plus un souffle, une âme qui se glissait entre les silences pour venir vibrer en lui avec des harmoniques dont seul le vent du désert avait le secret.

Lorsque le groupe aperçut cet homme à genoux, la conversation s'interrompit. Ils s'approchèrent sans trop le reconnaître. Mohammed était immobile, le regard figé sur cette femme qui avait de nouveau baissé les yeux. Elle était là, à quelques mètres de lui, encore plus émouvante que dans le taxi deux jours auparavant. Les premiers rayons du soleil buvaient les vapeurs muettes que sa bouche entrouverte laissait s'échapper dans l'air frisquet du matin. Chacune de ses respirations libérait des parcelles de son âme qui, par volutes diaphanes, naissaient et mouraient dans l'infini d'un silence. Il se vit un instant attraper chacune de ses respirations, les caresser, les porter à sa bouche et les aspirer lentement comme il savait si bien le faire avec les fumées aromatiques tirées du narghilé.

Un coup de klaxon le sortit brusquement de son rêve. En titubant, il se releva au moment où le car de Denizli approchait dans le fracas d'un moteur essoufflé. Mohammed se retira pour laisser monter les deux hommes, qui précédèrent les deux femmes. Greta était la dernière. En passant près de lui, elle leva les yeux, le fixa un court instant et esquissa un sourire que le chauffeur impatient interrompit d'un autre coup de klaxon. Mohammed la suivit vers l'arrière du véhicule. Il posa son sac de voyage sur le siège voisin et l'ouvrit pour y prendre l'orange que la mère d'Ismaïl lui avait donnée avec un petit casse-croûte. Spontanément, il se retourna vers Greta pour lui offrir le fruit. Il interrompit son geste en découvrant qu'il ne savait pas dans quelle langue il devait s'adresser à elle. Il lui tendit simplement l'orange. Greta secoua la tête en lui souriant. Il insista. Elle lui fit signe que non. Les trois autres assistaient incrédules à cet échange silencieux. Soudain Greta fixa son regard dans celui de Mohammed et lui lança :

– *Do you speak English?*

* * *

Le car roulait depuis une demi-heure. Greta et Mohammed conversaient sans arrêt. Autour d'eux, personne ne comprenait. Isolés par cette langue qu'ils étaient seuls à maîtriser, ils avaient le sentiment de vivre un grand moment de liberté, de puissance et de complicité que personne ne pouvait leur prendre. En arrivant à Denizli, ils avaient à peine eu le temps de se raconter comment ils étaient venus à Konak. Comme deux adolescents découvrant leurs similitudes, ils s'étaient lancés en vrac quantité de mots beaucoup plus lourds d'émotion que de sens. Ils parlaient pour parler, pour se parler, pour nourrir et fortifier un lien, un contact, pour découvrir l'image, le son, l'odeur de l'autre, pour se dire qu'ils voulaient se dire des choses comme... et puis non! c'était trop vite, trop tôt; chacun avançait, reculait, faisait une place à l'autre, l'envahissait, l'éblouissait, reprenait son souffle avant de se répandre dans le territoire de l'autre. Les mots dansaient au rythme des rires, des silences, des regards, des gestes. Ils prenaient plaisir à ignorer totalement les autres voyageurs, qui, médusés, se voyaient confinés au rôle de spectateurs impuissants devant ces «étrangers» dont la langue et les codes leur étaient inconnus.

En descendant du car, la compagne de Greta voulut l'entraîner rapidement hors de portée de cet Arabe inquiétant. Greta dégagea son bras et, s'arrêtant face à Mohammed, lui dit :

– Quel beau voyage!

– Si tu veux, lui répondit Mohammed, on le poursuivra. Tu peux me contacter à l'hôtel dont tu connais le nom.

Il ne désirait pas prononcer le mot «Anatolia» devant les autres. En lui faisant signe de la tête, elle claironna bien haut un *goodbye* retentissant et se laissa enlever par sa compagne.

Mohammed ne marchait plus, il flottait. Touché. Il était touché au cœur. Il se sentait retourné, ivre de lumière, pulvérisé par autant de joie. Jamais il n'avait imaginé qu'un homme puisse être aussi heureux. Même le désert lui paraissait minuscule à côté de cet espace infini que le regard de Greta venait de lui révéler. Toute son histoire d'homme, tous ses rêves, toute sa vie venaient de basculer. Il n'y avait plus d'hier ni de demain. Qu'un aujourd'hui, là, maintenant. Il pouvait mourir; il renaîtrait. Il était mort à Konak; à Denizli, il venait de renaître. Il n'était ni arabe, ni turc; il était Greta. Il était amoureux.

# 8

Leurs grandes ailes blanches pétrissaient l'air tiède. Par immenses volées, les cigognes semblaient aspirées de la mer Égée vers les flancs des montagnes où elles allaient tisser les énormes nids de leur progéniture. Assise à la terrasse d'un marchand de gâteaux, Greta les observait distraitement en laissant refroidir un verre de thé. Elle attendait Mohammed. Il flottait dans l'air un parfum aux effluves délinquants. Pour la première fois de son existence, elle avait fait un geste de femme libre. Dans le passé, elle s'était rebiffée, avait claqué les portes, affronté, nargué, provoqué. Cette fois-ci, elle ne refusait pas, elle acceptait ; elle ne s'enfermait pas, elle s'ouvrait. Il n'y avait plus sa mère pour la récupérer, ses frères pour l'attendrir, son père pour s'affirmer et se sécuriser. Il n'y avait qu'elle au bord d'un gouffre séduisant où elle avait choisi de sauter. Elle savourait ce vertige encore plus troublant que le jour où elle avait fait teindre ses cheveux.

Elle sortit un miroir de son sac pour ajuster le tcharchaf qu'elle portait pour camoufler sa chevelure bicolore plus que pour obéir aux préceptes musulmans. Elle cessa de respirer.

Derrière elle s'approchait doucement cet homme, ce fragment de liberté. Émue, elle resta figée jusqu'à ce que Mohammed arrive à sa hauteur, se retourne et, la gorge nouée, glisse le plus tendrement du monde le seul mot qu'il pouvait soupirer : Greta.

Elle accrocha son regard au sien comme si elle s'appuyait sur son bras pour se lever. En turc, en allemand, puis finalement en anglais, elle balbutia :

– Ne restons pas là. Tous les chauffeurs de taxi me connaissent.

– Allons où tu voudras, répondit Mohammed.

– Il y a derrière ce parc une librairie. C'est plein de revues allemandes.

Elle éclata d'un rire aussi franc que sonore. Quelques passants la regardèrent.

– Qu'est-ce qui te fait rire ?

– Oh! c'est moi. Je ne savais plus dans quelle langue te parler. Je ne sais même plus dans quelle langue je pense, poursuivit-elle en ricanant.

Ils passèrent de longues minutes à feuilleter des publications étrangères, surtout allemandes, ne sachant quoi se dire dans un lieu pareil. Elle le regardait comme on fixe l'horizon. Il la contemplait comme le trésor enfin découvert. Ils ne cessaient de se sourire et profitaient de chaque page tournée pour s'effleurer les mains, se rapprocher l'un de l'autre et se charmer par leurs odeurs, leurs silences et leurs soupirs. Elle se sentait femme et lui, adolescent.

Mohammed allait lui saisir la main lorsque l'appel à la prière se fit entendre. Le libraire leur jeta un œil sévère, sortit son petit tapis, retira ses chaussures et s'installa pour honorer le nom d'Allah.

Il était midi; Greta devait retourner au travail. Ce premier rendez-vous, c'est elle qui en avait pris l'initiative. «À moi de jouer maintenant», se dit Mohammed. Ils sortirent de la librairie avec une envie folle de se tenir la main. Il frissonnait. Elle frémissait.

– Greta, dit Mohammed, je vais rester ici pour quelques jours; je vais voir si je ne pourrais pas y ouvrir un commerce.

– Ici, à Denizli? Tu n'y penses pas; c'est trop petit. Il faut partir. Izmir, Istanbul, je ne sais pas… Une grande ville, c'est bien mieux pour le commerce, non?

– Oui, c'est juste; mais, dans les grandes villes, il n'y a pas de Greta, il n'y a pas toi.

Confuse, elle s'arrêta net de marcher. Était-ce donc une déclaration d'amour? Pour la première fois de sa vie, elle se sentait la raison d'être de quelqu'un. Lorsque son jeune amoureux, Hans, avait touché son cœur de jeune fille, elle en avait été chavirée. Ce premier amour l'avait transportée dans le monde vaporeux des émotions et de la tendresse. Mais jamais elle n'avait senti le poids des mots comme dans ces quelques phrases de Mohammed. Elle eut peur, eut envie de s'enfuir, mais ne put résister au magnétisme de cet homme mûr qui lui ouvrait enfin une première fenêtre sur la liberté. Son regard se troubla.

– Mohammed, je ne connais rien de toi ; tu ne sais rien de moi.
– Greta, il faut nous revoir justement parce que nous ne savons rien. Il le faut !
– Mohammed, je veux te revoir, mais j'ai peur.
– De qui ?
– De moi.
– Moi, je n'ai pas peur de toi. Et s'il faut avoir peur, alors j'aimerais avoir peur avec toi.

Il lui offrit un sourire d'une telle franchise qu'elle ne put que le lui rendre.

Il sortit un mouchoir et lui épongea les joues avec délicatesse. Elle était si bouleversée qu'elle lança brusquement :
– Demain midi, même librairie.

Elle enfouit ses cheveux sous le tcharchaf, tourna les talons et partit à grandes enjambées vers la station de taxis.

Le soleil était au zénith. Le muezzin se fit entendre une dernière fois. Mohammed ferma les yeux en murmurant : «Greta, Greta... *Inch Allah !*»

$$* * *$$

– *Mister Mohammed, please, a letter.*

Dans un anglais des plus sommaires, le réceptionniste de l'hôtel Anatolia lui expliqua que son ami Ismaïl était passé le voir et qu'il lui avait laissé ce message. Un mot qui lui signalait sa présence à Denizli, en route pour Istanbul. Il reviendrait le voir plus tard.

Il pleuvait. Mohammed s'enferma dans sa chambre. Aussi euphorique que déboussolé, il eut l'impression d'imploser. Les bouleversements des derniers mois lui semblaient banals à côté de ce vertige provoqué par la rencontre de Greta. Jusqu'à aujourd'hui, il avait essayé de tirer le meilleur parti du sort que la vie lui avait réservé. Il y avait en lui deux Mohammed : celui qui pourvoie au bonheur matériel des siens et l'autre qui profite de la vie comme elle se présente. Voilà que la disparition du premier obligeait le deuxième à redéfinir le sens de son existence. Jamais il ne s'était posé de telles questions. Greta était apparue dans son univers à ce moment précis. Elle était femme et enfant, prisonnière et geôlière, l'eau et le feu. Une femme sans frontière pour un homme qui commençait à les franchir.

Ismaïl vint retrouver Mohammed. Il lui fallait rentrer à Istanbul. Le Yéménite lui expliqua maladroitement qu'il séjournerait encore un peu à Denizli pour explorer la région et peut-être y ouvrir un commerce. Il accompagna Ismaïl au terminus avant de se réfugier dans un café. À midi, il franchit la porte de la librairie pour découvrir que Greta l'y attendait déjà. Il saisit spontanément ses mains. Pour la première fois, ils se touchaient.

– Greta, il faut se parler, il faut trouver du temps, un lieu; nous avons tellement de choses à nous dire...

– Il ne faut pas trop parler, Mohammed, il faut agir! Je ne veux pas mourir ici et toi tu ne peux pas vivre ici.

Les lèvres sèches, la bouche entrouverte, Mohammed ne se reconnaissait plus. Le volcan de son âme explosa. Il venait de mourir et de renaître. Il se sentait nu face à cette jeune femme qui, elle, semblait déjà naviguer librement en lui.

Pendant quatre jours, la pluie tomba sur Denizli. Dans le cœur de Greta et de Mohammed, il faisait pourtant soleil. Chaque jour ils se retrouvaient à la librairie. Chaque jour, Greta lui remettait un sac qu'il emportait dans sa chambre d'hôtel. Le vendredi matin, après avoir empoché son maigre salaire, Greta se rendit directement au terminus des cars, où Mohammed la rejoignit, une valise dans chaque main. Elle mit une lettre à la poste :

«Chers parents, ne vous inquiétez pas. Je pars me reposer quelques jours à Istanbul. J'étouffe ici. Je vous donnerai de mes nouvelles bientôt. – Greta.»

* * *

Dans le car qui ramenait vers Konak les trois compagnons de voyage de Greta, l'inquiétude et la nervosité embrouillaient les conversations habituellement détendues du petit groupe.

– Où est-elle passée? Jamais elle n'a raté le car de retour... Elle va sûrement rentrer en taxi, elle connaît les chauffeurs...

À l'arrivée, on informa la famille de l'absence de leur fille. La nouvelle se répandit. Aux cafés des Jeunes et des Vieux, la rumeur roula comme tonnerre.

– Elle a fugué!

– On l'a enlevée!

– L'Arabe y est sans doute pour quelque chose...

– On va exiger une rançon : son père est tellement riche...

L'épaisse fumée bleuâtre dansait autour des stylets de lumière crue des néons; il y flottait enfin une histoire assez copieuse pour nourrir les conversations pendant des mois. Dans le désert, le moindre caillou qui roule provoque un vacarme.

Mustafa était aussi humilié qu'inquiet.

– Je savais qu'elle ne devait pas travailler dans cette ville, répétait-il en marchant rapidement vers la mairie. Je savais, je savais...

Le service téléphonique du village était en dérangement, les pluies diluviennes des derniers jours ayant arraché quelques poteaux.

– Tu peux te rendre à Tavas, lui dit le maire, mais je crains que les téléphones n'y soient également hors d'usage. Tu verras, Mustafa, elle va rentrer plus tard, ta fille ; ne t'inquiète pas. Et puis, à son travail, on ne sait peut-être rien.

– Jamais je n'aurais dû céder à leurs demandes.

– De qui parles-tu ?

– De Taylin et de sa mère. Becuchi a beaucoup insisté pour que je la laisse partir travailler à Denizli.

– Becuchi, hein ! Tu vois ce qui arrive quand on laisse les femmes décider...

– Et toi, si tu avais agi plus vite pour les permis, on en serait sans doute à la veille du mariage.

– Mustafa, je te rappelle que c'est un mariage dont tu as autant besoin que moi... enfin... je veux dire... que mon fils, Ali.

Frustré, Mustafa baissa les yeux et repartit à pied comme il était venu.

Konak n'était qu'un marécage visqueux. Les petites rues n'en finissaient plus d'éponger les rejets boueux des montagnes où le printemps achevait de lessiver l'hiver. Dans sa pieuse pétarade, le muezzin éclaboussa au passage Mustafa qui rentrait fiévreusement chez lui. Le visage pourpre de la nuit se glissait sous le masque gris du jour. Une nuit qui allait être longue et douloureuse.

Le coq déchira le silence de l'aube. Mustafa s'éveilla, recroquevillé et frissonnant dans les coussins où l'angoisse l'avait finalement assommé. Avant que le muezzin ne vienne secouer le village, il avait eu le temps de vérifier : sa fille n'était toujours pas rentrée. Il allait agir.

Au volant de sa Mercedes, il prit la route de Denizli. Là, il pénétra en coup de vent dans le petit local de la compagnie de taxis. Une demi-heure plus tard, il en ressortit, les yeux rougis de honte, de colère et de tristesse. Sa fille avait bel et bien démissionné la veille. Non, on ne savait rien de ses intentions, de ses allées et venues ni de ses projets. Oui, elle semblait heureuse et en pleine forme. Souriante même, comme on l'avait rarement vue. Le patron n'avait jamais remarqué de comportement bizarre; chaque jour, elle était fidèle au poste, efficace et compétente. Elle s'était imposée auprès des chauffeurs, qui la respectaient. Chaque jour à midi, elle s'absentait pour manger un peu; elle marchait dans la ville pour apprendre le nom des rues, des quartiers, des boutiques, disait-elle. On ne voyait jamais personne en sa présence. Toujours seule.

– Si nous recevons de ses nouvelles, nous vous contacterons, avait finalement conclu le patron en serrant la main de Mustafa.

De retour à Konak, il trouva Becuchi effondrée, hurlant de douleur, le visage inondé de larmes. En fouillant dans la chambre de sa fille, elle avait découvert que de nombreux vêtements manquaient. Dans la maison, tout le clan s'était réuni.

– Taylin, Taylin, où est ma fille? clamait la mère dans un hoquet étouffé qui paralysait ses trois fils, ahuris.

À Konak, on ne parlait que de Greta. Toutes les hypothèses circulaient : de la fugue à l'enlèvement en passant par la prostitution, la drogue, l'assassinat et la traite des blanches. Le lundi midi, le facteur apporta la lettre de Greta. Trois lignes. Trois petites lignes qui firent disparaître les hypothèses. Au moment où le muezzin lançait le nom d'Allah dans un ciel bleu acier, un grand cri de fureur ébranla les murs de la maison de Mustafa.

\* \* \*

Le Bosphore brassait dans ses eaux les diamants dont le soleil se débarrassait généreusement en cette saison. Le printemps se payait le luxe de ces grands vents tièdes qui, pendant quelques jours, nettoient les poumons goudronnés d'un Istanbul asphyxié.

Greta et Mohammed étaient remplis de joie. Depuis deux jours, ils se laissaient glisser dans cette nouvelle vie avec une immense délicatesse. La fougue du départ avait fait place à une certaine retenue. Il leur fallait s'apprivoiser maintenant qu'ils avaient ouvert les portes de l'aventure. Istanbul les avait avalés avec la même indifférence que ces millions d'hommes et de femmes venus depuis toujours se frotter aux remparts de sa richesse chimérique. Le ventre de la ville n'en finissait plus de dégurgiter cette coulée de lave humaine où chacun noie sa solitude dans les contre-courants religieux et les bouillons culturels de cette fracture entre l'Europe et l'Asie. Ils avaient en poche le passeport de l'anonymat; en route vers l'inconnu.

Ils s'étaient installés dans le petit hôtel où Mohammed était descendu à son arrivée. Inquiète, Greta avait consenti à dormir dans la même chambre que lui. De toute manière, elle n'avait pas les moyens de s'en payer une. «Une chambre à deux lits», avait-elle insisté. Ils n'étaient pas encore un couple et ne partageaient pour l'instant que le bonheur de la découverte et de la liberté. Le matin, ils descendaient dans le salon minuscule de l'établissement pour y prendre un thé, des gâteaux, des olives et du fromage blanc que leur servait le patron, témoin de leur félicité clandestine.

Pour protéger le secret de leur complicité, Mohammed n'avait pas voulu contacter Ismaïl, qui le croyait sans doute encore à Denizli. Un peu comme des touristes, ils se baladaient dans cette mégapole commerciale et culturelle, s'amusant à déjeuner en Europe et à dîner en Asie, à découvrir les fabuleuses mosquées, la cathédrale Sainte-Sophie, le palais de Topkapi. La vie était si douce que ni lui ni Greta n'osaient penser au lendemain.

«Greta, qu'est-ce qui te ferait le plus plaisir?» Mohammed ne cessait de lui répéter cette phrase. Il ignorait tout d'elle et ne voulait surtout pas la froisser ou lui faire peur. «Je ne sais plus comment être amoureux», se disait-il. Il sentait que sa gentillesse la désarçonnait et l'intimidait, elle qui, autrement, ne savait pas harnacher sa fougue et sa volonté si téméraires. Jamais le contact avec un homme ne s'était articulé avec autant de délicatesse et d'attention à son égard. Elle sentait chez Mohammed un désir et une passion qui la fascinaient mais la rendaient aussi craintive. En souriant, elle répondait qu'elle ne désirait rien d'autre que d'être ici, loin de Konak, avec lui. Mais il la sentait légèrement distante, parfois fébrile, souvent silencieuse.

\* \* \*

– Ce matin, je te quitte pour quelques heures.
Interloqué, Mohammed ne sut que répondre.
– Ne t'inquiète pas, ajouta-t-elle. J'ai une chose à faire et je dois la faire seule. À plus tard, Mohammed.

Il fut tenté de la suivre, mais s'en garda bien. Il profita de la première absence de sa compagne pour aller perdre ses pas du côté du Grand Bazar.

Le bijoutier de la boutique 106 l'accueillit en lui offrant du thé qu'il commanda par ce vaste réseau d'intercommunication qui relie chacune des milliers de boutiques souterraines. Ce rituel l'aiderait sûrement à réussir cette vente; dans la croyance millénaire des marchands, la journée sera bonne si on réussit à vendre au premier client qui se présente.

Le sang yéménite de Mohammed ne fit qu'un tour. Un Turc et un Arabe qui négocient, c'est plus que du commerce : c'est un spectacle, du grand art.

– Veuillez vous asseoir. Monsieur…?

– Mohammed.

– Je suis Turham. Nous sommes bijoutiers artisans depuis plusieurs générations. Vous avez choisi le meilleur endroit…

– Et la famille, ça va?

– Oh! oui, répondit Turham, un peu désarçonné. Ça va, même si l'hiver a été dur pour les rhumatismes de mon grand-père; vous savez, il travaille encore ici avec mon père et moi…

– Et les affaires? enchaîna Mohammed.

– Oh! vous savez, avec cette guerre du Golfe, les touristes et les étrangers ne viennent pas aussi nombreux qu'avant.

– Mais pour vous, ça va? Vous avez moins de bijoux en vitrine que les autres. Ça se vend bien, n'est-ce pas, les produits de qualité supérieure?

– Ah! là-dessus, vous avez raison. Nous ne vendons que ce que nous produisons.

– Et vous ne produisez que de la qualité!

– Évidemment, monsieur Mohammed. Voici le thé. Et le sucre.

Mohammed sentait qu'il maîtrisait la négociation. Il huma longuement le thé bouillant, y trempa les lèvres et observa le manège du vendeur. Turham étalait sur un carré de velours vert des bracelets, des colliers, des bagues, des pendentifs et des broches étincelantes.

– C'est pour votre fille?

Le coup porta. Subitement, l'homme amoureux venait de basculer devant le père de famille. Il revit le visage de sa fille à qui il avait souvent fait parvenir des bijoux lorsqu'il vivait en

Arabie Saoudite. Aujourd'hui, c'est à une jeune étrangère d'à peine vingt ans qu'il allait offrir un collier.

– Alors, si ce n'est pas pour votre fille, c'est peut-être pour...

– Ma nièce, lança Mohammed. Son anniversaire.

Mohammed commença à écarter un à un les bijoux qui ne l'intéressaient pas. Stratégiquement, il retint la chaîne d'or qu'il avait déjà choisie en la mêlant à d'autres colliers et à quelques bracelets et pendentifs. Il les manipulait délicatement dans un manège entrecoupé de lentes gorgées de thé. Turham lui répéta toutes les caractéristiques des bijoux en ajoutant :

– Bien sûr, l'or de la chaîne, c'est du vingt carats.

Il avait noté que son client l'avait caressée plus que les autres bijoux.

– Et vous la vendez au poids ?

– Écoutez, cette chaîne de vingt carats, et les boucles d'oreilles serties d'émeraudes, prix normal : un million cinq cent soixante mille livres. Pour vous, monsieur Mohammed, un connaisseur, un oncle si généreux : un million quatre cent mille. Et je ne fais presque pas de profit.

– Je ne veux pas acheter de boucles d'oreilles. La chaîne, c'est suffisant.

– Alors, juste la chaîne ; c'est ce qui vaut le plus cher. Vous avez tout compris, monsieur Mohammed. Eh bien, elle est à vous pour neuf cent soixante-quinze mille livres. Elle est magnifique, vous avez raison de l'offrir ; c'est ma dernière de cette qualité, à ce prix.

– Neuf cent soixante-quinze mille livres, ça fait bien deux cent cinquante dollars. J'ai déjà vu la même pour cent dollars en Arabie Saoudite !

– Alors, monsieur, vous auriez dû l'acheter là bas ; ici, c'est un prix impossible.

Mohammed venait de trouver la faille par laquelle il allait enfoncer l'adversaire. Un vieux commerçant n'aurait jamais fait cette gaffe.

– Si c'est ainsi que vous traitez vos clients, alors gardez votre chaîne et vos bijoux, Turham !

Mohammed lança cette dernière phrase assez fort pour qu'on l'entende dans l'arrière-boutique. Il sortit rapidement. Immédiatement, un homme d'une quarantaine d'années se mit à sa poursuite.

– Monsieur Mohammed! Attendez! Mon fils est stupide. Il vous a insulté sans le vouloir. Il est inexpérimenté. Revenez, je vous en prie. Je vais m'occuper personnellement de vous. Je suis Selim, le patron de la boutique. Veuillez nous excuser.

Feignant de résister, Mohammed se laissa entraîner vers la boutique. Le jeune Turham reçut l'ordre de disparaître. Selim commanda d'autre thé et la négociation reprit. Cette fois-ci, Mohammed attendit que l'adversaire fasse les premiers pas.

– Alors, dit Selim, c'est l'anniversaire de votre nièce? Eh bien, la maison est heureuse de lui offrir ce joli pendentif qu'elle pourra accrocher à la chaîne que son oncle si généreux va lui donner...

«Très fort», songea Mohammed.

– Et si je puis me permettre, je suggère une chaîne de dix-huit carats. C'est moins cher et surtout plus résistant. Vous savez, les enfants, parfois, ils ne font pas attention.

– Mais Greta n'est pas une enfant, l'interrompit Mohammed, et ce n'est pas une question d'argent!

– Oh! Greta... Quel joli nom! Mais ce n'est pas arabe; c'est plutôt...

– Allemand, oui, oui, je sais, mais son père a vécu en Allemagne; alors...

Mohammed se sentait sur la défensive. Le nom de Greta lui avait échappé. Il eut le sentiment d'avoir trahi un secret. Mais ce vendeur n'était qu'un inconnu. Jamais il ne rencontrerait Greta. Il se concentra pour reprendre la négociation de la chaîne d'or.

– Écoutez, Selim, c'est gentil, le cadeau, le pendentif, mais la chaîne, je veux qu'elle la porte sans rien, au naturel, vous comprenez? Alors, celle de vingt carats m'intéresse, mais votre prix est trop élevé.

– Combien m'offrez-vous?

Mohammed savait qu'il ne pouvait plus reculer. Offrir une somme d'argent, c'était s'engager à acheter.

– Cent vingt dollars, lança Mohammed en mettant la main dans sa poche pour en sortir des billets. Et je paye en argent américain.

Pendant cette guerre du Golfe, les monnaies des pays de la région s'étaient dépréciées au profit des billets verts que Mohammed étalait fièrement.

– Bon, fit Selim, je veux bien accepter l'argent américain, mais pas cent vingt dollars. Pour deux cent trente dollars, la chaîne est à vous, avec le pendentif, n'oubliez pas.

– Mais je ne veux pas du pendentif. Vous n'avez qu'à soustraire son prix du total.

Selim était coincé.

– Monsieur Mohammed, c'est un cadeau. On ne soustrait pas les cadeaux…

– Alors, je laisse tomber, soupira Mohammed en voulant remettre le collier entre les mains de Selim, qui les retira.

Il n'était pas question de perdre cette première vente et il fallait gagner du temps. Selim s'approcha du microphone et commanda de nouveau le thé qu'on n'avait toujours pas livré. Un homme âgé sortit de l'arrière-boutique.

– Je vous présente mon père, Mehmet; c'est lui qui a ouvert ce magasin, il y a des dizaines d'années. Papa, monsieur Mohammed nous offre cent vingt dollars pour la magnifique chaîne de vingt carats. Qu'est-ce qu'on peut faire?

Mehmet était un petit homme bâti solide, comme tous les Turcs; il portait bien ses quatre-vingt-quatre ans. Son microscope de bijoutier encore greffé à l'œil gauche, il salua Mohammed d'une vigoureuse poignée de main. Gardant la main de son acheteur arabe dans la sienne, il lui dit :

– Je vois que monsieur Mohammed a du goût, beaucoup de goût. La gourmette en or que vous portez au poignet est une splendeur. Vous l'avez achetée en Arabie sans doute?

Mohammed acquiesça, flairant le piège du vieux renard. Il ne fallait pas le laisser faire diversion; sa contre-attaque fut subtile :

– Vous portez vous-même de superbes bagues, monsieur Mehmet.

– Oh! vous savez, je les ai fabriquées moi-même il y a longtemps; à l'époque d'Atatürk, à la fin des années vingt. Vous voyez, là, derrière vous, j'ai le portrait du père de la Turquie moderne.

Mohammed sentait qu'il fallait porter un coup maintenant.

– Alors, cette chaîne, vous la réduisez à combien?

Après consultation silencieuse avec son père, Selim lança avec fermeté :

– Mon dernier prix : deux cent dix dollars.

Il s'empressa de ramasser les autres bijoux, affichant l'air détaché de celui qui n'a plus de temps à perdre.

– Monsieur, répondit Mohammed, si votre père n'était pas là, je vous dirais à quel point votre offre me blesse. Vous m'avez offert en cadeau pour l'anniversaire de ma nièce un bijou de toc d'une vingtaine de dollars! C'est presque une insulte quand on pense qu'elle le porterait à une chaîne de vingt carats! Si c'est tout ce que valent vos bijoux, je préfère acheter ailleurs.

Il tourna les talons et allait sortir quand il heurta de plein fouet le serveur de thé.

– Mohammed! Toi ici?

– Ismaïl!

Mohammed était confondu. Non seulement son stratagème avait-il été bousillé, mais il tombait sur Ismaïl. Le vieux Mehmet saisit l'occasion pour s'approcher de Mohammed et lui offrir de faire nettoyer sa veste.

– Monsieur Mehmet, vous savez que Mohammed est mon ami?

– Ismaïl, tu ne pouvais mieux tomber. Entre donc. Vous savez, monsieur Mohammed, pour les amis, il y a un prix spécial. Et tu sais, Ismaïl, ton ami a beaucoup de goût: il veut offrir une chaîne en or de vingt carats à sa nièce Greta. C'est bien son nom, Greta?

Mohammed eut juste le temps de faire signe à Ismaïl. Il était là, sa veste imbibée de thé, incapable d'obtenir le prix désiré pour la chaîne d'or, totalement découvert dans son mensonge et, par-dessus tout, le secret de la présence de Greta avait été révélé.

En quelques phrases dégainées rapidement en turc, Ismaïl et les deux commerçants convinrent d'un prix pour le cadeau.

– Mes amis vont te faire le meilleur prix que tu puisses obtenir ici pour une chaîne de cette qualité. Pour deux cent trente dollars, tu mets la main sur le collier et une magnifique paire de boucles d'oreilles.

Blessé dans son orgueil, Mohammed sentait qu'il n'avait qu'une faible marge de manœuvre.

– Alors, déclara Mohammed en s'adressant à Ismaïl comme si les bijoutiers ne pouvaient pas comprendre, dis à tes amis que je n'ai pas besoin des boucles d'oreilles. La chaîne, je la prends. Mon dernier prix: cent quarante dollars.

– Monsieur Mohammed, fit Mehmet, pour cent cinquante dollars, je vous laisse la chaîne et le pendentif.

– Non, monsieur Mehmet: c'est cent quarante dollars. Mon dernier prix.

– Marché conclu, lança Selim en serrant la main de Mohammed. Et permettez-nous d'offrir quand même le petit pendentif à votre nièce !

«Touché», pensa Mohammed. Il n'y avait donc pas que les Arabes pour accorder aux apparences l'importance de la réalité.

Ismaïl et Mohammed quittèrent la boutique ensemble.

– Ismaïl, dit Mohammed, je crois que je te dois certaines explications.

Les deux hommes éclatèrent de rire. Ils allaient se revoir dans quelques heures, à la fin du service d'Ismaïl.

# 9

Les eaux vives de la Corne d'Or faisaient danser les centaines de navires transbordeurs qui se précipitaient nerveusement d'une rive à l'autre. Sur le pont Galata, les cars de touristes, à moitié vides, crachaient la fumée noire de leurs moteurs sur les cyclistes et les piétons. Sur le trottoir, au milieu du pont, une jeune femme était accoudée au parapet. Ses yeux bleus buvaient la magie de cette ville balayée par de grands vents tièdes qui, de la mer Égée à la mer Noire, charrient depuis des siècles les rêves de conquête et de libération. Greta faisait dans Istanbul une entrée triomphante. Malgré la distance, elle avait choisi de marcher de l'hôtel Hilton jusqu'à la petite chambre qu'elle partageait avec Mohammed.

«*Altin*», avait-elle lancé au coiffeur du Hilton. Patiemment, il avait répandu dans les cheveux de sa cliente l'or – l'*altin* – de ses rêves. C'était la deuxième étape de son plan d'évasion. La troisième : trouver du travail. Amasser un peu d'argent qui s'ajouterait aux maigres économies qu'elle avait accumulées à Denizli. Et puis il fallait quitter cet hôtel, réduire les dépenses, bref, se refaire des forces pour entreprendre une vie à son goût.

Stimulée par tous ces projets, elle accéléra le pas. Elle remontait maintenant la grande avenue Ordu où les boutiques de vêtements pour dames affichaient les soldes que le vide touristique avait provoqués. Chemisiers de soie, pantalons de cuir, vestes de fin lainage, bustiers provocants, microjupes, fichus : la farandole des tissus et des couleurs étourdissait cette jeune femme qui, depuis quatre mois, avait été forcée de vivre au milieu de ces paysannes soumises dont le ventre sert aux hommes, les bras aux enfants et le dos aux fagots. Jamais elle ne s'était sentie aussi légère qu'en remontant ces grandes avenues bruyantes et encombrées; jamais la vie ne lui avait semblé si belle ; jamais elle ne s'était retrouvée devant un vide aussi grand : un vide qui l'inspirait et la comblait. Enfin, elle allait elle-même décider de l'usage de ses heures, de ses jours, de sa vie.

– Mohammed, ouvre !

Il était subjugué.

Elle disparut dans la salle d'eau avec ses sacs. Elle en ressortit métamorphosée.

Fuselée dans un pantalon de cuir vert bouteille, les mains sur les hanches comme dans les magazines de mode, elle tournoya devant lui en redressant le torse et en roulant les épaules. Son chemisier, un imprimé à larges feuilles de fougères, projetait dans la lumière des taches rouges, jaunes, ocre et vertes. Le col entrouvert laissait deviner la forme de ses seins, qui disparaissait aussitôt dans les replis blousants de la soie et du lin. Pieds nus, elle dansait en fredonnant une musique qui respirait la joie. Devant Mohammed ébloui, elle s'arrêta net, releva ses cheveux en chignon et le fixa dans les yeux.

– Tu as devant toi la vraie Greta.

Il se leva et la saisit par les épaules.

– Ne bouge plus ; reste comme ça, les cheveux relevés, ferme les yeux et ne dis rien.

Un grand frisson lui traversa le corps. Elle se sentit subitement nue et admirée. Puis une bouffée de chaleur parcourut son ventre, sa poitrine, son cou et son visage. Une profonde respiration vint absorber le léger étourdissement qu'elle ressentit, les yeux fermés, toujours debout, ses mains retenant ses cheveux au-dessus de sa nuque.

– Il ne te manque que cela, dit-il tendrement.

Elle sentit les mains de Mohammed se glisser par-derrière, de chaque côté de son cou. Elle devina une pluie de gouttelettes froides qui se déposaient en demi-cercle sur le haut de sa poitrine. Les mains se retirèrent doucement vers la nuque, où un petit clic se fit entendre. Elle n'osait pas ouvrir les yeux ; elle ne pouvait y croire.

– Regarde, chuchota-t-il.

Elle étouffa un cri. Immobile face au miroir, elle admirait un mince filet d'or qui courait sur sa peau comme un ruisseau de soleil. En tenant toujours sa chevelure relevée, elle se retourna vers cet homme, cet inconnu aussi généreux que mystérieux.

– Mohammed…

Elle sentit ses mains se poser sur ses hanches et rapprocher son corps du sien. Elle eut envie à la fois de résister et de s'abandonner. Pour la première fois depuis sa fuite de Konak, elle sentit le vertige du doute l'envahir. Elle n'avait pas quitté son père pour s'enfermer dans les bras d'un autre homme. Mais elle avait besoin de cet homme pour retrouver la vie qu'elle avait dû laisser en consigne en Allemagne. Istanbul n'était qu'une étape. Mohammed, un compagnon de route. Elle se revit dans les bras de Hans, la veille du départ de Solingen. Elle avait beaucoup pleuré. Ils avaient juré de se retrouver. Il l'avait enlacée. Elle s'était abandonnée aux gestes de l'amour comme on s'accroche à une bouée. Les bras de Mohammed allaient-ils la ramener vers ceux de Hans ? Troublée, elle se défit doucement de l'étreinte et, souriante, entraîna Mohammed sur le petit balcon de la chambre. Du dernier étage de l'hôtel, on voyait, sur la gauche, le flanc est du quartier Laleli culbuter en cascade vers le bras oriental du Bosphore. Ne sachant que dire, Mohammed glissa :

– Regarde de ce côté, c'est l'URSS, la Moldavie, l'Ukraine, la Russie…

– Et là-bas, devant ?

– C'est l'Asie ; c'est Konak, chez toi…

– Non, Mohammed. Chez moi, ce ne sera plus jamais l'Asie, plus jamais Konak.

Elle se blottit contre lui.

– Chez moi, c'est maintenant ici, avec toi, dans une grande ville où personne ne nous connaît.

Mohammed ferma les yeux. Le visage d'Ismaïl lui revint à la mémoire.

– Aujourd'hui, continua Greta, j'ai retrouvé ma tête, j'ai commencé à changer de peau. Demain, je chercherai du travail. On trouvera un petit appartement. Je paierai ma part ; je ne veux pas dépendre de toi.

Elle débitait ces phrases avec un tel enthousiasme que Mohammed n'osa pas lui raconter sa rencontre avec son ami de Konak.

– Et toi, Mohammed, tu as des projets ?

Cette question toute simple le troubla. Pour avoir des projets, il lui fallait sentir l'avenir. Or, depuis son expulsion d'Arabie Saoudite, seul l'immédiat semblait compter. Comment penser à l'avenir quand on essaie de récupérer le présent ? Et que venait donc faire cette femme-enfant dans sa vie ? Pourquoi n'avait-il pu dériver lentement vers un nouveau désert ? Pourquoi lui fallait-il avoir des projets ? Greta allait-elle le forcer à renaître, comme il l'avait deviné lors de leur première rencontre ? «*Inch Allah*», murmura-t-il, comme pour remettre entre les mains de Dieu le tracé d'une vie qu'il ne semblait plus capable de contrôler.

Cette nuit-là, Greta fit un cauchemar. Des cigognes de feu incendiaient la maison de ses parents. Elle se précipitait au secours de sa mère, mais son père l'en empêchait. Finalement, Mohammed pénétrait dans la maison pour sauver la famille ; mais, une fois les cendres éteintes, Mohammed n'existait plus.

Elle se réveilla en larmes, assise dans son lit. Mohammed se précipita pour l'entourer de ses bras.

– Greta, ne crains rien. Calme-toi. Doucement. Je suis là... Ce n'est rien. Tu as crié dans ton sommeil...

– C'était terrible, Mohammed... J'ai eu si peur ! Il y avait toi, les cigognes, le feu, ma famille...

– Ce n'est qu'un rêve, un cauchemar.

Il la berçait tendrement au creux de son épaule en lui épongeant le visage. Elle était en sueur et commençait à grelotter malgré le vent tiède de la nuit. Elle se blottit encore plus contre lui.

– Mohammed, reste là, près de moi.

Elle s'abîma dans un sommeil profond. Incapable de s'endormir, Mohammed n'osait bouger, de crainte de la réveiller. Il tenait entre ses bras, abandonnée, celle qui avait pulvérisé son passé et ranimé son cœur. Il ne lui restait plus qu'à s'en emparer. Elle pourrait résister. Il n'insisterait pas. Elle se méfierait alors de lui. Tout serait détruit. Mais elle pourrait aussi le laisser faire. Il ne saurait jamais si elle avait accepté. Il n'en aurait que profité. Tout serait aussi détruit. Non, il existait entre eux une forme indéfinie de complicité à laquelle il fallait permettre d'éclore. Il s'assoupit, lové dans la chaleur de ses reins et de sa nuque où luisait un mince filet d'or.

Pour la première fois, ils dormirent ensemble. À l'appel du muezzin, Greta émergea doucement des ténèbres, sa robe de nuit complètement mouillée. En se retournant, elle sursauta.

– Mohammed, que fais-tu dans mon lit ?

Elle ramena vigoureusement le drap autour de son corps, ce qui bouscula le sommeil de son compagnon.

– Mohammed, réveille-toi ! Que fais-tu là ?

Il ouvrit doucement les yeux en souriant.

– Bonjour ! Ça va mieux ?

– Comment, mieux ? Que veux-tu dire ?

– Tu ne te rappelles pas ? Le cauchemar, le feu, ta famille ?

Greta resta sans voix. Peu à peu, les images troublantes remontaient en elle. « Pardonne-moi », dit-elle en se levant brusquement pour aller s'enfermer dans la salle d'eau. Quelques minutes plus tard, elle revint dans la chambre, les cheveux trempés, le corps enveloppé d'un drap de bain.

– Tu ne te souviens pas ? dit Mohammed en se retirant du lit. Tu as crié, tu avais très peur. Tu m'as demandé de rester près de toi…

– Oui, mais tu es resté là avec moi… toute la nuit ?

Greta était troublée. Son évasion de Konak l'avait convaincue qu'elle maîtrisait sa vie. Et voilà qu'un seul cauchemar venait révéler sa fragilité.

– Mohammed, je n'ai pas voulu te blesser. Merci de ce que tu as fait. Ne t'inquiète pas ; je ne rêverai plus jamais.

Il s'approcha et l'embrassa sur le front avec douceur. Il eut soudain l'impression d'avoir déjà fait ce geste longtemps auparavant ; très longtemps. C'était la nuit. L'enfant avait pleuré. Il s'était levé, avait accouru près du petit lit, avait pris l'enfant dans ses bras, l'avait apaisée, puis l'avait embrassée doucement sur le front. Sa fille, s'était rendormie paisiblement.

– Le soleil se lève à peine, dit-il. Dors encore un peu. Et les rêves, ne t'en prive pas. Parfois ils nous montrent le passé, parfois c'est l'avenir. Tu as eu peur parce que tu n'as pas rêvé assez souvent dans ta vie. C'est ça, les cauchemars : des rêves accumulés qui sortent d'un seul coup, comme un volcan qui fait éruption.

Ces quelques phrases lui échappèrent, tout comme il n'avait pu retenir le baiser sur le front. Il ressentit un profond malaise d'avoir ainsi vu réapparaître les gestes et les phrases d'un père alors qu'il avait intensément désiré cette jeune femme.

Il lui sourit en glissant un doigt sur la petite chaîne d'or. Elle s'enfouit sous sa couverture pendant que lui regagnait les draps frais de son lit. Le muezzin s'était tu. Le soleil fouillait déjà les volets pour chasser les derniers morceaux de nuit.

*  *  *

– Encore un peu de thé, de fromage?

Le gérant de l'hôtel s'amusait à jouer les complices de ce couple aussi étrange qu'attachant. Chaque matin, pour le petit déjeuner, il leur réservait une alcôve discrète, derrière l'escalier. Une table basse, des coussins, quelques volutes d'encens les invitaient à manger lentement tout en ayant une bonne vue sur l'activité intense des petits commerçants de la rue, qu'une joyeuse ondée venait de nettoyer. Greta avalait silencieusement des tartines de confiture de figues. Mohammed, frais rasé, la moustache bien taillée, fleurait bon l'eau de Vétiver. Il lui versait du thé; elle lui préparait des tartines. Ils échangeaient des sourires apaisants. Il y avait maintenant entre eux une parcelle de vie commune, une cellule exclusive qui n'avait aucun lien avec le passé de chacun.

*  *  *

– J'ai une faveur à te demander.

Mohammed tenait fièrement le volant de son Toyota, qu'il retrouvait comme un vieux compagnon. Excité d'offrir cette première balade à sa compagne, il s'amusait à faire monter et descendre les glaces électriques, à régler la température de la cabine, à ajuster le dossier des sièges. Comme une enfant, Greta s'en donnait à cœur joie avec la radio stéréophonique; grâce au sélecteur automatique, elle passait d'une station à l'autre, sautant toutes les musiques arabo-turques, pour finalement s'exclamer :

– Oui, oui, c'est «Metallica»!

Elle monta le volume au maximum et, de tout son corps, se mit à danser, à battre des mains, à bouger la tête en fermant les yeux et en murmurant les paroles de la chanson comme une adolescente. Soudainement, elle ferma le poste. Le silence bourdonna dans leurs oreilles.

– Tu sais, lui dit-elle, j'ai repensé à ce que tu m'as dit ce matin au sujet des rêves. Ce n'est pas vrai que je n'ai pas assez rêvé. Depuis des mois, je ne fais que ça, rêver. Toujours le même rêve. Je m'évade, je retourne dans mon pays. Je redeviens allemande.

En la voyant danser sur la banquette du camion, Mohammed avait justement vu Greta redevenir occidentale, européenne, allemande. Il l'avait subitement sentie loin, très loin de lui.

– C'est pour cela que tu veux te rendre chez Lufthansa? Tu veux repartir?

– Non; travailler.

Mohammed la regarda entrer dans l'édifice de la Lufthansa. Il eut l'impression qu'elle partait pour l'Allemagne. Une demi-heure plus tard, elle en ressortit, souriante.

– Je n'ai peut-être pas beaucoup de chances, mais au moins ils m'ont reçue. Ils ont noté mes coordonnées. Et tu sais quoi? Pendant toute la durée de l'interview, on a parlé allemand. C'était tellement bon! C'était comme chez nous, là-bas.

– Et maintenant, madame, où va-t-on?

– Où tu veux... À l'autre bout du monde!

Elle se retourna vers Mohammed, glissa ses mains autour de son cou et posa délicatement un baiser sur sa joue.

– Ici, dans ton camion, c'est déjà le début du bout du monde.

Ils passèrent le reste de la semaine à fouiller les quartiers d'Istanbul, à la recherche d'un appartement. À plusieurs reprises, Mohammed sentit qu'on se méfiait de ce couple bizarre : lui, Arabe, ne parlant pas le turc, et elle, beaucoup plus jeune, fonceuse mais – et le handicap était de taille – femme. C'est avec Greta que les propriétaires ou les concierges discutaient, mais c'est avec Mohammed qu'on aurait voulu conclure l'affaire; cependant, devant un Arabe, l'odeur de Saddam et de sa guerre remontait vite à la surface.

– Je me souviens qu'Ismaïl m'a déjà parlé du quartier des tanneries, lança Mohammed. Si on y allait?

– Tiens, celui-là, il y a longtemps que tu l'as vu?

Mohammed s'en mordit les lèvres.

Le vieux quartier des tanneries dominait une petite baie où les eaux brunâtres rejetées des ateliers de cuir assassinaient les carpes, seules survivantes d'une époque où la faune marine faisait le bonheur des milliers de familles qui habitaient une jolie butte fleurie. Aujourd'hui, l'assaut des marteaux-piqueurs sur les tanneries centenaires avait sonné le départ de tous ces gens dont les maisons allaient être rasées pour faire place aux installations olympiques. Le gouvernement rêvait d'une Turquie plus européenne qu'asiatique et l'obtention éventuelle des Jeux faisait partie d'un scénario de séduction politique. Ils partaient donc par centaines, ce qui libérait temporairement de nombreux logements. En moins de quatre heures, Mohammed et Greta dénichèrent un joli trois-pièces, très lumineux, dans lequel ils allaient emménager quelques jours plus tard, le temps de faire rebrancher l'électricité clandestinement.

Chemin faisant, Mohammed s'arrêta à la succursale de la Banque de Commerce et de Crédit pour encaisser un bon paquet de livres turques. Ses économies diminuaient, mais il pouvait encore profiter d'une marge de manœuvre certaine. Ils roulaient vers le quartier des meubles, afin de trouver ce qu'il faudrait pour dormir et manger. Ils traversaient maintenant l'immense pont du Bosphore. Un bouchon s'était formé. Tous les véhicules en vinrent à stopper leur course. Mohammed et Greta durent s'immobiliser au milieu du pont. La vue était exceptionnelle. Sur chacune des rives, les vieux palais et les mosquées semblaient se narguer, laissant réfléchir dans l'eau verte leurs magnifiques façades de pierres sculptées dans l'orgueil des princes et des sultans. Une dizaine de bateaux de croisière glissaient vers la mer Noire ou la mer de Marmara, offrant à leur clientèle les nouvelles excursions qui garniraient les coffres de devises étrangères dont l'ancien empire soviétique avait grand besoin.

– Mohammed, j'ai trouvé! cria Greta. Tu vois ces bateaux? Ils sont pleins de touristes allemands, suisses ou autrichiens. Je vais m'y faire embaucher. Guide. Je serai guide.

Elle avait lancé ces phrases avec une telle assurance que Mohammed n'osa rien dire. Mais il sentit au fond de lui-même une espèce de malaise. Greta allait s'absenter, s'éloigner de lui.

\* \* \*

– Oui, monsieur. Il y a chaque soir un spectacle de «danse du ventre», comme vous dites. Rien à payer. C'est inclus dans le forfait. Bon voyage!

Depuis un peu plus d'une semaine, Greta était à l'essai comme «hôtesse de terre» pour la Compagnie maritime du Bosphore. Chaque matin, elle revêtait l'uniforme rouge vif qu'elle devait porter pour renseigner les touristes au comptoir d'une petite gare maritime. On lui avait expliqué qu'elle prendrait ainsi de l'expérience; l'été venu, elle pourrait s'embarquer à bord des bateaux comme «hôtesse de mer». Un job très payant, «grâce aux pourboires», avait-elle dit à Mohammed.

Ils n'habitaient toujours pas le petit appartement près des tanneries. Les services n'avaient pas encore été rétablis. La première semaine, Mohammed l'avait conduite au travail. Depuis deux jours cependant, elle insistait pour s'y rendre seule par l'autobus du circuit du grand boulevard, qui terminait sa course sur les quais du Bosphore. Ainsi, chaque matin, Mohammed la regardait partir «gagner sa vie» alors que lui n'avait pas encore véritablement cherché de travail. Il se sentait dépassé. Ses longues journées d'errance, il les vivait comme un nomade urbain auquel le désert d'une grande ville ne réserve aucune oasis. Il était venu à Istanbul pour faire du commerce et voilà qu'il s'y retrouvait amoureux. Ce cœur qu'il croyait enfoui dans les sables et la rocaille de ses souvenirs s'était remis à battre comme s'il avait eu vingt ans. D'abord étourdi, il se sentit de plus en plus pétrifié par cette passion dont il avait oublié la puissance et les codes. Greta, c'était comme une tempête d'oxygène que ses poumons n'avaient pas vue venir ; une invasion, une libération. Elle dansait à la frontière de la vie et de la mort comme ces mirages qui font saliver le voyageur égaré pour ensuite le laisser mourir de délire.

Cet étrange cataclysme de l'âme le paralysait. Il n'osait descendre vers ce quai où travaillait Greta, pour ne pas la vexer. Il s'interdisait de retourner au Grand Bazar, de peur d'y rencontrer Ismaïl. La méfiance des Turcs à l'égard des Arabes l'intimidait. Il ne pouvait s'imaginer vivant sans Greta, chez qui il ne voulait pas troubler la découverte de la liberté. Il sentait comme un étau se resserrer sur lui.

Assis à la table d'un café, il noircissait la page d'une première lettre à sa fille. Quelques mots de tendresse. Des salutations à la famille. Tout allait bien ; il enverrait bientôt un peu d'argent quand il aurait trouvé du travail. Il vit Greta descendre du bus. Pour se rendre à l'hôtel, elle devait passer devant le café. Il admira sa démarche altière, son pas énergique, les vagues de ses hanches que la jupe rouge n'arrivait pas à camoufler. Elle était belle, si belle que son regard se troubla. Au moment où elle passa à sa hauteur, il l'intercepta délicatement.

– Mohammed, tu m'attendais ?

Ce fut un flash éblouissant. Cet homme si doux, si discret, qui l'attendait quelque part dans une des grandes villes du monde où personne ne la connaissait : c'était ça, la liberté. Elle pouvait aller, venir, se perdre, faire le vide, et elle savait qu'il était là, disponible, aux aguets sans toutefois imposer sa loi. Grâce à lui, la vie avait pris un virage qui la ramènerait dans le monde de ses rêves.

Ils commandèrent du thé et des gâteaux au miel saupoudrés de pistaches.

– Tu écris? demanda Greta, curieuse.

– J'ai cru bon de donner de mes nouvelles à ma famille. Il y a si longtemps… Mais toi, dis donc, tes parents, tu leur as donné signe de vie?

La question figea Greta. Silencieuse, elle baissa la tête et prit une gorgée de thé. Sa main tremblait; Mohammed le remarqua.

– Mes parents…, murmura-t-elle. Je sais, il faudrait bien. Ma mère doit être si inquiète. Mais j'ai peur.

– De quoi?

– De reprendre contact avec eux; de leur permettre de me retrouver, de remonter jusqu'à moi, jusqu'à nous.

Mohammed fut touché par ce «nous».

– Mais, Greta, une lettre, un simple petit mot, ça ne dit pas où tu loges; Istanbul, c'est immense. Et ça leur ferait tellement plaisir. Ils…

– Mohammed, l'interrompit-elle, tu parles comme un père.

– Mais, Greta, je n'y peux rien : je suis un père, j'ai des enfants…

– Oui, oui, je sais; ils ont mon âge, ils sont même plus vieux, je pense…

La conversation déraillait; il fallait l'interrompre, s'isoler du passé, se recentrer sur l'instant présent.

– Alors, cette journée, ces touristes?

Elle respira d'aise; Mohammed avait su ouvrir juste à temps une fenêtre pour laisser s'évader les mauvais esprits.

– Ça va très bien. J'ai parlé allemand toute la journée. Parfois anglais. Je crois que dans quelques semaines je pourrai monter à bord des navires et faire les croisières. Tu viendras, j'espère; ce serait amusant.

Le thé refroidissait. Le soleil disparaissait. Une longue plainte métallique couvrit quelques instants le tintamarre de la rue. Personne autour n'y fit attention. Mais ce son nasillard, cette voix fêlée ramena Greta à Konak où, sans doute au même moment, le muezzin appelait également à la prière. Mohammed vit ses yeux échapper des larmes. Il choisit de les ignorer, mais devina bien que leur source remontait quelque part dans ce coin perdu des montagnes où une mère et un père noyaient aussi leur chagrin dans les eaux troubles du désespoir. Le regard fixe, Greta n'entendait plus rien. Seule l'image d'une cigogne de feu habitait son esprit. Mohammed lui prit doucement la main. Elle se leva et le suivit, laissant sa tête légèrement appuyée sur l'épaule de son compagnon. Ils descendirent ainsi le grand boulevard, où le voile bleuâtre de la pollution se laissait colorer par les volutes pourprées du soleil agonisant. Comme des amoureux en fuite, ils s'engouffrèrent dans l'hôtel, montèrent à leur chambre et, la porte à peine refermée, s'enlacèrent. Ni l'un ni l'autre n'avaient senti venir cet élan de passion ; comme si ces deux solitudes s'étaient subitement offert le réconfort de l'oubli. Il y avait dans chacune de leurs vies une grande zone vide que leur chair allait combler. Un moment magique où les codes s'abolissent, où les défenses tombent ; un instant furtif où la vie s'empare de la vie, où le temps efface la mémoire pour laisser respirer le présent.

L'explosion de leurs corps les terrassa. Ils s'effondrèrent sur le lit de Greta, où la chaleur de leur étreinte les souda l'un à l'autre. Ils s'envahirent de leurs mains, de leur bouche, de leur souffle. Pour survivre aux premiers bouillons du torrent de la passion, chacun s'accrocha au corps de l'autre comme à une bouée.

Il n'y avait plus de Greta ni de Mohammed. Seuls deux corps dessinaient dans la pénombre les gestes lumineux de l'amour. Parfois un grognement sourd étouffait les pointes acérées d'un cri animal. De grands frissons parcouraient leur peau comme ces bourrasques invisibles qui froissent subitement l'épiderme des lacs. De leurs mains affolées, ils pétrissaient les dunes et les vallons de leurs reins, fouillaient la forêt de leur chevelure, exploraient l'oasis de leur sexe.

Il faisait totalement nuit quand Greta hurla longuement en silence.

# 10

Le bateau de croisière venait à peine de quitter le quai lorsque Greta sentit sous son pied une masse molle. Un portefeuille. Elle y trouva un passeport, des cartes de crédit et une petite fortune en billets de banque allemands. Jamais elle n'avait tenu entre ses mains une telle somme. En feuilletant le passeport, elle reconnut la photo d'un client à qui elle venait de vendre une balade d'une journée sur le Bosphore. Il ne lui restait plus qu'à attendre son retour vers dix-sept heures pour lui remettre son portefeuille. Elle travaillait maintenant depuis près d'un mois.

– Les touristes sont moins nombreux que par les années passées, lui avait dit le patron. C'est à cause de ce fou de Saddam et de cette sale guerre des Arabes.

Pour la première fois, elle fut tentée de défendre «les Arabes». Un coup de cœur, un élan naturel de protestation parce qu'il y en avait maintenant un dans sa vie. Il avait fallu cette remarque virulente pour découvrir que Mohammed occupait une zone névralgique de son âme. Depuis leur fuite, elle le sentait près d'elle, chaleureux, réconfortant, apaisant, sécurisant. Elle était troublée par ses gestes, son regard, sa douceur. Mais elle ignorait qu'il s'était répandu en elle au point que son cœur se révolte d'entendre des mots qui semblaient l'agresser. Depuis ce jour où, pour la première fois, ils avaient fait l'amour, Mohammed était devenu plus qu'un compagnon d'évasion. Il s'imposait en elle comme celui sans qui cette liberté était impossible. Elle avait fui le Konak de son père grâce à un homme qui aurait pu être son père. Et c'est maintenant avec cet homme qu'elle partageait sa vie. Était-ce là le prix à payer pour retrouver l'Allemagne et la liberté? Avait-elle simplement changé de geôlier? L'aventure était encore trop excitante pour l'inquiéter. La découverte d'une sexualité nouvelle l'avait beaucoup plus émue que les sentiments amoureux. Elle prenait conscience que dans ce corps de jeune fille habitait une femme. Mais l'énergie et la détermination qui l'avaient si puissamment conduite à s'enfuir ne balisaient pas de la même manière les territoires encore inexplorés de la tendresse, de l'affection et de l'amour.

Encabanée dans son petit kiosque, Greta laissa flotter ses rêves et ses émotions sur les eaux vigoureuses du Bosphore où la crête d'acier des courtes vagues pulvérisait les rayons mordorés que le soleil traînait paresseusement entre l'Europe et l'Asie. «Suis-je amoureuse?» se demandait-elle.

Le coup de klaxon lui stria le cœur. Toute la journée, elle avait rêvassé devant ces dizaines de clients qui, chaque heure, faisaient la queue avant d'être avalés par ces petits bateaux qui allaient danser sur les eaux agitées. Machinalement, elle avait répondu à leurs questions, toujours les mêmes, passant facilement de l'allemand à l'anglais au turc. En approchant du quai, le capitaine avait, comme d'habitude, souligné son arrivée en klaxonnant. Secouant la tête, Greta sortit de ses rêves pour chercher cet Allemand sans doute malheureux d'avoir égaré son portefeuille. Elle l'interpella au passage.

– Ce n'est pas vrai! s'exclama-t-il. Jamais je n'aurais cru le retrouver, surtout pas ici, à Istanbul. C'est un miracle! criait-il en découvrant que tout y était, y compris les billets de banque.

– S'il vous plaît, dit Greta, comptez bien. Je n'ai rien pris.

– Mais bien sûr que tout y est, mademoiselle…

– Greta…

– Greta? Mais c'est un nom allemand. Vous êtes bien turque?

– Turque… oui, mais turque allemande, enfin… pas tout à fait allemande, ni complètement turque…

Greta était confuse. D'une seule question, cet inconnu venait de raviver cette crise d'identité qu'elle avait pourtant cru résoudre en s'enfuyant de Konak. Une seule question et l'image de son père émergeait du fond de sa mémoire comme un fantôme au visage gris. Une seule question et le vent d'Orient menaçait de déraciner l'arbre germanique.

– Excusez-moi, fit joyeusement le touriste, je crois vous avoir embêtée avec ma question. Tenez, prenez ceci.

Il lui tendit quelques billets.

– Non, non, monsieur ; ce n'est pas nécessaire. Les Turcs sont des gens honnêtes.

Il força les billets dans les mains de Greta et s'éloigna rapidement en la couvrant de «danke, danke», merci, merci. Greta resta figée. «Les Turcs.» Elle s'était spontanément identifiée aux Turcs. Les mots s'étaient envolés comme des pigeons soudainement libérés de leur cage par une main inconnue. Elle en était troublée.

* * *

– Greta, tu as pleuré ! On t'a fait de la peine ?

Mohammed l'enveloppa de ses bras. La tête enfouie au creux de son épaule, elle continua de pleurer doucement.

– Ce n'est rien. Personne ne m'a fait pleurer. C'est moi, seulement moi ; je ne sais pas, cela m'arrive parfois. L'émotion… Ne dis rien ; serre-moi fort, très fort contre toi. Dis-moi que je suis Greta.

Mohammed lui caressa les cheveux en murmurant son nom. Les mots refroidissaient les braises d'une blessure secrète. Les yeux rougis, elle fixa son regard sur le sien et posa ses lèvres sur les siennes.

– Tiens, regarde, dit-elle en se détachant vivement de Mohammed. De son sac, elle sortit des billets.

– Des marks ! Trois cents marks ! Nous sommes riches !

Le petit repas habituel se transforma ce soir-là en festin. Des cailles farcies de raisins, de l'agneau au thym, des haricots blancs, du thé à la menthe, des gâteaux au miel et aux pistaches et même un sorbet à la mandarine qu'ils partagèrent par pure gourmandise. Pendant deux heures, ils glissèrent d'un rêve à l'autre, se permettant des fous rires d'adolescents, échangeant des silences complices, échafaudant les projets les plus délirants, allant même jusqu'à parler d'une grande maison inondée de soleil, accrochée aux falaises qui narguaient les palais des pachas de l'autre côté du Bosphore, en Asie.

À la sortie du restaurant, ils étaient ivres d'insouciance, légers comme le parfum du jasmin que les vents tièdes de la mer Égée répandaient généreusement jusqu'aux confins de la mer Noire. Ils décidèrent de marcher jusqu'au quartier des tanneries.

– Et si l'appartement était prêt… ?

Le souffle permanent du vent prolongeait leur plaisir. D'un quartier à l'autre, les odeurs se relayaient comme si cette nuit ne devait jamais finir. Le jasmin céda la rue à l'eucalyptus, qui se retira brutalement sous l'assaut des fritures de poissons. Des effluves d'encens ramenèrent quelques instants Mohammed au Yémen avant que la fleur d'oranger ne surgisse au détour d'un jardin, pour finalement s'enfuir face aux âcres odeurs de cuir qui signalèrent la présence des dernières tanneries artisanales. Ils y étaient presque. Partout le bruit des compresseurs d'air rythmait le travail de centaines d'hommes qui, sous la violence blanchâtre des lampes au mercure, livraient un dernier combat aux murs des vieux ateliers pour faire place au béton des futurs bâtiments olympiques. Ils traînèrent d'un bout de rue à l'autre, se rapprochant fébrilement de l'intersection d'où ils allaient découvrir qu'enfin les fils étaient branchés.

– Mohammed, cria Greta, c'est bien là, chez nous? Il y a l'électricité!

«Chez nous.» Ces deux mots explosèrent dans la tête de Mohammed sous les rafales des marteaux-piqueurs. Ils étaient maintenant immobiles et muets devant une poignée de fils hirsutes qui, d'une maison à l'autre, s'accrochaient furtivement aux parois vétustes avant de disparaître frauduleusement par les interstices de cette maison que Greta avait déjà baptisée «chez nous». Elle rêvait à l'Allemagne, mais il lui fallait gagner l'argent nécessaire au voyage. Istanbul n'était qu'une étape, une occasion de préparer le départ, le vrai, le seul qui la ramènerait aux sources de la vie.

Pendant de longues minutes, ils contemplèrent le bâtiment, les volets fermés, la petite rue mal éclairée où l'on avait volé un peu d'électricité. Leurs yeux allaient et venaient, incrédules, le long des fils noirs qu'ils regardaient comme des naufragés à qui l'on aurait lancé une bouée. Mohammed prit Greta par la taille, la serra tout contre lui et posa sa tête sur la sienne. Il se sentait étourdi.

Il respira longuement la vanille du parfum de Greta et ferma les yeux.

– Demain, dit Greta, nous reviendrons. On s'installera, enfin…, soupira-t-elle.

Ils étaient épuisés. Les émotions de la journée les avaient entraînés dans une longue soirée de délices au bout de laquelle ils avaient découvert la clé d'un nouveau bonheur. Ils titubaient de joie et de fatigue.

– Allons vers la mer, dit Mohammed en bâillant. Nous prendrons un taxi pour rentrer.

Les marteaux-piqueurs s'étaient tus. Les ouvriers de la nuit, rassemblés autour d'une cantine ambulante, avalaient des sandwiches et du thé. Seuls les grillons avaient repris du service. Pour se rendre au boulevard longeant la mer, Mohammed et Greta devaient passer près du groupe.

– Mohammed! Toi ici?

Un petit homme se détacha du groupe.

– Et Greta!

Le couple resta pétrifié.

Le visage enfariné de poussière, l'homme s'approcha rapidement en gesticulant.

– Ismaïl! balbutia Mohammed en saisissant fermement la main glacée de Greta.

Le fantôme de Konak réapparut. Les cigognes de feu tournaient dans la tête de la jeune fille pendant qu'Ismaïl, visiblement mal à son aise, enchaînait des politesses, passant maladroitement de l'anglais, pour Mohammed, au turc, pour Greta.

– Que fais-tu ici? lança gauchement le Yéménite.

– Tu le sais bien, je travaille aussi le soir à la démolition.

Greta fixa Mohammed droit dans les yeux. Il détourna les siens.

– Et toi, Greta, reprit Ismaïl, ça te plaît, Istanbul?

– Tu savais que j'étais ici?

– Euh… oui et non. Mohammed…

– Ah! oui, évidemment, Mohammed t'en avait parlé.

– C'est ça, oui, Mohammed…

– Mais, Mohammed, tu ne m'avais pas dit que tu avais revu Ismaïl, enchaîna-t-elle sur un ton cinglant.

– Je croyais te l'avoir dit, balbutia Mohammed.

La conversation allait tourner à l'affrontement quand trois coups de klaxon annoncèrent la reprise du travail.

– On se reverra bientôt, lança Ismaïl en remettant son casque de démolisseur.

Il n'avait pas fait trois pas que déjà Greta marchait rapidement vers le boulevard, à la recherche d'un taxi. Mohammed courut la rejoindre.

Dans la voiture qui les ramenait vers l'hôtel, Greta rageait. Silencieuse, elle regardait la mer. Lorsque Mohammed voulut lui prendre la main, elle la retira brusquement.

– Ne me touche pas!

Arrivée à l'hôtel, elle sortit précipitamment du taxi dont Mohammed réglait la course. Au moment où il voulut entrer, elle s'immobilisa sur le trottoir.

– Tiens, lui dit-elle froidement en lui remettant sa chaîne d'or. Je te faisais confiance. Tu m'as menti.

– Je ne t'ai jamais menti, Greta.

– Tu avais revu Ismaïl et tu ne m'en avais pas parlé. Depuis quand sait-il que nous sommes ici?

– C'est un copain. Tu peux lui faire confiance. Je ne voulais pas t'en parler pour ne pas t'inquiéter.

Greta se mit à hurler.

– Mais te rends-tu compte? Tout Konak va savoir… tout le village sait sans doute déjà où nous habitons.

– Pas si fort, Greta. Calme-toi.

– Oh! Non. Pas ce ton-là! Tu n'es pas mon père!

Elle tourna les talons et disparut vers le boulevard. Mohammed voulut la suivre, mais, confus, décida de ne rien faire. Il rentra dans la chambre, la chaîne d'or au creux de sa main.

\* \* \*

Greta errait depuis plus d'une heure sur les quais de la Corne d'Or. Les yeux rougis, elle fulminait contre Mohammed, qui avait trahi sa confiance en lui cachant sa rencontre avec Ismaïl, et contre elle-même, qui s'était laissée séduire. De nouveau, elle se sentit seule au monde.

Elle traversait le pont Galata quand un motocycliste ralentit près d'elle et lui arracha son sac. Elle hurla, courut inutilement pour rattraper le voleur, s'arrêta et s'effondra en larmes. Des passants s'ameutèrent et tentèrent de la consoler jusqu'à l'arrivée d'un car de police. Son nom, son âge, son adresse : la police allait maintenant savoir la retrouver si nécessaire. Ses papiers? Il fallait retourner à l'hôtel; retrouver Mohammed.

Lorsque les policiers quittèrent la chambre du couple au milieu de la nuit, ils semblaient s'intéresser plus à l'histoire de Mohammed qu'à celle de Greta. «Venez nous rencontrer au commissariat demain après-midi, avaient-ils demandé. On complétera le dossier.» Cette fois, ce fut Mohammed qui eut envie de partir. Mais où aller?

– Il y a l'Allemagne, suggéra timidement Greta, qui se voyait encore une fois soudée à Mohammed puisqu'une bonne part de ses économies lui avait été volée.

– Tu ne peux t'y rendre sans moi, c'est vrai. Mais je ne peux non plus y aller sans toi.

Ils ne dormirent pas de la nuit. Greta tremblait à l'idée de voir son père débarquer à Istanbul pour la ramener à Konak. Il n'était pas question de retourner dans ce village où l'on allait la marier à Ali et l'embrigader dans le clan des femmes soumises. Mohammed, lui, n'avait de lien qu'avec Greta. Il n'avait plus besoin de pays pour exister. Il était devenu un nomade du cœur.

– Oublions cette querelle, le vol et Istanbul, dit-il. Partons.

Il lui offrit de nouveau la chaîne d'or, qu'elle noua à son cou timidement.

\* \* \*

Les brumes matinales enveloppaient encore Istanbul quand la camionnette se glissa hors de la ville. En quittant l'hôtel, ils s'étaient arrêtés à la banque. Pendant que Mohammed était allé faire le plein de marks, Greta en avait profité pour poster une lettre. La première d'Istanbul.

*Chère maman,*
*Ne t'inquiète pas. Je suis bien vivante et en bonne santé. Je vis à Istanbul, où j'ai trouvé du travail. Tout va bien. Je sais qu'en vous quittant je vous ai fait de la peine, à toi et à papa, mais il le fallait. J'étouffais à Konak. Je donnerai de mes nouvelles de temps à autre.*
Auf Wiedersehen!
*Greta.*

Cet «au revoir», elle le voulait si puissant qu'elle l'avait spontanément écrit en allemand, la seule langue dans laquelle elle se sentait capable d'exprimer clairement ses sentiments, ses idées et ses émotions.

Mohammed glissa machinalement une cassette dans le lecteur. Une mélopée arabe s'échappa des haut-parleurs. Greta se retint de protester. Elle détestait cette musique, mais elle sentit qu'à ce moment précis Mohammed en avait besoin. Ils s'éloignaient tous les deux de l'Orient, du monde arabo-musulman. Il avait accepté de la suivre dans sa fuite; elle pouvait bien tolérer qu'il emportât avec lui un peu de son passé et de sa culture. Il jeta un œil dans le rétroviseur comme il l'avait fait si souvent en quittant l'Arabie. Plus de frigos; que du brouillard. Même Istanbul avait disparu.

– Qu'est-ce que je fais ici? songea-t-il. Pourquoi fuir encore?

Il regarda Greta et comprit.

– Je t'aime, murmura-t-il.

Surprise et bouleversée, elle se mit à glisser nerveusement un doigt sur la chaîne d'or. Elle le regarda tendrement et détourna la tête. Elle appuya son front sur la vitre froide et laissa les larmes lui dessiner deux petits ruisseaux tièdes sur les joues.

Le soleil de juin triompha facilement de la toison de brume et révéla un paysage aride, rugueux et de plus en plus montagneux. Ce soleil, ils l'avaient maintenant presque dans le dos. Il était passé treize heures et la faim se faisait sentir.

– Si on mangeait avant la frontière? demanda Mohammed.

– La frontière? Déjà?

– On a fait plus de trois cents kilomètres depuis le départ. Il en reste encore beaucoup…

Le couple descendit dans un petit restaurant perdu le long de la route. D'autres véhicules y étaient déjà garés. En pénétrant dans la cour intérieure, Mohammed et Greta s'approchèrent du groupe de clients qui formaient un cercle animé autour de ce qui semblait être un spectacle. Mohammed s'arrêta net. Le dresseur d'ours qu'il avait vu voler un touriste à Istanbul faisait danser son animal, au grand plaisir des voyageurs. Une fois terminée la performance de l'ours, le Tzigane fit le tour de son petit public pour tendre la main. Mohammed sortit prudemment un seul billet, qu'il glissa, comme tout le monde, sous le collier de l'ours.

– Vous ne travaillez plus à Istanbul? lui demanda Mohammed, moqueur.

– Non; c'est devenu de plus en plus difficile, répondit le dompteur. Je remonte vers le nord, mais je suis coincé ici. Le moteur de ma camionnette a rendu l'âme. Vous pourriez peut-être m'aider?

Mohammed répondit vaguement et se concentra sur son repas tout en surveillant sa sacoche.

– Tu crois qu'on passera facilement la frontière bulgare? demanda Greta, inquiète.

– Tu as encore ton vieux permis de séjour allemand. Mais moi, un Arabe, avec une plaque étrangère sur le camion… Enfin, on verra. Sans doute qu'avec des marks on pourra séduire les douaniers. Ils doivent en avoir besoin.

À cinq cents mètres de la frontière, le dernier poste d'essence turc invitait les automobilistes à faire le plein avant de traverser la Bulgarie. «On devrait peut-être ne pas courir le risque», avait suggéré Greta. Le pompiste leur raconta que de nombreux voyageurs étaient refoulés par les Bulgares depuis quelques jours.

– J'espère que vous avez des visas, conclut-il.

Inquiet, le couple hésita à s'approcher de la frontière.

– Et si on essayait de traverser avec le dompteur d'ours? Il est roumain, suggéra Greta.

Trois heures plus tard, Mohammed, Greta et le dompteur se présentaient aux douaniers bulgares avec, comme bagage, un ours!

La Bulgarie, comme tous les pays satellites de l'ex-URSS, dérivait sans contrôle vers le capitalisme sauvage. Tous s'y inventaient un commerce, un comptoir, une entreprise dont on espérait voir couler magiquement des fortunes.

Tout pouvait se monnayer. Et tout se monnayait, y compris l'essence sans faire la queue, un permis de séjour, un visa de transit, une carte routière, une visite chez le médecin, une escorte policière, des radiocassettes pirates, du parfum, du café, de la viande, du pain, de l'eau, le sexe, la vie, la mort. Il n'y avait que deux mots de passe à connaître : «mark» et «dollar».

Le douanier leur fit des misères. Le dompteur tzigane suggéra de le laisser négocier. Il expliqua au garde-frontière et à son chef qu'il avait quitté son pays en octobre avec une petite troupe de cirque.

– Nous devions faire une tournée en Turquie, mais le patron nous a volé l'argent des recettes et nous a abandonnés. J'ai essayé de rentrer en Roumanie mais l'assassinat de Ceausescu, la révolution, les règlements de comptes, tout ça a retardé mon retour. Aujourd'hui, avec des amis avec qui j'ai monté un spectacle de rue, je rentre dans mon pays.

Il retourna vers le camion et, sans les mettre dans le coup, demanda à Mohammed et à Greta de présenter aux douaniers un exemple de leur savoir-faire.

– Alors, Greta, tu fais comme d'habitude, tu danses, et toi Mohammed, tu joues du tambourin!

Il lança l'instrument vers Mohammed pendant qu'il faisait descendre l'ours. Prise de fou rire, Greta se mit à virevolter. Mohammed rythmait ses pas. Le Tzigane faisait danser son ours en s'approchant des autres véhicules bloqués derrière le Toyota et dont les conducteurs commençaient à s'impatienter. Il en profitait pour tendre la main. Greta riait comme une enfant. Mohammed dansait un peu aussi en frappant le tambourin.

– Holà! Holà! hurla le chef douanier. Arrêtez ça! Ce n'est pas un cirque, ici. Faites remonter l'ours dans le camion et cessez ce spectacle.

– Mais, chef, dit le dompteur, on voulait juste vous montrer...

– C'est suffisant, mais pas assez pour faire lever la barrière, glissa discrètement le douanier à Mohammed en frottant le bout de son index et de son pouce ensemble.

– Combien? chuchota Mohammed.

– Pour les troupes, il y a un prix spécial. Faut voir le chef.

La négociation dura trente bonnes minutes. Il fallait débourser pour un permis de transport d'animaux, un permis de spectacle, un visa de transit pour chacun et une inspection du véhicule. Évidemment, le dompteur n'avait pas d'argent, mais savait négocier avec ces Bulgares, voisins de la Roumanie. Mohammed offrit cent marks. Le chef se vexa.

– Mais, monsieur, je ne vous ai rien demandé. On fonctionne avec les tarifs officiels.

– Alors, c'est combien? insista Mohammed.

– On ne pourra pas le savoir avant demain, car les tarifs ont été rajustés hier, à Sofia.

– Demain! s'indigna le dompteur. Mais qui va nourrir mon ours? Vous savez, quand cette bête a faim, elle peut attaquer...

– Et moi j'ai ce qu'il faut pour l'abattre, répliqua le douanier en portant la main à sa mitraillette.

– Allons, monsieur, intervint Greta, vous n'oseriez tuer notre gagne-pain, n'est-ce pas? dit-elle en lui décochant un sourire dévastateur.

Mohammed fronça les sourcils. Le douanier poussa un soupir exagéré.

– Mademoiselle, nous faisons tous de gros efforts pour gagner notre pain. Mais nous, ici, au poste-frontière, nous sommes un peu oubliés par les dirigeants. Et si nous faisons une seule erreur, nous pouvons perdre notre emploi.

– Alors, dites-nous ce que nous pouvons faire pour que vous gagniez votre pain sans commettre d'erreur fatale.

Le douanier inscrivit sur un bout de papier trois chiffres qu'il ne montra qu'à Greta.

– Le premier, c'est pour les visas de transit. Le deuxième, c'est pour mon adjoint. Le troisième, pour moi.

Mohammed sortit cent cinquante marks et les donna à Greta, qui les déposa dans la main du chef.

– Voilà, dit-elle. Vous partagerez cela selon vos normes et vos règlements. Merci beaucoup.

La fourgonnette franchit finalement les barrières.

En consultant la carte achetée à l'un des douaniers, Greta comprit qu'en se dirigeant vers la Roumanie, plutôt que vers la Yougoslavie, le parcours s'allongeait et retardait donc l'arrivée en Allemagne. Elle protesta.

– Mais il faut emmener notre ami dompteur en Roumanie, expliqua Mohammed. Nous lui devons bien cela.

Une discussion houleuse s'engagea. Le dompteur ne disait mot, de peur d'être abandonné sur une route de Bulgarie.

– Ce serait beaucoup plus rapide par la Yougoslavie, insistait Greta. On arrive rapidement en Autriche, puis en Allemagne.

– Greta, trancha Mohammed, je n'ai qu'une parole. Grâce au dompteur, nous avons franchi la frontière. Nous le déposerons donc dans son pays.

– Mais il y a des musulmans en Yougoslavie. Ils peuvent sûrement nous aider.

– On n'a pas besoin d'aide, trancha Mohammed. J'ai de l'argent; c'est tout ce qu'il faut. Surtout, pas de problèmes. Déjà qu'on s'est embarqués…

– Comment, «embarqués»? répliqua-t-elle, vexée. Qui t'a embarqué? Moi, peut-être?

Le ton montait. Le stress de cette fuite, la fatigue du voyage en terre inconnue avait mis en veilleuse la tendresse des dernières semaines. Les traits de Mohammed se durcirent.

– Tu veux retrouver l'Allemagne ? Alors, c'est par la Roumanie qu'on va passer. Je sais ce que je fais. Donne-moi un peu d'eau ; j'ai soif.

Greta lui tendit rapidement la bouteille. Jamais Mohammed ne l'avait traitée aussi rudement. Lorsque son père lui parlait sur ce ton, elle répliquait. Mais devant le dompteur, qui faisait semblant de dormir, elle préféra ravaler sa frustration.

Il faisait nuit quand ils se présentèrent au poste-frontière de Ruse où, cette fois, pour sortir de Bulgarie, il fallut encore jouer du bakchich. La guérite était située au milieu d'un pont. De l'autre côté, malgré la taille impressionnante de la ville de Giurgiu, les rares lampadaires arrivaient à peine à se refléter dans les eaux généreuses du cours d'eau.

– Mohammed, s'écria Greta, *Dunarea !* Sur la carte, c'est écrit «*Dunarea*» ! C'est le Danube !

Elle lui sauta au cou.

– Tu te rends compte ? Le Danube ! Nous sommes près de l'Allemagne !

Pour la première fois depuis une heure, Mohammed sourit.

– Lorsque j'étais à l'école, poursuivit-elle, on nous a emmenés un jour faire une excursion sur le Danube. Et ce soir, je retrouve le Danube ! Je suis presque en Allemagne, Mohammed…

Elle l'embrassa sur la joue avant d'éponger la joie qui noyait ses yeux.

En approchant du poste-frontière roumain, le dompteur insista auprès de Greta et Mohammed pour ne pas s'adresser au douanier.

– Je ferai semblant de dormir.

Intrigué, le couple ne posa pas de questions.

– Greta, dit maladroitement Mohammed, tu as su t'y prendre en Bulgarie. Tu sauras sans doute le faire ici aussi.

En allemand, elle aborda donc la négociation. Mohammed n'y comprenait rien. Il sentit que peu à peu la situation lui échappait ; qu'il lui faudrait au moins partager les décisions qu'un homme assume habituellement seul. Il possédait les billets de banque, mais elle en parlait la langue.

Un soldat inspectait le véhicule, quand son collègue lâcha un grand cri. En montant sur la plate-forme arrière du camion, il avait découvert l'ours qui, d'un coup de patte, l'avait renversé. D'autres soldats accoururent, l'arme à la main, prêts à faire feu.

– Ne tirez pas! hurla le dompteur en roumain.

– Qui êtes-vous? demanda le commandant.

– Nous ne le connaissons pas, répliqua rapidement Greta qui avait flairé que quelque chose de louche se cachait derrière le silence du dompteur.

Elle expliqua leur rencontre en insistant sur le fait qu'il leur avait simplement demandé de l'aide.

– Vous êtes aussi tzigane?

– Non. Allemande.

Greta comprit le sens de la question lorsque les soldats firent descendre le dompteur et son ours.

– Vous devriez vous méfier des Tziganes, lui dit le douanier en retirant des passeports les marks que Greta y avait glissés. Vous pouvez partir.

– Et le dompteur, on l'emmène?

– L'ours, si vous voulez. Mais le dompteur, c'est notre affaire! Bon voyage!

Avec en poche un visa de transit, ils avalèrent rapidement les soixante-dix kilomètres qui les séparaient de la capitale. Ils se sentaient tous deux coupables d'avoir si facilement laissé tomber le dompteur. Ils choisirent tacitement de ne rien dire. Greta venait de découvrir que, dans l'univers des fuyards, la solidarité cédait facilement le pas à l'opportunisme.

En cette nuit tiède de juin, les arbres de Bucarest explosaient de fleurs dont les parfums faisaient un peu oublier le visage de ces rues lugubres et mal éclairées.

Près d'un grand carrefour, des dizaines de jeunes, garçons et filles, lisaient, agglutinés sous les lampadaires. Mohammed rangea le véhicule le long du trottoir et coupa le moteur.

– Si on se reposait un peu? dit-il en bâillant.

Ils sortirent du camion et s'approchèrent doucement d'un groupe de lecteurs qui, silencieusement, semblaient butiner la lumière jaune qui arrosait timidement le pavé. Certains se promenaient d'un lampadaire à l'autre, glissant dans le mince corridor d'éclairage; d'autres, assis par terre, tournaient consciencieusement les pages de leur livre à la reliure fatiguée. Une jeune fille leva les yeux et, découvrant Greta, lui sourit aimablement.

– Bonsoir, murmura Greta en allemand.

– Vous cherchez votre chemin?

– Oui, si on veut. Nous venons d'arriver à Bucarest et nous voulons dormir, et peut-être manger un peu.

– Qu'est-ce que tu racontes? l'interrompit Mohammed en anglais.

– Elle me dit que vous arrivez à Bucarest, répondit prestement en anglais la jeune fille.

– Vous parlez plusieurs langues?

– Le français et le russe également. Ici, sous Ceausescu, étudier les langues était la seule façon d'espérer quitter le pays.

– Et maintenant, dit Greta, vous pouvez partir?

– On peut partir mais on ne peut plus entrer nulle part, dit-elle en riant. Mais… qui êtes-vous?

– Des voyageurs. Nous arrivons de Turquie et nous allons en Allemagne. Mais, dites-moi, que faites-vous tous ici, sous les lampadaires, en pleine nuit?

La jeune fille, autour de laquelle s'étaient rassemblés quelques camarades, lui expliqua longuement que, sous le régime du dictateur Ceausescu, l'électricité était rationnée, souvent coupée la nuit, sauf dans les lieux publics. C'est ainsi que des milliers de jeunes avaient pris l'habitude de venir étudier sous les lampadaires lors des examens.

– On nous appelle les lucioles, fit-elle en souriant.

– Mais pourquoi continuer de venir ici maintenant que le dictateur est mort? demanda Mohammed.

– Oh! ça n'a pas beaucoup changé, vous savez, répondit un jeune homme.

Ils étaient maintenant une demi-douzaine de jeunes rassemblés autour du couple de voyageurs. Ils semblaient sortis de nulle part. Aucune agressivité. Aucun étonnement. On eut dit des morts qui ressuscitaient et reprenaient le cours de leur vie là où elle avait été interrompue. C'était hallucinant. Greta et Mohammed eurent l'impression d'être débarqués sur une autre planète. Bien sûr, ils avaient entendu parler du dictateur et de sa mort dramatique. Mais jamais ils n'auraient pu imaginer comment vivait le peuple de Roumanie. Pour eux, ce pays n'était qu'une étape à franchir avant d'arriver en Allemagne. Voilà qu'ils découvraient le théâtre d'un drame insoupçonné dont ils avaient peine à mesurer l'ampleur. Les jeunes Roumains étaient maintenant une vingtaine à les entourer, avec l'envie de parler, de communiquer, d'identifier leurs interlocuteurs.

– Vous avez eu de la difficulté à entrer au pays? demanda l'un d'eux.

– Plus ou moins, répondit Greta. Pourquoi me demandez-vous cela?

– Parce que nous on ne peut plus en sortir. Auparavant, les pays d'Europe de l'Ouest se faisaient une gloire de nous aider à fuir. Nous étions les héros de la propagande anticommuniste. On nous exhibait comme des trophées; accueillir des réfugiés politiques, ça donne toujours bonne presse...

– Et aujourd'hui? demanda Greta.

– Maintenant, ces mêmes pays ne veulent plus nous voir. Ils ont peur d'être envahis par des «réfugiés économiques», peur qu'on s'installe chez eux, qu'on ne veuille plus jamais revenir. Alors, ils nous refusent les visas. Avant, nous étions prisonniers de notre pays; maintenant, nous sommes prisonniers des pays voisins.

Avec l'aide des étudiants, Greta et Mohammed trouvèrent un lieu pour manger et dormir. Le lendemain, en tentant de quitter Bucarest, ils se retrouvèrent dans un quartier dont les rues boueuses et défoncées étaient bordées de maisons délabrées. Partout de très jeunes enfants se promenaient en fumant des cigarettes, les yeux hagards, les mains sales. Une charrette tirée par un âne vint bloquer le passage au camion, qui fut rapidement entouré d'une trentaine de personnes dont plusieurs étaient de toute évidence ivres. D'une cour arrière montaient les accents saccadés d'une musique tzigane. Les gens souriaient, faisaient des signes de la main au couple qui, enfermé dans le véhicule, n'osait descendre. Une jeune femme portant un bébé dans les bras s'approcha et fit signe à Greta de la suivre. Au moment où cette dernière allait ouvrir la portière, Mohammed la retint.

– Viens, Mohammed, on va voir. Ne crains rien, c'est une fête.

Avec prudence, ils descendirent du camion. Ils prirent soin d'en verrouiller les portières avant de suivre le groupe qui maintenant les entourait en riant et buvant. Ils transpiraient tous l'alcool. Certains dansaient en titubant. C'est au milieu de cette troupe bigarrée et hirsute qu'ils débouchèrent sur cette cour intérieure où, au rythme d'un quatuor bruyant, un homme faisait danser un ours dans une flaque d'eau verdâtre.

Les petits maillets au bout feutré bondissaient joyeusement sur les cordes d'acier du cymbalum; les doigts jaunis de l'accordéoniste heurtaient vigoureusement les dents blanches et noires de son soufflet magique; le contrebassiste tanguait dangereusement, accroché au mât de son instrument; un quatrième musicien saoulait sans vergogne sa clarinette en lui refilant toutes les vapeurs alcoolisées de son haleine. Devant l'orchestre, un enfant d'une dizaine d'années tournait un mouton embroché au-dessus des braises, où les gouttes des graisses de l'animal créaient autant de petits volcans qui pétaradaient pour sa plus grande joie.

On présenta les mariés à Greta et Mohammed, qui ne purent qu'échanger un sourire complice devant un accueil si sympathique. Des femmes et des hommes vinrent les tirer par le bras afin de les intégrer dans une farandole qui, tel un serpent voyou, dérivait dangereusement vers les braises du mouton. Ils eurent à la fois envie de danser et de se soustraire au groupe. On leur offrait de boire à même les bouteilles crasseuses qui circulaient de bouche en bouche. On leur parlait, on les touchait, on chantait.

– Arrêtez, arrêtez! Sortez de là!

Un homme aux cheveux lisses et propres, vêtu d'un costume bleu et d'une chemise rose, déboucha en courant vers eux, bousculant les gitans trop ivres pour s'interposer.

– Ne restez pas ici, leur lança-t-il en attrapant un enfant qui s'enfuyait déjà avec le portefeuille de Mohammed. Ce sont des voleurs. Quittez ce quartier le plus vite possible! ordonna-t-il en les entraînant hors de la cour.

Abasourdis, ils se laissèrent bousculer vers la rue, où un homme achevait d'enlever un pneu au camion de Mohammed qu'on avait monté sur des blocs de bois. L'homme asséna un coup de pied au voleur, qui s'enfuit sans résister. Comme une poule rassemblant ses petits, une gitane sortit en courant pour ramener tout son monde vers la cour intérieure, dont elle referma la porte violemment. La musique tournait toujours dans l'air. La rue était maintenant vide.

– Qui êtes-vous? demanda Mohammed.

– Je me présente, répondit l'homme, essoufflé. Je suis Nicolae Mondovan. Je traversais le quartier quand j'ai vu ce qui se passait. Je les connais bien, ces gitans… Ce sont tous… enfin, presque tous des voleurs, des fainéants. Encore dix minutes et vous auriez été complètement détroussés. Et vous, qui êtes-vous? Que faites-vous ici?

– Vous êtes de la police? demanda Greta nerveusement.

– Oh! non, répondit l'homme en s'esclaffant. Aucun policier n'ose s'aventurer dans ce coin de Bucarest. Je suis instituteur, professeur d'histoire. J'habite là-bas, derrière les grues mécaniques.

Mohammed achevait de replacer le pneu du camion. Greta fouillait avec inquiétude dans son sac; rien n'y manquait.

– Vous venez d'Éthiopie? demanda le professeur en jetant un coup d'œil sur la plaque d'immatriculation.

Mohammed et Greta s'esclaffèrent à leur tour.

– Le camion, oui, mais pas nous, dit Mohammed en riant. Je m'appelle Mohammed, et voici ma... voici Greta. Que pouvons-nous faire pour vous remercier?

– Bah! ce n'est pas nécessaire...

– Oui, oui, j'insiste, dit Greta. Nous pouvons vous inviter à prendre un thé peut-être... ou un café?

Devant l'insistance de ce couple, le professeur céda à l'invitation.

– À condition que je vous fasse un peu visiter notre ville, répliqua-t-il en montant dans sa Dacia brinquebalante. Suivez-moi, lança-t-il en démarrant rapidement au moment même où de petits groupes de gitans se reformaient dans la rue.

Ils zigzaguèrent de ruelle en ruelle, freinant à peine aux intersections souvent obstruées par des carcasses de voitures qu'on achevait de cannibaliser. Devant, derrière, à gauche, à droite, partout le spectacle était ahurissant. Des dizaines de grues mécaniques immobiles étiraient leur cou rouillé au-dessus de bâtiments inachevés dont le nombre et l'étendue dépassaient l'imagination. Après la mort dramatique du couple Ceausescu, les mille pièces de leur palais pharaonique avaient été désertées, laissées à l'abandon. Des ruines délirantes où plus personne ne vivait; personne, sauf, évidemment, des gitans qui avaient squatté chaque pli, chaque recoin de cette orgie de béton crevé et d'acier échevelé. Greta et Mohammed suivaient lentement leur guide, assommés par le spectacle de cet univers dantesque et kafkaïen.

Des enfants apparaissaient et disparaissaient entre les structures, qui semblaient camoufler une ville souterraine dont le secret venait d'être éventé par le plus formidable ouragan qu'on puisse imaginer. Partout des chiens, des ânes, des poules paradaient comme autant de figurants d'une pièce folle qu'un metteur en scène mégalomane aurait abandonnée à la vindicte de spectateurs furieux d'avoir été floués. Il y régnait un étrange silence, parfois lacéré par la plainte d'un violon. Seules les fumées noires qui s'échappaient des barils de métal dansaient au rythme de cette musique lancée par un fantôme égaré.

– Vous n'en croyez pas vos yeux? demanda le professeur en descendant de sa voiture. Venez par ici, le quartier est bien; nous sommes sortis de l'enfer, dit-il en indiquant à ses deux visiteurs la terrasse d'un café.

L'heure qui suivit fut fascinante pour le couple.

«M. Nicolae», comme il leur avait suggéré de l'appeler, avait plus de soixante ans mais ne les faisait pas. Sa carrure de lutteur contrastait avec ses doigts de pianiste qui ne cessaient de tambouriner sur la table, où étaient posées les deux tasses de thé et la bouteille de bière qu'ils avaient commandée. Il enseignait l'histoire depuis trente-six ans.

– L'histoire officielle, dit-il, c'est-à-dire le mensonge officiel.

Avec la même soif de communiquer que les étudiants-lucioles de la veille, le professeur prit soin d'expliquer en détail comment la dictature Ceausescu avait, depuis 1967, fracassé la vie quotidienne des citoyens pour l'endiguer vers la promotion permanente de sa puissance personnelle.

– Ainsi, expliqua-t-il, tout le monde en vint à mentir pour assurer sa survie. Depuis la mort du dictateur, nous reprenons contact avec la parole, avec la vérité, avec notre identité.

Au mot «dictateur», Greta ne put s'empêcher de voir apparaître l'image de son père. Pour elle, Mustafa était ce genre d'homme qui écrasait tout le monde et imposait sa manière de vivre. Pendant une seconde, elle en vint à souhaiter qu'il disparaisse comme ce Ceausescu dont elle ignorait tout mais qui semblait avoir aboli l'identité même de chaque citoyen. Elle en fut troublée. Mondovan perçut son malaise.

– Je vous raconte tout cela, dit le professeur, mais vous n'êtes pas tenus de me croire. Parfois, je ne sais pas moi-même où se situe la frontière entre le réel et l'imaginaire, entre la vie cruelle et le monde schizophrénique dans lequel nous nous sommes si souvent réfugiés pour survivre.

L'écoutant parler, Greta et Mohammed, eux-mêmes en quête d'un nouveau terreau, de racines, d'une identité, suffoquaient devant la démesure du drame des Roumains, qui, eux, possédaient un territoire, un pays, une identité, mais n'arrivaient plus à croire à leur existence. Le couple cherchait à renaître dans la fuite; les Roumains, eux, avaient fui vers l'intérieur d'eux-mêmes pour survivre.

– Veuillez m'excuser, s'interrompit-il soudain. Je vous embête sûrement avec mes histoires.

– Non, fit timidement Mohammed. On ne s'attendait pas à cela.

– On a assassiné notre âme. C'est le pays du grand mensonge.

– Mais vous, monsieur Nicolae, glissa Greta presque à voix basse, vous nous dites la vérité?

La question plomba le regard fatigué de l'homme. Il posa lentement sur la table ses mains l'une sur l'autre, regarda Mohammed dans les yeux, transféra son regard vers Greta et laissa s'échapper un long soupir.

– Qu'est-ce que mentir? se dit-il à voix haute. Où commence et où finit la vérité? Existe-t-il une frontière : d'un côté, tout est vrai et de l'autre, tout est faux?

– Excusez-moi, fit Greta, je ne voulais pas vous embêter…

– Oh! vous ne m'embêtez pas, mademoiselle… madame. Ces questions-là, nous nous les posons chaque jour. La différence, c'est que maintenant nous nous les posons à haute voix.

Il eut le sentiment que ce couple étrange ne semblait ni comprendre où il était ni saisir le sens des événements qui se déroulaient en Roumanie depuis un an. Le soleil flânait aux tables des rares cafés entourant la place de l'Université. Ils mangèrent des pizzas.

Greta et Mohammed n'écoutaient plus. L'histoire de ce pays meurtri, l'avalanche de détails, la sincérité de leur interlocuteur ne les atteignaient plus. C'était trop : trop neuf, trop vite, trop loin, tout cela. Ils avaient tous les deux envie de repartir le plus vite possible, de reprendre leur course vers l'Allemagne. En fin pédagogue, M. Nicolae devina le décalage qui le séparait de ses invités.

– Je crois que je vous raconte beaucoup trop de choses d'une seule traite, fit-il. Il faut m'excuser. Nous avons si peu l'occasion de parler, de dire ces choses-là à d'autres qu'à nous-mêmes. Et parfois nous nous demandons même si nous pouvons nous croire.

Il s'arrêta net, comme s'il manquait d'air.

– Mais, dit Greta, vous, au moins, vous savez que vous êtes roumain.

– Et vous, mademoiselle, qui êtes-vous ?

– Je suis Greta...

– En êtes-vous certaine ? dit-il en la fixant dans les yeux. Vous m'avez demandé un peu plus tôt si moi, je vous disais la vérité. Il respira profondément et tourna son regard vers Mohammed avant de le poser de nouveau sur Greta. Il prit une autre gorgée de bière.

– Non, je ne vous ai pas menti. Sauf sur un petit détail.

Il s'arrêta de nouveau, baissa les yeux, joignit les mains, puis, lentement, releva la tête avec noblesse.

– Je ne m'appelle pas Mondovan.

Greta et Mohammed se jetèrent un regard inquiet.

– Je m'excuse de vous avoir menti. Mais c'est pour nous un vieux réflexe : on ne dit jamais toute la vérité. Dans notre discours comme dans la vie, on se ménage toujours des portes de sortie.

# 11

La pluie froide mordillait la main de Greta. Ce qui aurait pu être un cauchemar s'était transformé en équipée rocambolesque. Elle éclatait dans un grand rire chaque fois qu'elle réussissait à nettoyer le pare-brise en sortant le bras et en activant à la main l'essuie-glace de droite qui, automatiquement, entraînait celui de gauche, dégageant un court instant la vision du conducteur, qu'une rasade de vodka avait rendu aussi rouge que joyeux.

Le manège durait depuis bientôt une heure. La voiture brinque-balante du maire fonçait dans les bans de brouillard comme un bolide sans freins. Derrière, suivant le plus près possible, Mohammed, le regard inquiet, roulait confortablement dans le camion ruisselant sous les trombes d'eau que les sommets de la Transylvanie libéraient violemment des nuages d'acier qui les heurtaient.

En quittant Bucarest, le professeur d'histoire leur avait suggéré de se diriger vers la Hongrie en passant par les montagnes spectaculaires de Transylvanie. Il leur avait donné une lettre d'introduction auprès de Ferenc, un ami spécialiste de la sidé-rurgie, que le vide politique de l'après-Ceausescu avait propulsé à la mairie de la capitale régionale, Brasov. Ferenc, un costaud approchant la cinquantaine, portait un prénom magyar comme c'est le cas de la plupart des gens de cette région où vit une nom-breuse minorité hongroise, souvent méprisée par les Roumains. Il avait fait un stage dans une sidérurgie allemande au cours des années soixante-dix et avait conservé l'habitude de lire et de parler allemand. C'est donc Greta qui établit le contact. Il leur offrit de le suivre vers un village frontalier de la Hongrie où il devait rejoindre sa famille réunie pour le mariage d'un cousin. C'est ainsi que Greta monta dans son véhicule pour l'aider à voir la route à travers ce pare-brise inondé. Mohammed résista d'abord à l'idée de voir Greta seule dans la voiture d'un autre homme. Pendant leur séjour à Istanbul, il n'avait osé s'insurger contre cette autonomie. C'est d'ailleurs grâce à cette liberté qu'elle savait prendre qu'il l'avait rencontrée. Et aimée. Mais, maintenant qu'ils formaient un couple, la possessivité refaisait surface; étrange sensation qui le troublait puisque, depuis une vingtaine d'années, il n'avait jamais partagé sa vie quotidienne avec aucune femme. Il suffisait que le sentiment amoureux apparaisse pour que le vieux réflexe du mâle propriétaire émerge naturellement en lui.

Il les voyait rire, s'amuser, sans pouvoir entendre ce qu'ils se racontaient. Jamais il n'avait vu Greta partager sa joie avec quelqu'un d'autre que lui. Allait-elle lui glisser entre les doigts? Pouvait-elle le quitter comme elle avait fui son père? Pourquoi riait-elle ainsi? Il avait envie de les forcer à s'arrêter pour la ramener auprès de lui. Ses mains se crispaient sur le volant. Il commençait à détester cet homme qui s'amusait tellement avec sa Greta, sa femme à lui. Il se devait de suivre la voiture de Ferenc, comme il avait suivi le désir de Greta de fuir la Turquie. Il se sentait prisonnier de cette liberté qui animait la femme qu'il aimait. Ils roulèrent plus d'une heure sur cette route en lacets, doublant dangereusement les nombreuses charrettes chargées de foin que tiraient paresseusement des chevaux lessivés.

Soudain, les doigts éblouissants du soleil écartèrent les nuages qui se laissèrent caresser le dos en racolant les flancs gris et vert des montagnes. Les deux véhicules entrèrent à grande vitesse dans un village dont la rue principale se réanimait après la pluie. Ils débouchèrent sur une maison entourée de palissades recouvertes de lierre. Au coup de klaxon, les deux portes métalliques s'ouvrirent sur une douzaine de voitures identiques à celle de Ferenc. La musique s'échappait par les fenêtres entrouvertes. C'était la fête.

Greta sortit précipitamment de la voiture et courut vers le camion de Mohammed.

– On s'arrête un peu? lança-t-elle en lui caressant le visage. Nous sommes invités. Je veux en profiter pour me réchauffer et me refaire une beauté.

Mohammed eut envie de refuser, mais fut séduit par cette belle main froide qui s'attardait dans la chaleur de sa nuque. Ferenc les présenta à la cinquantaine d'invités qui naviguaient déjà entre les rasades d'alcool et les plats fumants de goulasch que des jeunes filles en costume traditionnel servaient avec vigueur et générosité. Le fumet des plats ne fit que creuser leur appétit. Mohammed regardait silencieusement Greta engager la conversation avec ces inconnus, étonnés et ravis d'accueillir un couple dont les deux membres ne semblaient pas être de même souche. Un jeune homme, qui avait appris l'anglais en écoutant sur ondes courtes les émissions de propagande américaines, fut le premier à entrer en contact avec Mohammed.

– J'ai complété des études en physique nucléaire, dit-il, et j'aimerais bien me rendre à l'ouest pour y travailler. Croyez-vous que je pourrais monter avec vous? On m'a dit que vous alliez en Allemagne.

– Comment savez-vous cela?

– C'est Ferenc. Il m'a dit que votre femme lui avait expliqué qu'elle retournait en Allemagne. C'est vrai?

Mohammed ne savait que répondre. Il aurait souhaité plus de discrétion de la part de Greta. Ces gens, il ne les connaissait pas. Et surtout, il n'avait pas envie de voir s'ajouter encore une fois un autre passager. Se retournant, il aperçut Ferenc offrir un petit verre d'eau-de-vie à Greta qui, comme le maire, l'avala d'une seule traite. Il se précipita vers eux, saisit le poignet de Greta et lui ordonna de ne pas toucher à l'alcool.

– Mais voyons, mon ami, intervint joyeusement Ferenc. C'est le verre de l'amitié. Ici, c'est comme ça qu'on souhaite la bienvenue aux visiteurs.

Mohammed relâcha le poignet de Greta. Furieuse d'être ainsi humiliée, elle interpella le serveur et prit un autre verre.

– Regarde-moi bien, Mohammed, lui dit-elle en le fixant droit dans les yeux. Je boirai ce que je voudrai, comme je voudrai, avec qui je voudrai. D'une traite, elle avala le deuxième verre.

– Ne fais pas ça!

– Je fais ce que je veux, Mohammed. Tu n'es pas mon père!

– Je ne voudrais sûrement pas d'une enfant comme toi!

– Allons, allons, mes amis, c'est la fête, les interrompit joyeusement le maire.

– Oui, et j'ai envie de danser, lança Greta.

Elle s'empara de Mohammed et l'entraîna dans la farandole. Comme pour l'enivrer, elle le fit tourner et tourner, ne lâchant surtout pas prise au milieu de ces hommes et de ces femmes qui virevoltaient en sautillant comme si le plancher eût été de feu. Mohammed était incapable de se dégager de Greta qui se cramponnait à ses bras. Elle riait, chantait, tournoyait. Mohammed devinait autant de rage que de plaisir dans ce geste insensé qui les noyait dans la foule colorée.

– Oui, oui, Mohammed, danse, ris avec moi! criait Greta. C'est la fête, la liberté, Mohammed!

Comme des oiseaux fous dans le vent, l'accordéon et la clarinette rivalisaient de voltiges et de puissance au milieu des serveuses aux costumes rouge et blanc. Mohammed n'avait jamais dansé avec une femme. Comme tous les Yéménites, il avait déjà harmonisé ses pas avec ceux des autres hommes lors de mariages. Dans ces fêtes, les femmes, de noir voilées, se rassemblent dans une section du jardin alors que les hommes se regroupent à l'autre extrémité. Au son des tambourins, ils dansent en ligne, martelant le sol de leurs pieds nus, dessinant des arabesques avec leurs *jambiyas* dégainés. Maintenant il tournait follement entre les bras d'une jeune femme qui l'avait ensorcelé. Il n'avait plus aucune maîtrise, ni sur elle ni sur les événements. Il était à la fois révolté, traqué, envoûté, réduit à néant.

Lorsque la musique s'arrêta, tous les couples, sauf Greta et Mohammed, se dirigèrent en titubant vers les chaises et les divans.

– Mohammed, dit Greta en reprenant son souffle, Mohammed, regarde-moi : ne m'empêche plus jamais de faire ce que je veux. Jamais. La Turquie, c'est fini. Ici, je suis libre. Nous sommes libres, Mohammed. Libres!

\* \* \*

Il faisait maintenant nuit.

Les grillons se moquaient fébrilement du silence qui avait enfin gagné la maison et le jardin, d'où les odeurs d'alcool et de fumée s'évadaient furtivement. Les maîtres de la maison avaient offert au couple inconnu de dormir à l'étage. Accoudé à la fenêtre grande ouverte, Mohammed fouillait le ciel maintenant dégagé afin d'y repérer certaines étoiles qu'il avait appris à reconnaître en parcourant le désert. Torse nu, il laissait le vent tiède couler sur sa peau comme sur les dunes qui meurent chaque nuit dans l'étreinte du simoun. Perdu dans ses rêves, il ne sentit pas cette ombre chaude se glisser derrière lui, se coller à son dos et saisir son ventre et sa poitrine.

– Ne dis rien, lui murmura Greta. Reste là, continue de regarder les étoiles.

Il sentit ses mains explorer sa chair. Les doigts s'enfonçaient dans la savane touffue de sa poitrine, s'immobilisaient impudiquement sur la jugulaire, repartaient calmement vers la nuque musclée et se perdaient dans les algues bouclées de la chevelure. Il se laissait pétrir, incapable de bouger tellement la chaleur de ces mains le magnétisait. Il tressaillit légèrement quand les seins de Greta lui frôlèrent le dos. Il étendit ses bras derrière lui pour saisir ce corps ensorcelé. Ses mains s'incrustèrent dans la soie d'une chair qu'il devina totalement dénudée. Furieusement, les mains de Greta arrachèrent la ceinture du pantalon, se glissèrent vers les muscles bandés des cuisses et remontèrent vers le sexe de Mohammed ; il bascula sur le plancher de la chambre. Dans la pénombre, il sentit une immense chaleur l'arracher au monde pour le projeter à bout de souffle dans une chevauchée aussi sauvage que silencieuse. Étendu sur le dos, il se laissa emporter par cette coulée de lave amoureuse où l'incandescence de la chair triomphait de l'obscurité qui avait anesthésié son cœur.

* * *

Greta entrouvrit les yeux, laissa échapper un long soupir et tendit le bras vers Mohammed. La tiédeur des draps la fit sursauter. Le lit était vide. Derrière les volets clos, le soleil triomphait. Elle se jeta hors du lit et repoussa anxieusement les volets. Éblouie, elle entendit la voix de Mohammed avant de le voir. Elle eut l'étrange impression que la voix de Mohammed empruntait les accents de son père. La veille, elle s'était emparée de lui, tant par désir que par insécurité. Cette fuite vers la liberté l'enivrait et l'épuisait. Mohammed en était le moteur et le refuge. Elle l'entraînait vers l'Allemagne parce qu'elle aurait voulu que Mustafa, son père, accepte d'y retourner. L'image des deux hommes s'embrouillait et se confondait parfois. « Et si l'Allemagne n'était qu'un mirage ? » pensa-t-elle en redécouvrant la voix de Mohammed.

Il était au jardin, assis face à un jeune homme avec qui il prenait le café. Il leva la tête, lui sourit et, à mi-voix, l'invita à se joindre à eux pour le petit déjeuner. Greta crut reconnaître Istvan, le jeune physicien nucléaire rencontré la veille.

Quelques heures plus tard, le Toyota bourré de vivres, le trio franchissait la frontière hongroise par un petit poste douanier où les origines hongroises d'Istvan facilitèrent le passage. Évidemment, il leur en coûta deux jambons fumés qui, comme des tirelires, contenaient chacun un billet de cinquante marks, gracieuseté de la banque Mohammed. Chemin faisant, Istvan avait expliqué son plan. Il se dirigeait vers la Belgique, d'où il tenterait de partir pour le Canada.

– Un cousin de mon père s'y trouve depuis quelques années. Il m'a écrit qu'on m'accepterait facilement dans ce pays. Comme physicien, j'ai travaillé avec des Canadiens venus installer en Roumanie une centrale nucléaire de production d'électricité.

Greta ne se mêlait pas à la conversation. Assise entre les deux hommes, elle se laissait ballotter par les cahots que la mauvaise route de campagne imposait au véhicule. Elle appuya sa tête sur l'épaule de Mohammed. Les yeux fermés, elle souriait doucement. Mohammed ne put deviner qu'elle pensait à sa mère, là-bas à Konak.

# 12

Malgré la récolte de pommes de terre qui s'annonçait abondante, Konak n'était plus tout à fait le même village paisible. Aux cafés, chaque jour, quelqu'un soulevait la question : pas de nouvelles de la fille de Mustafa ? La mère de Greta, les yeux vides, recommençait à peine à sortir de sa grande maison. Mustafa, le regard toujours baissé, n'osait plus se mêler aux clients du café des Vieux. Les trois jeunes frères avaient entendu dire que leur grande sœur, si belle, avait été enlevée et vendue comme esclave sexuelle à un proxénète bulgare qui recrutait son personnel à Istanbul. Car on savait bien maintenant où elle se trouvait. Depuis la lettre reçue plusieurs semaines auparavant, le secret avait été largement discuté par tout le pays des montagnes.

Mustafa s'inquiétait de plus en plus de l'avenir de ses projets. Le maire, Adnan Gursel, ne lui avait toujours pas délivré les permis nécessaires au démarrage de son entreprise. L'absence de Greta devenait un obstacle à l'équilibre de la vie familiale, au développement du commerce et à la réalisation des ambitions politiques de Mustafa. Il lui fallait agir.

– Ismaïl, tu dois tout me dire. Tout !

Arrivé à Istanbul depuis quelques heures, Mustafa avait retrouvé celui qui, innocemment, avait permis à sa fille de fuir Konak. Il assaillit le pauvre Ismaïl de questions, d'hypothèses, de promesses et de menaces. L'homme ignorait le départ de Mohammed et de Greta et n'osait fournir le moindre indice, de peur de nuire à son copain. Mustafa sortit alors une carte maîtresse de son jeu. Il savait que le frère d'Ismaïl cherchait du travail.

– Si tu me fournis une seule piste sérieuse pour retrouver ma fille, j'embaucherai ton frère à l'atelier que je compte ouvrir à Konak.

Mustafa revint le lendemain soir. Il insista de nouveau. Ismaïl, conscient qu'il détenait un certain pouvoir de négociation, demanda à Mustafa s'il ne lui serait pas également possible de fournir du travail à son père.

– Oui. Pas de problème. Mais il faut que je retrouve ma fille. Absolument.

– Revenez demain. J'aurai le temps de vérifier certaines informations.

Deux jours plus tard, blême de rage, Mustafa repartait vers Konak. Sa fille avait bel et bien fui avec l'Arabe qui lui avait acheté une chaîne d'or. Ismaïl avait fourni l'adresse de l'hôtel du quartier Laleli, où Mustafa avait pu se faire confirmer l'information. Personne ne savait où ils avaient emménagé. «Istanbul n'est pas assez grand pour que je ne les retrouve pas, fulminait-il. Et ce Mohammed, je le...» Il n'osait terminer sa phrase.

Mustafa annonça à Becuchi que leur fille reviendrait parmi eux.

– C'est une question de temps. Ismaïl est à sa recherche.

Il était trop humilié pour raconter qu'elle avait fui en compagnie de Mohammed. La mère se retira dans sa chambre. Elle était déchirée. L'absence de Greta la tuait, mais elle admirait secrètement le geste de sa fille. Elle ne souhaitait pas qu'elle finisse ses jours dans ce village perdu, où son père lui imposerait un mari et, surtout, un mode de vie dont elle, Becuchi, avait rêvé de se défaire. Rapidement toutefois, elle effaça de sa mémoire ce souvenir qui devait demeurer secret.

Le lendemain, Mustafa rendit visite au maire. Il l'assura que son fils épouserait sa fille.

– Je dois simplement lui laisser le temps de comprendre que c'est ici, à Konak, qu'elle sera heureuse.

# 13

En arrêtant pour faire le plein, Mohammed et Istvan discutaient encore de ce voyage au Canada. Greta sortit de sa distraction sans trop savoir où ils étaient rendus. Elle remarqua cependant de nombreuses voitures allemandes dont elle ne reconnaissait pas les plaques.

– Ce sont des Autrichiens, expliqua Istvan. Nous sommes près de la frontière et ils viennent en Hongrie faire le plein, car l'essence est beaucoup moins cher ici que chez eux. Ils viennent aussi chez le dentiste pour les mêmes raisons, dit-il en riant.

En entendant parler allemand, Greta fut chavirée. Elle approchait de son but. Plus qu'un seul petit pays à franchir et enfin la liberté, la vie retrouvée.

– Quand traverse-t-on la frontière autrichienne?

– Faut d'abord les visas, répondit Mohammed. Istvan a des cousins dans la région. Ils peuvent nous aider.

Le trio passa une semaine à Sopron. Tout était possible, mais rien n'était facile. Plus l'Occident se rapprochait, plus les frontières semblaient s'épaissir. La ville était fort jolie, avec ses maisons aux balcons fleuris et une propreté identique à celle qu'on pouvait remarquer dans la zone autrichienne, de l'autre côté du poste-frontière. Chaque jour, Greta allait marcher quelques minutes devant ces barrières qui se levaient beaucoup plus souvent pour accueillir des Autrichiens que pour laisser sortir des Hongrois.

\* \* \*

– Les voici!

Istvan tendit à Greta et à Mohammed leur passeport, où l'on avait inséré un visa de transit négocié à prix d'or. Elle tremblait de joie. Lui, immobile, fixait le document comme s'il avait eu en main un aller simple pour nulle part. Greta embrassa Istvan deux fois plutôt qu'une et se précipita dans les bras de Mohammed comme une enfant effrayée.

– Enfin, murmura-t-elle, la barrière va se lever pour nous. Partons, Mohammed. Il faut traverser la frontière avant le coucher du soleil. Il faut dormir à l'ouest ce soir.

\* \* \*

Le Toyota roulait lentement vers le poste-frontière. Greta, les yeux rivés sur l'Autriche, appuyait sa main gauche sur la cuisse de Mohammed qui, silencieusement, les mains ancrées dans le volant, attendait maintenant que le policier lui fasse signe d'avancer. Au signal, il inspira bruyamment, cligna des yeux comme pour éponger des larmes, et fit glisser le camion vers la guérite.

– Papiers !

Le policier s'empara des trois passeports et disparut pendant que deux autres collègues invitaient le trio à descendre pour la fouille du véhicule. Le soleil sombrait doucement vers la plaine autrichienne. L'air était parfumé de jasmin. Des oiseaux allaient et venaient librement de chaque côté de la frontière.

– *Fräulein Tancir !*

Ces deux mots la firent trembler. Pour la première fois depuis plus de six mois, on l'interpellait dans la langue de ses rêves.

– Tancir, Taylin ? demanda l'officier.

Elle opina et disparut dans un bureau où Istvan et Mohammed ne purent la suivre.

– Je croyais qu'elle s'appelait Greta, dit Istvan.

– Oui, c'est bien Greta, répondit Mohammed, inquiet.

Trente minutes passèrent. Elle ressortit du bureau à la fois souriante et troublée. Elle fit signe aux hommes de ranger le véhicule et de venir la rejoindre à l'intérieur du bureau de la douane.

– Mohammed, Istvan, il y a un problème, dit-elle. Voilà : je suis autorisée à traverser l'Autriche pour me rendre en Allemagne. Vous aussi, Istvan. Mais toi, Mohammed, poursuivit-elle en s'approchant et en lui prenant la main dans les siennes, toi, ils ne veulent pas.

Elle éclata en sanglots.

Deux policiers suivaient de loin la conversation tout en jetant un œil intéressé à un match de football retransmis à la télévision.

– Pourquoi moi?

– Tes papiers sont suspects. Ton visa de transit, ça va, mais les autres, non. Et puis, il y a la plaque d'immatriculation; l'Éthiopie, ça les inquiète, je pense.

Un silence épongea les sanglots.

– Partons d'ici rapidement, dit Istvan. Nous avons éveillé leurs soupçons. Retournons chez mes cousins. Demain, nous trouverons une autre solution, un autre passage.

Les Autrichiens en avaient assez de voir tous ces expatriés utiliser leur territoire pour se rendre en Allemagne. De nombreux gitans avaient pénétré dans le pays et s'y étaient dissimulés. Des milliers de réfugiés aussi.

– Ils ne veulent plus en voir un seul s'installer chez eux, dit Istvan.

– Mais nous, moi, je peux passer, dit Greta. Si nous nous rendions en Allemagne, nous pourrions alors faire venir Mohammed, non?

– Quoi! dit Mohammed. Tu veux partir sans moi?

– Mais, Mohammed, c'est pour te faire entrer. Nous ne serions séparés que quelques jours; ce n'est rien, quelques jours pour la liberté.

Le trio avait repris place dans le camion. Istvan, envieux, regardait passer les Autrichiens qui rentraient facilement chez eux. Mohammed, se retenant pour ne pas engueuler Greta devant Istvan, tambourinait sur son volant. Elle rageait en silence. Elle avait presque touché un morceau de liberté. Mais cette portion, elle devait la partager avec celui à qui elle devait d'être là. Et lui n'avait pas droit au festin.

Mohammed, conduisant lentement vers la maison des cousins d'Istvan, se demandait si Greta tenait autant à lui qu'à l'Allemagne. Il commençait à détester ce pays.

Ce soir-là, alors qu'ils étaient installés dans un pavillon attenant à la maison de ferme, Mohammed refusa de manger. Il regardait fondre un morceau de sucre au fond du verre de thé que lui avait préparé Greta. Les gouttes de pluie mouraient étouffées dans le chaume du toit. Un toit qui rappelait à Greta celui de la maison de Konak.

– Et s'ils ne me laissent pas entrer?

C'est la phrase que redoutait tant Greta. Elle se sentait obligée de répondre, mais n'avait nulle envie d'obéir. La pluie tombait maintenant en abondance. Un papillon attiré par la lumière aguichante de la lampe à pétrole virevoltait entre l'abat-jour et la cheminée translucide où dansait une flamme silencieuse. Mohammed fit tinter la cuillère sur les parois du verre ambré. Il leva les yeux vers Greta, porta le verre à sa bouche, but lentement une gorgée et le déposa sur la table de bois sans quitter Greta des yeux.

Debout au fond de la pièce, elle se laissait envelopper par un tcharchaf d'ombre où elle s'était presque réfugiée. Elle portait son jeans délavé et le t-shirt «Metallica», qu'elle s'était juré de revêtir pour sa rentrée en Allemagne. Nerveusement, elle glissait son index sur la chaîne d'or que Mohammed lui avait offerte.

– Et s'ils ne me laissent pas entrer?

Un éclair inonda de craie la prairie muette et l'on attendit en vain le coup de tonnerre, qui ne roula finalement qu'au bout du pays. «Sans doute en Autriche», songea Greta. Le papillon était maintenant en transe, de plus en plus près de l'orifice de la lampe. Pieds nus, Greta s'avança vers Mohammed. Il lui prit la main et la fit asseoir près de lui.

– Et s'ils…

– Non, l'interrompit Greta. Ils te laisseront entrer.

– Comment le sais-tu?

– Istvan a dit qu'il trouverait les papiers.

– Les papiers? C'est moi qui ne passe pas. C'est ma gueule d'Arabe. C'est Saddam. Non, Greta, ce ne sera pas facile.

Une autre flèche de lumière crue vint strier le ciel. Cette fois, la foudre écarta les entrailles de la terre pour y enfouir le glaive blanc de sa fureur éblouissante.

– Greta, reprit Mohammed, tu ne me feras pas ça? Tu n'entreras pas en Allemagne sans moi?

Mohammed avait atteint le point de non-retour. Il était coincé entre le déracinement complet qu'il s'était imposé et la hantise de se voir lâché par celle que, par amour, il avait conduite à la porte d'un autre amant: l'Allemagne. Et face à l'Allemagne, il ne faisait pas le poids.

Un formidable coup de tonnerre fit sursauter le couple. Greta retira ses mains de celles de Mohammed pour les glisser à fond dans sa chevelure dont la racine noire chassait de nouveau les mèches blondes.

– Tu sais ce que je ferai en arrivant là-bas? Je redeviendrai blonde. Pour toujours.

– Mais moi, Greta, je ne serai jamais blond. Jamais je ne serai allemand.

Greta comprit que l'Allemagne était pour Mohammed un point d'arrivée, alors que pour elle c'était un point de départ. Elle allait ouvrir la bouche pour protester quand une cascade d'éclairs vint illuminer la chambre comme un stroboscope en délire. En une seconde, le visage de Mohammed passa mille fois du noir au blanc. Il était lumière et ténèbres, joie et souffrance, libérateur et geôlier. Assise face à lui, elle se sentait femme et enfant, audacieuse et craintive, amoureuse et indépendante. Il l'avait séduite, elle l'avait possédé. L'amour n'était plus un mot, un rêve, mais un geste, un homme. Mais était-ce l'amour? Pourquoi ce trouble, cette ambiguïté, cette attirance et ce rejet, ce désir et cette crainte? Elle dérivait sur un fleuve de feu qui la dévorait autant qu'il la libérait. Il fit soudain noir. Très noir. Mohammed venait d'éteindre la lampe.

– Pourquoi?

– Le papillon allait se brûler les ailes, répondit-il en lui caressant le visage.

Un dernier éclair ordonna à l'orage de se retirer. Le rideau de la nuit se leva sur le chuchotement des grillons que les étreintes de l'amour allaient abolir.

\* \* \*

Le lendemain, le trio bifurqua vers Budapest, qui les accueillit par un soleil triomphant. Sur les remparts du Bastion des pêcheurs, ils furent émus par ce Danube charmeur qui séparait les collines bourgeoises de Buda du quartier ouvrier et animé de Pest. Les bateaux-mouches, chargés de touristes, glissaient amoureusement sous le célèbre pont des Chaînes avant d'aller contourner l'île Marguerite et revenir en longeant la rive escarpée de Buda, où l'hôtel Hilton s'était emparé des murs historiques d'un monastère du onzième siècle pour y ouvrir un casino où l'on ne pouvait jouer qu'en dollars, en marks ou en francs. Malgré la grande braderie du communisme, on continuait d'interdire l'utilisation du forint, la monnaie nationale.

Sur le parvis de la cathédrale, un groupe de Tziganes faisaient gémir leurs violons. Des Américains leur offraient des dollars pour se faire photographier parmi eux. Sur de grands panneaux publicitaires, des afficheurs collaient des posters colorés annonçant la tenue du Grand Prix automobile de Hongrie. Des vendeurs ambulants offraient aux visiteurs des t-shirts portant le nom des grandes villes américaines. Ça sentait l'Occident.

Istvan fit signe au couple qu'il ne leur fallait pas perdre de temps. Vers dix-sept heures, ils avaient rendez-vous avec un ami de ses cousins grâce à qui il serait facile d'atteindre la frontière allemande. Pour une centaine de dollars, ils mettraient la main sur des visas de transit qui leur permettraient de traverser la Tchécoslovaquie et la Pologne, d'où ils n'auraient plus qu'à pénétrer en Allemagne. En repassant par Pest, Mohammed arrêta à une succursale de sa banque, où il put enfin refaire le plein de marks.

Ils mirent deux semaines à franchir ces dernières étapes. Il n'était plus question d'acheter les douaniers. Le rétablissement brutal de l'économie de marché faisait grimper les prix d'une manière ahurissante. Ils ne prenaient que deux repas par jour et se comptaient chanceux de pouvoir rouler dans un véhicule à moteur diesel, dont le carburant était plus abordable que l'essence.

Un soir, c'est avec émotion qu'ils lurent une pancarte annonçant la frontière allemande à dix kilomètres de là. Ils roulèrent lentement dans les rues de Kostrzyn, déchiffrant tant bien que mal les indications et le nom des rues. Dans cette ville frontalière et riveraine de l'Oder, les Polonais parlent souvent la langue germanique. À la tombée du jour, le trio se présenta à la douane allemande. Les policiers fouillèrent de fond en comble le Toyota, ouvrant le capot et glissant même des miroirs sous le véhicule. Ils scrutèrent longuement les papiers de chacun, interrogeant surtout Mohammed sur ses intentions, ses liens avec Greta et Istvan, et les raisons de leur arrivée par la Pologne. Au bout de deux heures de questions, de vérifications et d'attente, un officier supérieur les informa que leurs papiers étaient en règle pour un court séjour mais qu'il leur manquait une lettre de référence de la part d'un citoyen allemand qui se porterait garant de leur présence dans le pays.

Ils avaient franchi la Turquie, la Bulgarie, la Roumanie, la Hongrie, la Tchécoslovaquie et la Pologne pour en arriver à se voir interdire l'Allemagne à cause d'un bout de papier. Ils retournèrent vers le centre de Kostrzyn, où ils louèrent deux chambres pour la nuit. Istvan maudissait les Allemands. Greta pleurait silencieusement. Mohammed, lui, réfléchissait calmement.

– J'ai la solution, lança-t-il tout à coup.

Les deux autres ne bougèrent plus, suspendus à ses lèvres.

– Greta, rappelle-moi le nom de cette ville où tu habitais.

– Solingen.

– Les gens que tu connais là-bas, tu vas les contacter. Tu leur demanderas de t'écrire la lettre.

Greta se figea. Oui, des amis, elle en avait à Solingen : les Schneider, cette deuxième famille dont la fille avait été sa confidente et le fils, Hans, son premier amoureux. Elle connaissait même leur numéro de téléphone. Mais elle avait imaginé de rentrer à Berlin incognito, de s'y installer, d'y faire sa vie. Voilà que, pour reprendre racine dans cette terre de liberté, elle devait se réinsérer dans un moule, reprendre contact avec Solingen, où son père pourrait la retrouver.

Elle ne dormit pas de la nuit. Le nom et le numéro de téléphone virevoltaient dans sa tête. Mohammed, ayant compris son angoisse, ne dit mot. Elle s'endormit juste avant le lever du soleil. Lui, éveillé par le chant des oiseaux, sortit doucement prendre l'air près du fleuve Oder. Il marchait lentement quand les premiers rayons du soleil transformèrent en diamants les perles de rosée. Instinctivement, il se retourna vers le sud-est. Pendant quelques instants, il eut le réflexe de s'agenouiller et de reprendre contact avec Allah, ses racines et sa culture. Il se contenta de regarder le soleil se lever.

# 14

Par la porte ouverte du café des Vieux, les éclats de voix s'envolaient en même temps que l'épaisse fumée des cigarettes que pompaient sans relâche la vingtaine d'hommes assis autour des tables où dormaient les jeux de cartes et les verres de thé refroidi. Le retour de Taylin était devenu l'affaire du village. Les amis de Mustafa voyaient, dans la fugue de sa fille, un frein à son ambition de s'emparer de la mairie. « Personne ne votera pour un homme qui ne maîtrise pas sa propre fille », avait dit le facteur. Mais nul ne soupçonnait le véritable motif de Mustafa. Adnan Gursel, le maire, lui avait donné une dernière chance. « Si ta fille ne revient pas pour épouser mon fils, tu peux faire ton deuil des permis de l'atelier de tissage. Et n'oublie pas : ce ne serait pas dans ton intérêt que l'on découvre les circonstances de ton départ de Konak, il y a vingt ans. »

Taylin détenait la clé du succès et l'honneur de son père.

Mustafa venait chaque jour au café des Vieux discuter avec ses amis. Ce matin-là, il s'assit à l'écart, commanda du thé et sortit de sa poche les deux seules lettres reçues de sa fille. Il les lisait, les relisait, cherchant à y déceler un indice qui lui permettrait de la retrouver. Puis ses yeux se figèrent sur deux mots : « *Auf Wiedersehen.* » Il fracassa son verre de thé froid. « Pourquoi n'ai-je pas deviné plus tôt ? » Cet « au revoir » en allemand était la clé de l'énigme. Ses cheveux blonds, ses yeux bleus, son obsession de l'Allemagne et, finalement, ces deux mots. Sa fille avait, à l'évidence, repris le chemin de « son pays », comme elle disait. Les clients du café s'étaient tus. Le bois de la table absorbait le thé sucré dans lequel se diluait un petit ruisseau de sang que le poing encore serré de Mustafa n'arrivait pas à retenir.

# 15

La grande porte de verre ambré du salon de coiffure glissa silencieusement sur son rail. Une magnifique jeune blonde aux yeux d'azur s'élança d'un pas ferme vers la terrasse d'une brasserie où l'attendaient deux hommes. Le soleil accroché aux lèvres, elle se planta droit devant eux, posa les mains sur ses hanches et avança subtilement la poitrine.

– Alors, messieurs, comment aimez-vous les Allemandes?

Istvan éclata de rire et Mohammed esquissa un sourire complice pendant que Greta tirait une chaise en commandant un coca. Depuis vingt-quatre heures, ils étaient à Berlin. Depuis vingt-quatre heures, Greta avait repris contact avec la vie.

Il leur avait fallu près de trois semaines pour obtenir cette fameuse lettre d'accueil que, finalement, la famille Schneider lui avait expédiée à la frontière de la Pologne. Mais tout cela était maintenant chose du passé. Envahi par les touristes qui venaient marcher librement de l'est à l'ouest, Berlin exultait de bonheur et de puissance. Partout on sentait l'assurance tranquille des Allemands qui, de nouveau, recentraient dans leur métropole le cœur de l'Europe. En cet été 1991, Berlin était le refuge idéal de ceux qui rêvaient de renaître. C'est ce qui nourrissait les sourires et les conversations de Greta et Mohammed qui, en cette fin de journée chaude, s'apprêtaient à dire au revoir à Istvan.

Ils naviguèrent dans Berlin pendant quelques jours. Au volant, Mohammed obéissait à Greta qui, comme une enfant, s'amusait à décoder pour son compagnon les enseignes, les noms des rues, les vitrines, les panneaux publicitaires et les titres des films affichés aux façades brillantes des grands cinémas. Elle lui traduisait tout, des titres des journaux aux manchettes de la radio, des petites annonces aux slogans publicitaires. Elle conversait avec tout le monde comme si elle connaissait ces gens depuis toujours. Elle commandait au restaurant, réglait l'addition avec l'argent de Mohammed, s'informait des prix, bref, elle contrôlait toutes les activités de cette nouvelle vie quotidienne.

– Greta, je dois trouver du travail.

La phrase tomba un matin alors que Mohammed laissait refroidir une tasse de thé. Il expliqua à sa jeune compagne que ses économies fondaient rapidement. Il lui cacha toutefois ses angoisses. L'Allemagne, c'était le territoire de Greta. Pour rendre heureuse celle qu'il aimait, il s'était complètement déraciné. Non seulement ne comprenait-il pas la langue du pays, mais il en devinait mal les codes. Greta était devenue le cordon ombilical de sa nouvelle vie. À dix-neuf ans, elle ne supporterait pas longtemps ce rôle de mère et de protectrice. Il sentait surtout que lui, l'homme, ne pourrait accepter non plus ce renversement des rôles. En trouvant du travail, il espérait déterminer un petit territoire personnel d'où il rayonnerait pour reprendre vie, comme homme et comme commerçant.

– Je vais t'aider, Mohammed. On trouvera du travail.

*  *  *

La longue plainte du muezzin allait s'éteindre quand Mohammed gara son camion derrière le bâtiment de briques ocre, qu'un seul petit haut-parleur identifiait chaque vendredi comme une des mosquées de Berlin.

Plusieurs hommes et quelques femmes pressaient le pas. La prière allait commencer. Dans le portique, sur le palier menant à l'escalier du sous-sol, des dizaines de paires de chaussures usées et rabougries bâillaient dans la chaleur étouffante de juillet.

En contrebas, à l'appel du nom d'Allah, la petite foule s'agenouilla. Pendant quelques secondes, le tapis recouvrant le plancher de granito absorba le silence de la révérence des corps. Le front collé au sol, Mohammed se sentit réconforté. Il eut le sentiment de reprendre contact avec lui-même. Sa tête, lourde comme une pierre, semblait s'enfoncer dans le ventre de la terre, traverser les continents et émerger au cœur du désert. Un faucon vint le frôler de son aile acérée, lui souhaitant la bienvenue, et repartit chasser vers le soleil qui dansait sur l'horizon. Le parfum du marché d'épices de Saana lui gonfla les narines, le goût amer du qat lui roula dans la gorge. Il vit son fils et sa fille le saluer, sa mère lui ouvrir les bras pendant que ses cousins dégainaient leur *jambiya* au son des tambourins de la fête.

Étourdi, il releva la tête et, avec quelques secondes de décalage, se remit sur ses pieds comme les autres. Il était bien ici, en Allemagne, à l'aise et apaisé. Il se laissa bercer par le ballet des corps en prière et la musique de la langue arabe qui, dans cet écrin berlinois, réchauffaient les racines de ces exilés musulmans. Soudain un grand fracas déchira la paisible réunion. Une langue de feu lécha le rideau qui séparait les femmes des hommes. Dans la panique et les hurlements, étouffée par la fumée, l'assemblée se rua vers l'escalier pendant que des hommes éteignaient le début d'incendie. En haut, on criait encore plus fort. Impossible d'ouvrir la porte, visiblement coincée de l'extérieur. Mohammed et deux autres hommes, après de vains efforts, réussirent à faire céder le cadrage de bois et basculer la porte. Devant eux se dressaient une dizaine de jeunes hommes au crâne rasé qui, le bras levé, hurlaient en allemand des slogans hostiles. Rapidement, ils s'engouffrèrent dans deux camionnettes et disparurent dans les hurlements des voisins, aussi intimidés par ces néonazis que gênés par la présence de ces musulmans.

À l'arrivée des sapeurs et de la police, Mohammed achevait de changer un pneu du camion, que les voyous avaient lacéré. Cependant, la peinture rouge sur le capot avait eu le temps de sécher et il lui faudrait traverser Berlin avec une croix gammée sous les yeux pour rentrer chez lui. La police avait noté le nom et l'adresse de tout le monde. Bien qu'en règle, Mohammed s'inquiétait que son nom soit maintenant fiché dans une histoire pareille, même s'il en avait été la victime.

Greta l'accueillit avec grande joie. Avant même qu'il n'ait eu le temps de lui raconter sa mésaventure, elle lui sauta au cou.

– J'ai trouvé du travail! Service aux chambres, hôtel Metropol. C'est dans l'Est, à deux pas du métro. Je commence demain.

Mohammed sourit et la serra dans ses bras. Elle sentit une certaine distance, mais n'y prêta pas attention; elle avait une deuxième bonne nouvelle à lui annoncer.

– Et ce n'est pas tout, dit-elle en se détachant. Ils cherchent également un magasinier, un homme qui s'occupe du matériel, des meubles, des objets qu'il faut mettre dans les chambres. Je leur ai parlé de toi. Ils t'attendent demain.

Mohammed était assommé. Il aurait voulu vivre avec les siens et il avait dû s'expatrier pour les nourrir. Il avait lentement pris racine et une sale guerre entre voisins l'avait expulsé de sa terre d'accueil. Voilà qu'il reprenait son souffle, se créait une nouvelle vie, et des voyous racistes se dressaient sur son chemin. Il voulait se dénicher un emploi, et c'est une jeune femme de l'âge de sa fille qui s'en chargeait.

– *Inch Allah!*

– Que dis-tu? demanda Greta.

Mohammed continua en arabe à maudire son sort, à vomir cette vie d'errance, d'impuissance et de déracinement. Il parlait en gesticulant, marchant de long en large dans la petite chambre qui ressemblait de plus en plus à une cage. Greta ne comprenait rien. Effrayée, elle se cala dans le fauteuil près de la fenêtre, prit machinalement un coussin et le serra contre elle comme pour se protéger. Jamais elle n'avait vu Mohammed dans un tel état.

– Mohammed, que se passe-t-il? Dis-moi, raconte-moi. Pourquoi es-tu si en colère?

Mohammed cessa de marcher, s'approcha doucement et s'agenouilla en appuyant sa tête sur le coussin. Greta glissa ses doigts dans la chevelure noire ondulée et sentit sur sa tempe battre rapidement le pouls d'un homme apeuré.

– Que se passe-t-il, Mohammed? Est-ce moi qui…

– Non, Greta. C'est la vie…

# 16

Mohammed n'arrivait pas à supporter cette odeur. Chaque matin, alors qu'il replaçait chaises et tables, il fallait laisser grandes ouvertes les fenêtres pour chasser les relents de la fumée de cigarette absorbée par la vieille moquette du bar de l'hôtel Metropol. Une odeur de cendre mouillée qui lui rappelait celle du rideau incendié dans l'attaque de la mosquée. Il avait d'ailleurs eu à se rendre à deux reprises au commissariat de police pour fournir des détails sur cet incident, notamment sur ces jeunes skinheads dont il pourrait peut-être un jour reconnaître le visage.

– Salut, Mohammed!

– Bonjour, Jesus. Ça va?

Avec nonchalance, la voix éraillée, le geste lent, l'homme se glissa sur un tabouret et commanda un grand bol de café noir.

– Toujours sans lait? lui demanda le barman.

– Toujours. Noir, mon café. Noir comme moi!

Il éclata de rire, révélant un splendide clavier de dents blanches fixé fièrement sur son visage chocolaté de Cubain exilé.

– Alors, Mohammed, ça t'a plu, ma musique, hier soir?

– Oui. Mais c'est surtout Greta... Moi, je n'y connais pas grand-chose, à ta musique. Ça bouge beaucoup!

– Oh! ce n'est rien. Si tu voyais dans mon pays. Ça brasse un peu plus. Mais ici les Allemands et les touristes préfèrent les ballades, dit-il en avalant une grande gorgée de café fumant. Et si tu leur offres la musique qu'ils veulent entendre, alors ils sortent leurs marks.

La conversation se déroulait en anglais. Mohammed acheva de replacer tables et chaises, débrancha l'aspirateur et s'apprêtait à sortir de la pièce quand le barman l'interpella.

– Mohammed, prends un petit café avec nous. Tu as bien le temps.

Il hésita, ne sachant s'il devait céder à la tentation. Il ne travaillait ici que depuis peu et ne voulait surtout pas vexer le patron, qui leur avait offert du travail, à lui et à Greta. Finalement, il céda.

– D'accord. Juste un petit café, bien fort. J'ai du travail.

En lançant cette dernière phrase tout naturellement, il sentit que, pour la première fois depuis sept mois, il s'incarnait dans une action autre que la fuite. Il y avait désormais chaque jour, autour de lui, les mêmes murs, les mêmes collègues. Des heures d'entrée et de sortie balisaient son existence. Il prenait timidement racine dans une terre elle-même en pleine mutation.

Jesus régnait dans ce bar. En 1988, onze mois avant la chute du mur de Berlin, lui et deux compagnons cubains avaient été invités à s'installer pour l'année dans la capitale de l'Allemagne de l'Est. Ici, comme dans toutes les capitales des pays satellites de l'URSS, chaque pays ami gérait un restaurant, vitrine de sa culture culinaire. Le bar du restaurant cubain de Berlin-Est était niché au rez-de-chaussée de l'hôtel Metropol, où descendaient obligatoirement les visiteurs occidentaux. C'était, pour les autorités est-allemandes, une façon de concentrer beaucoup d'étrangers au même endroit afin d'en surveiller, avec la complicité obligée des chauffeurs de taxi, les allées et venues de même que les conversations téléphoniques.

Jesus et ses amis formaient un trio qui, chaque soir, réchauffait au son des rythmes cubains les conversations animées des clients du restaurant *Habana* de ce grand hôtel. Après la chute du mur de Berlin et le grand décapage communiste qui avait suivi, Jesus avait décidé de se faire oublier des autorités cubaines et de s'installer en permanence en Allemagne réunifiée. Il avait bien à La Havane une famille, mais son attachement à la liberté et aux avantages de l'économie de marché avait vite fait basculer dans le passé indéfini ses liens familiaux. Il avait d'ailleurs une certaine aisance financière. Pendant la première année de son séjour, il avait développé un petit réseau de change par lequel il procurait rapidement les devises étrangères dont avaient besoin les membres du Parti communiste. Il s'était ainsi retrouvé au cœur d'un petit trafic d'icônes dont les profits vite faits s'accumulaient maintenant dans un compte en banque des plus capitalistes.

– Alors, Mohammed, lança le barman, tu l'as trouvé, ton appartement?

– Quoi! dit Jesus, tu cherches un appartement? J'ai ce qu'il te faut. Trois pièces, cuisine, W.-C., près du métro, derrière l'ancienne ambassade américaine. À deux pas d'ici. C'est un copain; il doit trouver plus grand : sa femme est enceinte.

Jesus avait cette capacité de viser juste et de frapper fort au moment où l'autre s'y attendait le moins.

Le dimanche suivant, jour de congé, Mohammed et Greta accompagnaient Jesus chez ce copain, dont l'appartement plut immédiatement au couple. Il y avait même un espace de parking, ce qui soulagea Mohammed, qui craignait maintenant le vandalisme. Mohammed signa rapidement le bail de sous-location; si rapidement que Greta n'eut pas conscience qu'elle avait désormais une adresse, un logement en Allemagne. Spontanément, à la sortie de l'immeuble, elle embrassa Jesus sur les joues tellement elle était heureuse. Pendant que Mohammed lui serrait la main, Jesus ne quitta pas Greta des yeux. Elle tourna légèrement la tête en s'éloignant discrètement des deux hommes.

Il faisait encore jour quand Greta et Mohammed rentrèrent pour une dernière fois dans leur chambre d'hôtel, où la chaleur étouffante de l'été les terrassa.

\* \* \*

Mohammed et Greta occupaient maintenant l'appartement depuis trois semaines. Tranquillement, des petits morceaux de quotidien s'étaient glissés dans leur nouvelle vie de sédentaires. Les courses, l'entretien, les voisins qu'on croise toujours aux mêmes heures, tout cela contribuait à enfoncer un peu plus chaque jour les racines du couple dans le sol berlinois. Greta avait vite repéré dans le quartier quelques marchands dont les prix étaient abordables et Mohammed commençait à retenir le sens de quelques mots allemands, essentiels à la vie quotidienne. Parfois des changements d'horaire imprévus les contraignaient à ne pas quitter l'immeuble ensemble, comme ils le faisaient normalement, ou à ne pas rentrer ensemble du travail en fin de journée.

Un dimanche de la mi-août, Greta, indisposée, décida d'informer son patron de son incapacité de se rendre au travail. Timidement, elle frappa à la porte d'un voisin de palier.

– Excusez-moi, je suis votre voisine. Nous n'avons pas encore le téléphone et je dois contacter mon patron. Puis-je utiliser votre appareil? Dans un mauvais allemand, le voisin l'invita à entrer. De petite taille, les cheveux noirs, une copieuse moustache couvrant la lèvre supérieure, l'homme, dans la trentaine, était inconnu de Greta, qui ne l'avait encore jamais croisé. Pendant qu'elle patientait au téléphone, son regard parcourut discrètement la salle de séjour de l'appartement. Elle en eut le souffle coupé. Sur la moquette traînaient pêle-mêle des journaux aux larges photos couleur hurlant la victoire de l'équipe de football d'Izmir sur celle d'Ankara. Des quotidiens de Turquie. Sur une table basse, une théière comme celle de ses parents trônait au milieu d'une demi-douzaine de verres disposés en cercle. Sur le mur, un calendrier de la Turkish Airways affichait un avion survolant Istanbul. Après avoir rapidement expliqué son absence à son patron, elle se dépêcha de sortir de l'appartement en remerciant l'homme avec son plus bel accent allemand.

– Que se passe-t-il? lui demanda Mohammed.

– C'est un Turc. Notre voisin est turc…

– Et alors? Il y a plein de Turcs en Allemagne! Il ne t'a quand même pas reconnue…

– Non, sûrement pas, mais, tu sais, les Turcs… Tout le monde peut savoir. Ils se parlent… On ne sait jamais. Mohammed, dit-elle en se blottissant contre lui, il ne faut pas que les Turcs sachent qui je suis, où j'habite. Il ne faut pas.

Elle se retourna vers la glace de la salle de bains et glissa ses doigts dans l'abondante chevelure blond et noir qui touchait maintenant ses épaules.

– Demain, je retourne chez le coiffeur.

Plus ses cheveux noirs repoussaient, plus elle s'acharnait à les teindre. Elle savait bien que ce combat durerait toute sa vie, mais elle était maintenant prisonnière de ce rituel auquel elle ne saurait faire faux bond sans avoir le sentiment de se trahir elle-même.

\* \* \*

Le lendemain, en rentrant au travail, Mohammed fut demandé au bureau de la direction. On lui remit une lettre.

– Un policier l'a apportée tôt ce matin, lui dit son supérieur, l'air inquiet.

Mohammed la glissa négligemment dans sa poche.

– Sans doute un contrôle de l'Immigration, dit-il en sortant du bureau. Normal.

Il avait volontairement affiché cet air détaché afin de ne pas susciter plus d'inquiétude chez son chef, mais intérieurement il sentit la tension monter. À l'écart, dans un coin du sous-sol, il ouvrit fébrilement la lettre. Il n'y comprit rien : tout était rédigé en allemand.

– Évidemment.

En l'absence de Greta, qui avait pris congé pour faire confirmer par le coiffeur son identité allemande, Mohammed, rongé par la curiosité, se risqua à aborder Jesus afin qu'il lui traduise le contenu de la lettre. Pour la première fois, il allait permettre à quelqu'un d'autre que Greta de pénétrer dans son univers. Il lui fallut patienter jusqu'à seize heures avant d'apercevoir Jesus qui prenait place au bar de l'hôtel.

– Mohammed! *Salaam aleikum!* L'appartement, ça te plaît?

– *Aleikum salaam!* répondit automatiquement Mohammed en portant la main droite à son cœur. Jesus, je dois te parler seul à seul.

Il lui tendit la lettre.

– Je vois, dit Jesus. Tu veux d'abord savoir ce qu'il y a là-dedans avant de la montrer à la belle Greta, lança-t-il avec un clin d'œil complice.

Il commença à lire.

– Bonjour! Comment me trouvez-vous?

Comme un rayon de soleil, Greta fit une entrée éblouissante dans le bar.

– Ça te plaît, Mohammed? lança-t-elle en tournoyant sur elle-même.

Pendant que Mohammed se précipitait vers elle en la louangeant, Jesus enfouit rapidement la lettre dans la poche intérieure de sa veste. Greta parada lentement le long du bar encore désert à cette heure de la journée. Son jeans fuseau lui découpait les hanches avant de s'enfouir sous un t-shirt trop grand, sous lequel on devinait malgré tout une poitrine ferme et dénudée. Ses yeux bleus scintillaient au milieu d'un visage bronzé qu'une généreuse tignasse blonde balayait avec une négligence étudiée. En glissant un doigt sur sa chaîne d'or, elle salua Jesus et força Mohammed à s'asseoir au bar.

– J'ai pensé te faire la surprise, lui dit-elle. Je savais que tu terminais ton service vers seize heures…

– J'allais justement partir, mais Jesus a insisté…

– Oui, je lui ai offert un verre, enchaîna celui-ci, mais il a des principes, ton Mohammed! Alors, c'est un café, comme d'habitude.

Il éclata de rire un peu trop bruyamment pendant que Mohammed lui faisait subtilement signe de ne pas trop en mettre. Quelques minutes plus tard, Mohammed et Greta quittaient l'hôtel, laissant Jesus en possession de la lettre. En les saluant, Jesus mit sa main sur sa poitrine comme Mohammed l'avait salué à son arrivée. Ce dernier comprit qu'il ne devait pas s'inquiéter; la lettre était en bonnes mains.

Le même soir, impatient de reparler à Jesus, Mohammed insista auprès de Greta pour qu'ils aillent entendre le trio de Jesus au bar du Metropol. Surprise de l'intérêt subit de son compagnon pour la musique latino-américaine, elle ne se fit pas prier pour sortir. Les grandes avenues de Berlin regorgeaient de touristes et de jeunes Allemands en vacances qui, par centaines, trinquaient d'une terrasse à l'autre. Greta se baladait au bras de Mohammed en sautillant comme une enfant. Elle se retenait à peine de saluer les gens tellement elle avait le sentiment de tous les connaître. «Je suis si bien chez moi», songea-t-elle en glissant machinalement ses doigts sur son cou.

– Mohammed! s'écria-t-elle tout à coup. La chaîne… J'ai perdu ta chaîne!

Ahurie, elle serra fort le bras de son compagnon, qui sembla aussi désemparé qu'elle.

– Tu l'avais bien en quittant l'appartement?

– Oui, oui, j'en suis certaine. Jamais… Je ne l'enlève jamais.

Au milieu de la foule, ils cherchèrent fébrilement sur le trottoir. Leurs yeux fouillaient le sol à rebours, bousculant au hasard des badauds dont ils ne voyaient que les chaussures. Soudain le regard de Mohammed s'arrêta sur une paire de bottes noires longuement lacées. Il leva les yeux pour découvrir un jeune homme à la tête rasée. Le garçon mit sa main sur la tête de Mohammed pour le forcer à demeurer à genoux. Le Yéménite bondit à la gorge du skinhead, qui lui asséna un coup de poing à la poitrine. D'autres jeunes au crâne rasé accoururent. Greta se mit à crier. Des hommes vinrent à la défense de Mohammed et, avant que la bagarre n'éclate, l'arrivée d'un car de police fit fuir les assaillants. Les badauds se dispersèrent, comme s'il s'agissait d'un événement normal. Greta expliqua l'incident aux policiers qui, devant le refus de Mohammed de porter plainte, reprirent leur ronde.

– Je ne veux pas d'ennuis avec la police, expliqua-t-il à Greta qui venait de retrouver la chaîne, glissée sous son chemisier.

Au milieu de la foule indifférente, Mohammed prit le petit ruisseau d'or et en referma la pince autour du cou. Ses mains tremblaient. Elle glissa tendrement son doigt sur le métal, regarda Mohammed dans les yeux, le prit par le cou et l'embrassa tendrement.

Ils pénétrèrent dans le bar du Metropol alors que Jesus et ses compagnons terminaient leur premier tour de piste.

En déposant sa guitare dans un coin, Jesus appuya sur la série de boutons lumineux d'un lecteur de disques compacts qui lança dans la foule les premiers accords d'une musique aux accents latino-américains. Quelques dizaines de couples abandonnèrent prestement leur table pour laisser soulever leurs hanches par les rythmes chauds des Caraïbes.

– Eh bien, Mohammed, Greta t'a convaincu de venir danser ?

Jesus les invita à sa table.

– Et, cette fois-ci, tu bois autre chose que du café !

Par un petit geste de grand seigneur, il fit signe au barman de s'approcher.

– Alors, pour Greta, ce sera…

– Un jus de fruits peut-être…

– C'est ça, un jus de fruits, un spécial Habana, lança-t-il avec un clin d'œil au barman. Pour toi, Mohammed, un jus de fruits régulier, ça va ? Et pour moi, comme d'habitude !

Il regarda Mohammed en souriant tout en tapotant la poche de sa veste. Il lui fit discrètement signe avec son pouce. Mohammed comprit qu'il avait lu la lettre.

– Mohammed, tu permets ?

Jesus se leva et prit la main de Greta en l'invitant à le suivre.

– Je crois que cette jeune femme a une envie folle de danser.

D'un geste élégant, il indiqua la piste à Greta. Elle bondit et précéda Jesus qui, en passant près de Mohammed, lui tendit rapidement la lettre.

– Ne t'inquiète pas; tout va bien. Je t'expliquerai.

Pantois, Mohammed regarda la foule de danseurs avaler Greta et Jesus.

Il jeta un œil furtif sur la lettre : évidemment, il n'y avait rien à comprendre; c'était toujours la même lettre, les mêmes mots, surmontés du même sceau de la Sécurité nationale; sauf que maintenant un étranger en connaissait le contenu. Il se sentit à la fois inquiet et réconforté. Inquiet de découvrir qu'il n'était pas en plein contrôle de son destin. Réconforté par le message que lui avait lancé Jesus. En repliant la lettre pour la glisser dans sa poche, il leva machinalement les yeux vers la piste de danse. Les cuivres tapaient fort sur les tympans. Les couples roulaient des hanches comme des pantins désarticulés. Dans la foule, maintenant plus dense, il n'arrivait plus à distinguer Greta et Jesus. Il résista à l'envie de se lever pour les retrouver. Au même moment, le barman apporta les verres. Il avala une grande gorgée de jus frais et planta de nouveau son regard sur la piste maintenant noire de danseurs enivrés par la musique encore plus trépidante.

Il se sentit cette fois plus inquiet que réconforté. Greta n'avait plus les pieds sur terre. Les mains magiques de Jesus lui sculptaient un espace secret dans la jungle des corps qui flottaient comme des méduses transportées par les courants irrésistibles d'une musique presque rituelle. Elle s'accrochait à ses grands yeux noirs, magnétisée par ses longs doigts de guitariste qui savaient à la fois caresser et extraire les sons et les rythmes d'un instrument au corps si féminin. Elle bougeait comme elle ne l'avait jamais osé. Noyée dans la foule en sueur, elle s'éloignait du corps de Jesus pour le simple plaisir de le rattraper, de se l'offrir, de le rejeter, de le reprendre. Lui, superbe et audacieux, la laissait couler au milieu des algues, lui jetait un regard qu'il allait lui porter du bout de ses longues mains, la ramenait fermement vers lui le temps que les corps se touchent, avant de la laisser de nouveau plonger dans le délire des cuivres, des congas, des claviers et des voix de ténors qui hurlaient à l'unisson la joie enfantine des Caribéens qui n'ont rien d'autre que la musique pour s'évader.

Les arpèges n'en finissaient plus de couler comme autant de lianes qui glissaient le long de son corps, tant pour l'emporter que pour la retenir. Greta se sentait enfin ensorcelée par la liberté. Plus rien ne pouvait l'en priver. Konak, Istanbul, Mohammed, la fuite : tout cela n'avait été qu'une série d'étapes; des ponts qu'il avait fallu franchir pour enfin débarquer sur la rive accueillante de la vie. Et celui qui, à l'arrivée, lui avait tendu la main pour l'arrimer à cette vie, il était là devant elle, avec elle, pour elle. Elle le sentait fait pour cette liberté, cet envol, ce plaisir que jamais elle n'avait encore senti dans sa vie de jeune femme. Les morceaux de cette vie se mettaient en place au milieu de cette foule qui ne savait pas qui elle était, d'où elle venait, où elle allait. Elle devenait cette foule, s'y fondait, s'y perdait. Elle souriait comme jamais. Elle se sentait comme absorbée par tous ces hommes, toutes ces femmes. Elle naissait enfin, se donnait une famille, des frères, des sœurs, des complices, des amis. Les rythmes l'habitaient. Elle s'y laissait couler, assurée que Jesus dérivait avec elle. Elle s'en approcha vivement, le saisit par les hanches, colla son bassin à celui du Cubain qui, lui, plongea les mains dans les reins pour souder leurs corps comme si cela ne devait jamais finir. Même l'Allemagne n'existait plus au cœur de cette salsa frénétique. Elle sentait la foule comme un rempart qui l'isolait des dix-neuf dernières années. N'existait plus que la musique. Et l'homme qui, par la musique, s'était glissé en elle.

Lorsqu'ils se dirigèrent vers la table, Mohammed fut sidéré de les voir tituber comme s'ils avaient bu. Greta s'effondra sur sa chaise et avala d'une seule traite les deux tiers de son verre de jus de fruits. Elle s'épongea le front, reprit son souffle et lança vers Mohammed un sourire plein de volupté.

– Merci. Merci, Mohammed, de m'avoir amenée ici, dit-elle en soupirant. Cette musique… Cette musique… Jamais je n'aurais imaginé…

Le reste de la phrase se perdit dans le tintamarre des cuivres qui relançaient de plus belle les danseurs sur la piste.

– Tu devrais aller te rafraîchir, suggéra Mohammed, qui souhaitait se retrouver seul avec Jesus quelques instants.

Pendant l'absence de Greta, il sortit l'enveloppe.

– Alors, Jesus, cette lettre ?

– Ne t'inquiète pas, Mohammed. La police t'informe que tu dois te tenir à sa disposition. Tu as été témoin d'un truc violent dans une église, je crois. On aura besoin de ton témoignage pour préparer un procès.

Mohammed enfouit la lettre rapidement dans sa poche à la vue de Greta qui revenait vers eux. Elle se laissa tomber sur sa chaise et vida sec le reste de son verre de jus.

– Un autre ? fit Mohammed en levant la main vers le barman, fier d'avoir précédé Jesus qui s'apprêtait à commander. C'est ma tournée, cette fois !

L'entracte terminé, Jesus et ses compagnons remontèrent sur scène. Le public appréciait ces ballades qui s'enchaînaient selon une mécanique bien rodée. Greta ne quittait plus Jesus des yeux. Elle marquait à peine le rythme de sa tête tellement elle avait hâte de le retrouver sur la piste. Elle rêvait de danser toute sa vie avec cet homme sensuel, amusant, libre. La chaleur aidant, elle se commanda un troisième verre. Mohammed regardait le spectacle mais ne l'écoutait plus. Une main dans la poche, il tâtait cette lettre qui l'inquiétait malgré tout. «Et s'ils me posent des questions ? Et si je me fais des ennemis ? Et si je dois partir ? Et Greta, voudra-t-elle quitter Berlin ?» Ces idées noires le distrayaient de Greta, dont l'état de béatitude l'aurait sans doute beaucoup plus inquiété que le contenu de la lettre.

À la fin du deuxième tour de chant, au moment où les rythmes latino-américains envahissaient de nouveau la salle, Greta voulut se lever pour entraîner Jesus vers la piste de danse. Elle fit deux pas, tituba et s'écroula entre les tables. Mohammed et Jesus se précipitèrent.

– Greta, lança Mohammed, tu es blessée ?

Elle releva la tête et put à peine balbutier :

– Non… Non Moham…med. Ça va… Ça va bien. C'est la tête. Ça tourne… Oh là là ! Ça tourne tellement…

Jesus éclata d'un grand rire d'enfant.

– Eh bien, ça fait effet, mon Habana spécial !

Aux bras des deux hommes, Greta tangua de table en table vers la sortie.

La nuit chaude et bruyante de Berlin accueillit le trio où se conjuguaient la passion, la séduction et l'inquiétude.

* * *

Mohammed avait le pas rapide et franc. Greta, mal assurée dans les vapeurs de l'alcool, flottait doucement sur le trottoir de la grande avenue où, malgré l'heure tardive, des milliers de personnes déambulaient encore. Jesus les avait quittés quelques minutes plus tôt, mais, dans les dernières effluves du Habana spécial, elle ne voyait que lui.

– Tu m'as fait honte, Greta.

La petite phrase lancée sans avertissement lacéra le silence qui s'était installé entre eux deux depuis l'hôtel.

– Crois-tu que je savais qu'il y avait de l'alcool dans ce verre ?

– Tu m'as fait honte, Greta. Tu t'es enivrée, en public, devant moi.

Greta trébucha sur un coin de pavé.

– Et maintenant je vais me casser la gueule... et ça te ferait sans doute plaisir !

Mohammed bouscula involontairement un homme qu'il n'avait pas vu en se retournant vers Greta.

– Excusez-moi, monsieur... Tu vois ? dit-il en marchant à reculons. Tu n'arrives même plus à me suivre, lui balança-t-il avec arrogance.

– Mohammed, tu peux m'humilier si tu veux, ça ne fera pas sortir l'alcool de mon corps... Et si c'est ainsi, marche donc à ton rythme... Je n'ai pas besoin de toi pour rentrer... Je n'ai plus besoin de toi pour...

La violence de ce qu'elle allait dire l'empêcha de terminer sa phrase. Immobile au cœur de cette foule, comme un rocher au milieu d'un torrent, elle regarda Mohammed s'éloigner lentement.

Cet homme qui l'avait menée ici, dans le pays de ses rêves, et par qui elle s'était libérée de Konak, cet homme serait-il devenu un nouveau geôlier ? Elle glissa machinalement un doigt sur la chaîne d'or qui ruisselait sur sa peau. Mohammed venait de l'engueuler comme l'aurait fait son père. Et, malgré tout, elle se sentait attachée à lui. Elle s'était portée à sa défense lors de l'altercation avec le skinhead. Elle aimait sa présence et son amour. Pourtant, en cette fin de soirée, elle aurait souhaité être ailleurs. Elle reprit lentement sa promenade, en aspirant longuement de grandes goulées d'air chaud pour se nettoyer la tête de cette bouillabaisse de sentiments imbibée d'alcool.

Mohammed l'attendait un peu plus loin, le regard dur mais inquiet. Plus elle s'approchait de lui, plus elle imaginait Jesus debout à cette grande intersection. Il lui prendrait la main et, ensemble, ils s'envoleraient par-dessus la porte de Brandenburg, redevenue depuis peu symbole de liberté. Elle sentit une main chaude s'emparer de la sienne. Les yeux presque fermés, elle suivit l'homme qui la guida entre les voitures. Après avoir traversé la grande avenue, elle appuya légèrement sa tête sur l'épaule de Mohammed. «Je te pardonne» fut la seule phrase de celui-ci avant d'aller dormir, seul, sur le canapé de leur appartement.

\* \* \*

Le lendemain matin, en commençant son service, Greta, encore assommée par la cuite de la veille, avait peine à se concentrer sur son travail. Non seulement un petit vertige ralentissait ses gestes, mais elle n'avait en tête que l'image embrouillée du corps à corps fabuleux avec Jesus sur la piste de danse. Elle achevait de faire un lit quand le client revint à sa chambre.

– Mais je vous connais, vous!

Interloquée, Greta se retourna. L'homme, un costaud dans la cinquantaine, s'était adressé à elle en allemand.

– Vous êtes bien… attendez que je me rappelle… Greta?

– Oui, oui, répondit Greta, cherchant péniblement dans sa mémoire pour mettre un nom sur ce visage qui lui semblait familier.

– Attendez! Vous êtes… de Brasov… Ferenc, de Brasov!

– Oui, exactement. Vous vous souvenez? La balade folle en auto dans les montagnes, le mariage, la fête?

– Oh oui! Si je me souviens… Mais, excusez-moi, que faites-vous ici?

– Voyage d'affaires, mademoiselle, dit-il en s'assoyant lourdement sur le lit dont Greta venait tout juste d'ajuster les draps. À titre de maire de Brasov, je dirige une délégation. Oh! une petite délégation, nous ne sommes que deux. Je veux développer le tourisme d'hiver, le ski dans nos belles montagnes de Transylvanie. Les Allemands ont de l'argent; chez nous, ce n'est pas cher. Alors, on vient explorer le marché ici à Berlin. Mais dites-moi, vous, qu'est-ce que vous faites ici?

Machinalement Greta s'assit sur le lit et raconta son voyage depuis la Roumanie jusqu'à Berlin. Ils discutaient simplement comme deux vieux copains quand on frappa à la porte de la chambre restée entrouverte.

– Service aux chambres. Inspection.

Une matrone fit son entrée. En la voyant, Greta se leva prestement et replaça les draps froissés.

– Oh! excusez-moi, monsieur, fit la matrone, je ne vous croyais pas ici. Greta, vous avez terminé?

– Presque, madame. Je… monsieur me parlait… J'allais…

– Oui, oui, fit Ferenc. Je ne veux pas retarder son service, mais je connais mademoiselle. Nous nous sommes rencontrés en Roumanie, lança-t-il fièrement alors que Greta, rougissante, rassemblait rapidement les serviettes humides et quittait la chambre.

– Au revoir, monsieur Ferenc, dit-elle timidement.

– Greta, dit la matrone, attendez-moi dans le couloir. Au revoir, monsieur. J'espère que mademoiselle ne vous a pas importuné.

La porte du petit bureau claqua. La matrone fit le tour de sa table, s'assit et regarda droit dans les yeux cette jeune femme demeurée debout et qui évitait son regard.

– Alors ! On se permet des familiarités avec les clients ! Vous connaissez les règles de la maison : service, respect, discrétion. Et qu'est-ce que je trouve ? Vous êtes en retard sur l'horaire ; vous conversez familièrement avec un client…

– Mais, madame, je le connais…

– Taisez-vous ! C'est moi qui parle. Greta, écoutez-moi bien : avant-hier, vous vous êtes absentée : indisposée, avez-vous dit. Soit ! Hier, même chose. Sauf qu'hier soir on vous a vue, pas trop indisposée, danser comme une déchaînée avec Jesus, le musicien cubain. Celui-là !

Greta faillit exploser, mais l'énergie et la vivacité d'esprit lui manquaient.

– Vous étiez ivre, m'a-t-on raconté. Savez-vous qu'avec un tel dossier je peux vous mettre à la porte sur-le-champ ? Vous êtes encore en période de probation, le savez-vous, mademoiselle ?

Greta éclata en sanglots. Les larmes se tracèrent un chemin jusqu'aux commissures des lèvres. Le goût du sel fit encore remonter à la surface cette journée de décembre dernier où elle descendait rageusement la grande avenue de Berlin quelques heures avant que son père ne l'arrache à ce pays, son pays, pour la transplanter dans une maison bavaroise au fond d'une Turquie médiévale.

– Allons, Greta, cessez de pleurer, dit la matrone.

Mais le flot des larmes s'accentuait. On venait de rouvrir une vieille blessure qu'elle croyait cicatrisée.

– Allons, ma petite, dit la matrone en se levant, je ne vous ai pas congédiée. Cessez de pleurer. Reprenez vos sens.

Elle lui tendit une petite serviette.

– Allez vous rafraîchir; vous reprendrez votre service dans dix minutes.

– Madame, dit Greta entre deux hoquets, excusez-moi. Si vous saviez…

– Mais oui, mais oui, je sais…

– Non, c'est impossible.

# 17

Mustafa avait une heure à perdre. Il choisit de flâner devant les vitrines des couteliers. Il y avait entre lui et les lames d'acier une vieille histoire ; près de vingt ans à Solingen, dont la moitié à fabriquer des couteaux. Neuf mois après son départ, il regardait les lames avec une certaine fierté. Il traînait sans doute dans ces vitrines quelques vestiges de son travail ; des milliers d'heures à respirer les vapeurs nocives de l'atelier de fusion pour procurer à ses fils et à sa fille des conditions de vie qui ne les obligeraient pas à s'expatrier et à vivre, déracinés, comme main-d'œuvre bon marché.

Aujourd'hui, il se retrouvait justement ici à cause de sa fille. Taylin, l'ingrate, n'avait pas compris tout ce bonheur que lui et Becuchi lui avaient patiemment fabriqué. Elle avait pu étudier, se faire des amis, apprendre l'allemand et l'anglais sans toutefois devoir renoncer à son identité ; sans devoir s'expatrier. Voilà qu'au moment où il lui offrait une vie de princesse, un avenir solide avec un garçon qui hériterait de l'entreprise de son père, elle méprisait toute cette générosité, tous ces sacrifices, pour s'offrir le rêve de ce qu'elle ne serait jamais, une Allemande.

Mustafa entra dans un atelier où il avait vu un magnifique couteau à lame recourbée escamotable, une véritable œuvre d'art. De retour à Konak, il allait l'offrir en cadeau au maire Adnan Gursel. Cela ne pourrait que l'aider à obtenir les permis qui tardaient tant à venir. Mais c'est plus qu'un couteau qu'il devait ramener dans son village. Et c'est justement pour elle, Taylin, qu'il arpentait depuis une heure les rues commerciales de Solingen. À son arrivée, il avait contacté cette famille Schneider dont la fille, Greta, était la grande confidente de Taylin. Si sa fille était de retour en Allemagne, il lui semblait évident qu'elle ait contacté cette amie dont elle avait emprunté le prénom, tellement elles étaient complices. En cette fin d'après-midi de septembre, il s'assit à la terrasse du café Ottoman, où il avait donné rendez-vous au père de Greta Schneider.

Le ciel bleu se métallisait légèrement avec les premiers vents frais de l'automne. Alors qu'il jetait un œil distrait aux pages outrageusement colorées d'un journal turc, son regard s'arrêta sur la date : 15 septembre. Ses yeux s'embuèrent. Taylin avait vingt ans aujourd'hui. À sa naissance, il était devenu père pour la première fois. Aujourd'hui, vingt ans plus tard, elle se donnait un prénom allemand et lui était retourné vivre en homme riche à Konak. Riche, mais dépouillé de sa fille.

Deux heures et six verres de thé plus tard, Mustafa avait la confirmation que sa fille avait sollicité, de la frontière polonaise, une lettre d'accueil des Schneider. Ils lui avaient répondu favorablement en confirmant aux autorités qu'ils la connaissaient bien, s'en portant garants pendant son séjour. Ils avaient cependant hésité quelque peu.

– Elle nous demandait notre appui, mais cela incluait également un ami arabe du nom de Mohammed, expliqua M. Schneider.

Mustafa ne put s'empêcher de serrer si fort les poings qu'un peu de sang imbiba le bandage qui enveloppait encore sa main gauche.

– Rien de grave, s'excusa-t-il. Une blessure mal cicatrisée.

Nul doute qu'elle était en Allemagne, mais où ? Personne ne l'avait vue à Solingen. Aucune nouvelle depuis cette lettre du printemps dernier. La famille s'en était inquiétée.

– Mais, dit Schneider, vous savez, les jeunes, aujourd'hui, c'est la liberté, surtout ici en Allemagne. On s'est dit qu'elle voyagerait quelque temps avec cet ami et qu'on la reverrait cet automne. Qui sait ? Elle a peut-être trouvé du travail pour l'été…

– Oui, mais où ?

– J'imagine que c'est plus facile dans les grands centres comme Berlin. Moi, si j'étais jeune, c'est là que je débarquerais en premier.

\* \* \*

Dans le train Solingen-Berlin, personne ne prêta attention à ce petit costaud aux cheveux noirs bouclés dont les tempes légèrement grisonnantes affirmaient discrètement les préoccupations et les soucis accumulés par un homme approchant la cinquantaine. Machinalement, il tâtait cette main gauche bandée qui semblait plus l'humilier que le faire souffrir. C'est en dedans qu'il souffrait. Pendant que les paysages manucurés et les villages aseptisés de l'Allemagne défilaient à cent cinquante kilomètres heure, sa vie brouillée lui semblait immobilisée par la fuite inexplicable de sa fille. Accepter que sa Taylin ait agi volontairement, c'était s'accuser d'avoir failli à sa tâche de père. C'était remettre en question cette décision prise, vingt ans auparavant, d'aller s'enrichir en Allemagne ; de permettre à sa famille de vivre autrement que les autres à Konak ; de se donner une certaine qualité de vie tout en gardant ses racines bien ancrées dans son pays, ses montagnes, son village, sa famille. C'était reconnaître l'échec de son éducation, la faillite d'un homme face à sa fille dont les choix de vie devaient nécessairement passer par les volontés du père.

Taylin devait revenir vivre à Konak, non seulement pour lui permettre d'obtenir les permis tant convoités, mais aussi pour rétablir sa dignité d'homme et de père. La «Greta» qui s'était glissée sous le tcharchaf de Taylin devait disparaître. Et cet Arabe maudit aussi. Comment avait-elle pu défier ouvertement son père et partir avec un autre homme du même âge ? Plus il soulevait ces questions, moins il en trouvait les réponses. Et puis il n'avait pas besoin de tout comprendre pour agir. Il retrouverait sa fille et la ramènerait, de force s'il le fallait, à Konak. «Voilà !»

Arrivé à Berlin, Mustafa loua une chambre dans un petit hôtel de l'est de la ville. «Moins cher dans l'Est», lui avait-on suggéré. Avec en poche le couteau acheté à Solingen, une photo de sa fille et une copie de la lettre envoyée aux Schneider, il allait faire le tour de tous les commissariats de police berlinois pour retrouver Taylin et la ramener à Konak, où son futur mari l'attendait.

# 18

– Ça te dérange si je fume ?
Sans attendre la réponse, Jesus alluma fièrement un cigare dont
la fumée envahit rapidement la cabine climatisée du Toyota.
Vivement Mohammed abaissa les deux glaces électriques, coupa
la climatisation et profita d'un feu rouge pour glisser une cassette
dans le lecteur.
– Écoute bien ce que Greta a acheté, dit Mohammed avec un
petit sourire narquois.
Les haut-parleurs du camion arrosèrent la cabine d'une cascade
de cuivres et de congas. La guitare basse pulsait comme un cœur
en arythmie.
– Pas mal pour un premier achat, ironisa Mohammed devant
Jesus ébahi.
Les deux hommes éclatèrent de rire tout en diminuant le volume
de la musique à la demande d'un policier motard qui s'était arrêté
à leur hauteur à l'intersection suivante.
– Tiens, dit Jesus, demande-lui donc si nous sommes sur le bon
chemin. Je crois que le bureau des procureurs, c'est par là-bas.
– Tu es fou. Je ne dis pas un seul mot d'allemand et je n'ai
pas envie de me faire questionner…
– Tu as quelque chose à cacher ? demanda Jesus en riant.
– Sûrement pas plus que toi, lui répondit Mohammed, à la fois
cinglant et moqueur.
En ce clair matin de septembre, Jesus avait accepté d'accompagner Mohammed chez un procureur de la République qui
complétait l'enquête sur l'attaque des skinheads contre la mosquée
en juillet dernier. Mohammed n'avait pas voulu mêler Greta à
cette histoire et avait accepté l'aide du musicien.

Dès leur arrivée au bureau des enquêtes, ils furent reçus par un homme étonné de voir débarquer un Yéménite qui se promenait avec un interprète personnel d'origine cubaine. Le procureur, s'adressant en allemand à Mohammed, lui demanda d'abord ses papiers. Quand il entendit Jesus traduire sa demande en anglais, il bifurqua lui-même vers l'anglais.

– Ainsi, dit-il, nous perdrons moins de temps. Je n'ai donc plus besoin de vos services, monsieur…?

– Cordoban, Jesus Cordoban, balbutia le musicien intimidé.

– Et qui êtes-vous par rapport à M. Mohammed?

– Un ami, intervint spontanément Mohammed.

– Monsieur, je vous prierais de laisser M. Cordoban répondre. Alors, vous êtes un ami, mais encore…?

– Nous travaillons tous les deux à l'hôtel Metropol, lui depuis quelques mois et moi depuis 1988…

– Communiste?

Jesus ne savait pas si le procureur blaguait ou s'il posait sérieusement la question.

– Ha! ha! ne vous en faites pas, s'esclaffa le procureur, c'est une vieille blague depuis l'unification des deux Allemagnes. Plus personne n'est communiste! Sauf Fidel évidemment… Monsieur Cordoban, votre cas m'intéresse mais pas pour l'affaire qui nous occupe. Puis-je en profiter tout de même pour voir vos papiers?

Jesus, sur la défensive, présenta ses documents, passeport, visa de séjour, autorisation de travailler et carte d'employé. Mohammed regardait cette opération avec inquiétude. Se pourrait-il que cette enquête, qui semblait vouloir se prolonger, ne soit qu'un paravent pour dépister les immigrés indésirables? Le procureur demanda aux deux hommes de demeurer assis. Il devait vérifier certaines informations. Jesus n'affichait plus l'air arrogant de celui qui maîtrise la situation. Pour la première fois depuis la fusion des deux Allemagnes, il devait répondre à des questions. Inquiet, il ralluma son cigare et le mâchouilla nerveusement. «Dans quel pétrin me suis-je fourré? se demanda-t-il. Pourquoi me mettre le doigt dans cet engrenage pour un gars que je connais à peine?» Il n'avait pas envie d'expliquer sa présence à Berlin et, surtout, de devoir repartir pour Cuba. Il regarda le Yéménite et ne put se dissimuler ses propres intentions.

«Qu'est-ce qu'une fille comme Greta fait avec un homme comme celui-là?»

– Inquiet? lui demanda-t-il.

Oui, il était inquiet, Mohammed. Il se demandait comment il pourrait expliquer qu'un citoyen yéménite, disposant de quelques économies, réclame l'asile politique ou un statut de réfugié dans cette Allemagne déjà envahie par des demandeurs d'asile. À moins qu'il ne joue la carte de l'investisseur...

– Bon, fit le procureur en remettant ses documents à Jesus, on pourra revenir à vous plus tard. Je vous prie de me laisser seul avec votre ami. Si j'ai besoin d'un interprète, nous avons ici tout le personnel voulu.

La phrase fut balancée sur un ton qui bloquait toute réplique. Jesus se leva et dit à Mohammed qu'il l'attendrait dans le camion.

– J'espère que vous êtes en congé aujourd'hui, lui lança le procureur. Ça peut parfois être long.

Vers treize heures, Mohammed, accompagné d'un policier, vint informer Jesus qu'il en avait encore pour le reste de la journée. Le procureur devait régulièrement interrompre sa rencontre avec lui pour conférer dans d'autres bureaux. Mais il trouvait les détails de l'incident de la mosquée intéressants à fouiller, nouveaux, et il avait encore beaucoup d'autres questions à lui poser; notamment, il voulait lui faire voir des dizaines de photos de jeunes skinheads pour tenter d'identifier les agresseurs.

– Ne t'inquiète pas pour moi, dit-il au Cubain. Tout va bien. Mais je ne voudrais pas que tu rates ton spectacle de ce soir. Et comme je serai incapable de retrouver mon chemin seul, pourquoi ne retournes-tu pas à l'hôtel avec le camion? Je rentrerai en taxi.

– Tu veux que j'avertisse Greta?

– Non, surtout pas. Je lui ai dit que j'avais des choses compliquées à régler à la banque aujourd'hui. De plus, elle est en congé.

En reprenant la route, Jesus souriait comme un enfant qui vient de recevoir le plus beau cadeau de sa vie. Depuis le soir de cette première danse avec Greta, ils s'étaient souvent croisés furtivement, parfois dans les couloirs de l'hôtel, parfois dans la buanderie et même dans une chambre, dont ils avaient verrouillé la porte en plein service. Chaque fois, ils s'abandonnaient à de passionnantes étreintes, le risque de se faire surprendre ne faisant qu'attiser le goût de récidiver. Greta avait une envie folle de lui et Jesus arrivait à peine à se contenir quand il sentait sa présence.

Greta n'était pas la première femme qu'il avait séduite depuis son arrivée à Berlin. Les autres aventures l'avaient mis en contact avec des femmes d'âge mûr qui cherchaient l'évasion d'un soir, un renouvellement de leurs émotions ou simplement la réalisation d'un vieux fantasme, celui de faire l'amour avec un Noir. Mais Greta, c'était autre chose. Il n'avait jamais connu une femme si jeune. Elle dégageait une telle énergie qu'il lui fallait aller au-delà du simple flirt. Chaque fois qu'il l'avait tenue dans ses bras, il avait senti ce mélange de crainte et d'abandon, cette volonté d'aller plus loin et de résister. Greta ne parlait qu'avec ses mains et son corps. Elle semblait chercher à s'évader. Il pourrait peut-être, lui aussi, en profiter pour s'évader d'une vie qui commençait à tourner en rond.

Il traversa Berlin comme si la ville était vide. Après avoir garé le Toyota au sous-sol de l'hôtel, il héla un taxi.

Avec l'assurance du chat qui saute dans le noir d'un toit à l'autre, il se retrouva à peine essoufflé, en silence, sur le palier. Avant de frapper, il rajusta sa chemise blanche, redressa le col déjà ouvert et se frotta le visage en prolongeant le geste dans ses cheveux. Il frappa sobrement trois coups et entendit des pas feutrés s'approcher.

– Qui est là ? demanda une voix inquiète.

Il se mordit les lèvres et respira profondément.

– *Soy Jesus, mi amor.*

La porte s'ouvrit délicatement sur une femme émue dont les grands yeux scintillaient comme deux saphirs au milieu d'un visage enrobé par l'or de ses cheveux défaits. Elle ne portait qu'un immense t-shirt et ses pieds nus se rapprochèrent comme par pudeur. Elle voulut tendre les bras, mais les referma subitement sur sa poitrine tout en reculant vers l'intérieur de la pièce. Sans ajouter un mot, Jesus entra en refermant doucement la porte.

– Mais, Jesus, comment sais-tu… ?

– Je sais, c'est tout. Nous avons l'après-midi à nous…

– Mohammed…

– Mohammed est occupé tout l'après-midi avec son banquier.

– Oh… !

Greta n'eut pas le temps de terminer sa phrase. Jesus l'enlaçait déjà. Elle glissa ses bras sous la veste de Jesus, colla sa poitrine contre la sienne, renversa la tête et lui offrit ses lèvres comme une fleur à cueillir avec la bouche. Ils dansèrent lentement sans autre musique que celle de leurs souffles et des vêtements qu'on

171

froisse. Jamais elle n'avait autant désiré un homme. Jamais il n'avait été séduit de la sorte.

Sur la moquette, dans la cuisine, sur le divan, dans le lit, ils se possédèrent sauvagement, amoureusement, délicatement, passionnément. Seules les pulsations du soleil sur la petite chaîne d'or de Greta semblaient marquer le temps. L'après-midi s'acheva dans un grand délire de fous rires, de baisers, de caresses et de possessions totales. Ils n'eurent pas besoin de promettre de se revoir. Ils savaient déjà qu'ils étaient rendus plus loin. Beaucoup plus loin. En la quittant, Jesus, éberlué, ne put que soupirer :

– Quelle journée !

Avec un sourire complice, la porte presque refermée, elle lui répondit :

– Merci. C'est plus qu'un cadeau.

Jesus ne chercha pas à comprendre ; il allait être en retard.

Greta remit rapidement l'appartement en ordre et fit couler un bain tiède que la chaleur de son corps sembla réchauffer. Mohammed allait bientôt rentrer. Il lui avait dit de se faire belle, car il l'invitait ce soir dans un grand restaurant. Pour son anniversaire.

* * *

Depuis bientôt deux heures, la chorégraphie des plats aux couleurs et aux parfums envoûtants n'arrivait pas à séduire cette jeune femme, pourtant assise à la meilleure table de ce restaurant pivotant arrimé au sommet d'une tour comme un vaisseau spatial. Mohammed portait un costume de lin marine. Sa chemise blanche au col légèrement ouvert laissait miroiter une chaîne d'or qui se perdait parfois dans les broussailles de sa poitrine. Il souriait à l'annonce de chaque plat, un menu détaillé qu'il avait lui-même élaboré depuis quelques semaines avec le maître d'hôtel : le tartare de saumon fumé avait fait place à des cailles farcies au miel et aux raisins secs ; un entremets de yaourt glacé aux fruits de la passion avait relancé l'appétit vers une petite couronne d'agneau rosé qui dormait sur une paillasse de haricots fins et de betteraves en cerise. On avait sauté le plateau de fromages à la vue d'un luxuriant gâteau de miel et de pistaches que les serveurs avaient apporté surmonté de feux de Bengale en chantant, *Happy Birthday*. Et, pour la première fois de sa vie, Mohammed avait commandé du champagne, qu'il but très lentement.

Greta avait Berlin à ses pieds, Mohammed était plus séduisant que jamais, un repas de reine lui était servi, mais il traînait dans son sourire un soupçon d'amertume qui finalement inquiéta Mohammed.

– Te manque-t-il quelque chose, chérie?

Jamais il n'avait utilisé ce mot, qui vint effacer le sourire de Greta.

– Chérie? Non, Mohammed, il ne manque rien, dit-elle en jetant un œil sur l'or de la ville. Tu es si gentil... mais je ne sais pas...

– Ne me dis pas que tu te sens vieillir, lança joyeusement Mohammed pour secouer l'atmosphère.

– Vieillir? Non. J'ai vingt ans, mais c'est comme si j'avais aujourd'hui un an... Le premier anniversaire de ma liberté.

– Ça ne te rend quand même pas triste?

– Non, mais la liberté, ça veut dire s'envoler.

Mohammed laissa glisser un soupir dans une gorgée de champagne.

Greta eut subitement envie de raconter à Mohammed tout le bonheur de cette rencontre avec Jesus. Une immense joie la consumait et elle ne pouvait en parler à personne. Son seul confident, Mohammed, ne pouvait qu'être aboli par ce secret. Elle parlait de liberté, mais se sentait prisonnière de l'affection qui la liait à Mohammed. Elle aurait voulu téléphoner à une copine, tout lui raconter; partager sa joie, sa folie, son désir, sa découverte, sa passion, comme le font les autres jeunes filles. Elle était là, régnant sur Berlin, envahie par la générosité d'un homme par qui elle avait accédé à cette liberté tant souhaitée, et elle rêvait d'une copine, d'une complice qu'elle pourrait gentiment faire baver d'envie à la découverte de son bonheur. Qu'était-ce donc que le bonheur et la liberté si on ne pouvait les partager?

– Greta... Mais tu pleures?

Mohammed tendit prestement la main pour absorber une larme avec son mouchoir.

– Tu vois? C'est avec ce mouchoir que j'ai épongé tes premières larmes. Tu te souviens? C'était dans la librairie de Denizli.

Denizli. La Turquie. C'en était trop. Elle pleurait de plus belle.

– Excuse-moi, dit-elle en se levant. Je reviens à l'instant.

Elle s'enferma dans les toilettes et s'aspergea le visage d'eau froide.

– Qu'est-ce que je fais ici ? songea-t-elle. C'est ma fête et je pleure.

En retouchant son maquillage, elle crut voir dans la glace se dessiner l'ombre de Jesus qui s'approchait d'elle, la prenait dans ses bras et l'enlaçait passionnément.

Au retour, dans le Toyota, elle se colla sur Mohammed et lui tint le bras tout le long du parcours. Ce soir-là, dans les derniers élans de tiédeur de l'été, Mohammed s'empara subtilement de Greta, lui parla d'amour en arabe, la fit frissonner au cœur de ses rêves et se réfugia au plus profond de sa chair dans des extases qu'il fut seul à éprouver. Il l'entendit soupirer, mais ne sut jamais que ce qui pour lui avait été un acte d'amour, pour Greta n'avait été qu'un geste de libération de Taylin.

* * *

– Et avec ton banquier, ça a été ?

Jamais Greta ne parlait d'argent à Mohammed mais, ce matin-là, pour brouiller les pistes de peur de révéler son aventure avec Jesus, elle lança cette question sur un ton anodin. Mohammed rougit et se troubla dans sa réponse. Ils roulaient vers l'hôtel ; leur service débutait dans quinze minutes.

– Oui, fit-il, ça va, surtout depuis que j'ai du travail. Mais il faut que je retourne le voir… Question d'argent, de transfert… C'est compliqué, soupira-t-il en regardant sa montre.

Après le déluge de touristes pendant les vacances estivales, c'était maintenant au tour des hommes d'affaires, des banquiers, des investisseurs de tout genre d'envahir cette ville où l'odeur de l'argent ne le cédait en rien à celle du houblon. Le travail ne manquait pas à l'hôtel Metropol. Greta et Mohammed acceptaient souvent de faire des heures supplémentaires, ce qui compliquait un peu leur vie de couple, au déplaisir de Mohammed. Il arrivait de plus en plus souvent à Greta de doubler son quart de travail et de rentrer tard le soir.

– C'est de l'argent que je ne peux laisser passer, expliquait-elle à son compagnon.

Mohammed était à la fois séduit et frustré par cette volonté d'autonomie et cette passion de la liberté par lesquelles, il le savait bien, Greta avait trouvé le courage et la détermination de sortir de Konak et donc de vivre avec lui cette grande aventure. Mais l'aventure, pour lui, avait atteint ses limites et devait maintenant faire place à une vie plus stable.

Chaque soirée supplémentaire de travail permettait à Greta de se retrouver seule avec Jesus. Ils profitaient des pauses pendant le spectacle pour s'évader dans les couloirs de la buanderie, dans les coins sombres du parking souterrain et même dans une chambre inoccupée afin de libérer leur passion. Ils avaient parfois le temps de faire l'amour, ou alors, comme des adolescents, ils restaient là à se prendre les mains, à se regarder, à se toucher, à se découvrir en silence. Car, depuis le début de leur aventure, ils se parlaient rarement. Leur communication était sensuelle. Ils n'avaient aucun besoin de se raconter, de se dire des mots, des phrases qui auraient dévoré le peu de temps qu'ils avaient pour se fondre l'un dans l'autre. En fin de soirée, Greta flânait pendant une petite heure aux terrasses des grands boulevards. Elle avait besoin de cette période de transition avant de retrouver Mohammed. Une fois rentrée, elle se disait souvent trop lasse pour parler longuement, comme il aimait tant le faire. Dans la baignoire remplie d'eau tiède, elle s'évadait pour prolonger le plaisir de sentir chaude en elle la présence de Jesus. Lorsque Mohammed la retrouvait au lit, elle se laissait entraîner aux jeux de l'amour afin de n'éveiller aucun soupçon. Elle se sentait triste de ne pouvoir partager sa joie; lui se sentait coupable de ne pas confier à sa compagne l'inquiétude grandissante qu'il éprouvait à devoir garder contact avec la police pour cette affaire de skinheads, qui avait pris maintenant une ampleur étonnante. Pendant qu'elle rêvait de Jesus, lui se tourmentait de se voir devenir le témoin clé d'une enquête criminelle sur le racisme incendiaire qui rongeait maintenant l'Allemagne.

\* \* \*

La célèbre *Oktoberfest* achevait de se noyer au confluent des vapeurs délirantes de la bière et des effluves costauds de la choucroute. Le trio des Cubains dut annuler son spectacle un soir à cause de l'absence de son chef, Jesus Cordoban. C'est en découvrant la présence sur scène d'un joyeux orchestre bavarois que Greta s'inquiéta de la santé de Jesus.

– Pas de problème, lui dit un compagnon. Il souffre d'une laryngite.

175

Pourtant, la veille, Greta avait passé quelques minutes avec lui et rien n'y paraissait. «Étrange», pensa-t-elle. Le lendemain, elle accepta encore une fois de faire des heures supplémentaires afin d'en savoir plus. Elle l'entendit chanter de sa voix habituelle et comprit qu'on lui avait menti. Quand ils se retrouvèrent dans la buanderie à l'entracte, il la prit dans ses bras mais sans la fougue habituelle.

– Que se passe-t-il, Jesus? Des problèmes?

– Deux fois rien. J'ai dû rencontrer les gens de l'Immigration hier après-midi et la discussion s'est prolongée toute la soirée. Permis de travail, permis de séjour, visa, enfin toute la merde habituelle des fonctionnaires qui s'agitent pour justifier leur existence. Tu verras : un jour, ce sera ton tour. Mohammed aussi.

La reprise du spectacle vint sauver Jesus d'autres explications.

En rentrant, Greta fut surprise de voir Mohammed arriver en même temps qu'elle.

– Ah! te voilà. Enfin! dit-il en souriant. J'ai une excellente nouvelle.

Ils gravirent rapidement l'escalier en se tenant par la taille, lui en amoureux, elle comme une bonne copine.

Mohammed croyait avoir trouvé un travail à son goût. Il avait fait la connaissance d'un Libanais, propriétaire d'un atelier de réparation d'appareils électroménagers. Il pourrait devenir partenaire et ainsi, expliqua-t-il, obtenir un permis de séjour comme immigré investisseur.

– C'est donc pour cela que tu rencontrais le banquier.

Mohammed ne répondit pas.

Dans les semaines qui suivirent, Mohammed retourna prier à la mosquée à quelques reprises. Il avait bien senti une chute d'intensité dans sa relation avec Greta, mais il comprenait qu'il fallait bien laisser un peu d'espace pour respirer à une femme si jeune et qui vivait ses premiers mois de liberté. Un peu d'espace; pas trop. C'est donc naturellement qu'il se retourna vers la prière et la fraternité ponctuelle de ses frères musulmans. Il profita aussi d'une soirée où Greta travaillait pour écrire une lettre à sa famille à Sanaa. Juste un petit mot pour les rassurer et leur promettre un peu d'argent d'ici quelques mois.

Le marchand libanais le contacta pour lui offrir d'abord de travailler à temps partiel, parfois les week-ends, parfois le soir, «question de faire connaissance», lui dit-il. «Inch Allah!» répondit Mohammed.

Une certaine routine allait donc s'installer dans sa vie, ce qui était loin de lui déplaire.

# 19

– Commissaire, je ne serai jamais assez reconnaissant envers l'Allemagne.

La phrase roulait sur des lèvres gonflées de joie. Le policier ne douta pas un seul instant de la sincérité de ce petit homme à moustache dont il avait remarqué la cicatrice à la main gauche. Mustafa sortit de la pièce pendant que le commissaire adjoint du district notait avec satisfaction qu'une autre citoyenne turque rentrerait bientôt dans son pays, sans que l'Allemagne n'ait à intervenir. Affaire classée.

Mustafa avait fait le tour des commissariats de police de la partie est de Berlin, expliquant avec patience, et dans un allemand fort respectable, qu'il cherchait sa fille. Partout il avait raconté son histoire, sa réussite, son retour en Turquie et la folle aventure de sa fille. «Elle se fait appeler Greta et se teint les cheveux, monsieur le commissaire.» Il était finalement tombé sur un policier chargé des nombreuses enquêtes sur les immigrés illégaux et qui n'était que trop heureux de collaborer avec ce Turc qui, exceptionnellement, voulait soulager l'Allemagne d'un de ses immigrés.

Il avait noté le nom et l'adresse de l'hôtel deux fois plutôt qu'une. La police n'avait pas encore en fiche l'adresse personnelle de Greta, mais connaissait son lieu de travail : un immense bâtiment rectangulaire d'une dizaine d'étages encore orné des éléments tubulaires néoréalistes, dont s'étaient plu à décorer chaque édifice public les autorités communistes de la République démocratique allemande. Mustafa, qui avait réussi à quitter Konak, revenir en Allemagne et retrouver la trace de sa fille, semblait maintenant incapable de pénétrer dans l'hôtel, un lieu pourtant ouvert à tous.

Son cœur était déchiré. Il avait une envie folle de fracasser la grande porte vitrée, de fouiller rageusement tous les étages, de mettre la main au collet de sa fille, de la tirer par les cheveux, de l'emmener illico à l'aéroport, de l'attacher sur son siège et de ne dénouer ses liens qu'une fois rendus à Konak. En même temps, il ressentait une immense hésitation à humilier ainsi Taylin. Sa fuite, sa détermination, sa passion le paralysaient. Elle était sa seule fille et son mariage avec Ali ne devait pas être terni; soumission, oui, mais sans humiliation. Son retour à Konak scellerait cette entente majeure qui permettrait aux deux familles influentes du village de partager les pouvoirs économique et politique. Il ruminait ces pensées en arpentant discrètement le trottoir de l'autre côté de la rue, au milieu d'une foule qui ne pouvait deviner qu'en cet homme grondait un volcan à la veille d'exploser. Il avait un trac fou. Sa colère, nourrie de honte, de déshonneur et de tristesse, n'arrivait pas à lui fournir l'énergie nécessaire pour franchir les vingt mètres qui le séparaient de la porte de l'hôtel Metropol. Il se surprit à imaginer que sa fille Taylin l'apercevait d'une fenêtre, laissait tomber son tablier, franchissait la porte en courant, se jetait dans ses bras en pleurant, et lui demandait pardon, le remerciant d'être venu la délivrer de cette méchante Greta. C'était le scénario le plus facile, le plus simple, et l'honneur était sauvé.

L'honneur.

C'était l'affaire des hommes. Les femmes pouvaient en bénéficier, mais ne devaient jamais y porter ombrage; c'était avant tout une responsabilité masculine. Ce ne pouvait donc être Taylin seule qui l'avait terni. Il y avait sûrement ce Mohammed, un étranger qui s'était emparé de l'honneur de sa fille et de sa famille pour s'approprier un bien dont lui seul, Mustafa, pouvait disposer. Toutes ces réflexions ne l'aidaient en rien à traverser la rue et à s'emparer de sa fille.

Après avoir tourné en rond pendant une bonne heure, il résolut de s'installer un peu à l'écart, dans un parking public situé près de l'hôtel, et de surveiller les allées et venues du personnel. Il finirait bien par voir sortir Taylin, la suivrait et saurait l'approcher sans ameuter Mohammed.

Il était dix-huit heures quinze en ce dernier jeudi d'octobre. De grandes coulées de lave rose bordaient à grands traits les rebords

179

gonflés de quelques nuages gris qui, comme de grands paquebots d'acier, semblaient attendre les derniers passagers pour entreprendre la traversée de l'automne. La lumière du jour passait le flambeau aux stylos électriques de la rue qui, d'un lampadaire à l'autre, allaient dessiner des zones d'ombre et de craie jaune sur les trottoirs de Berlin.

Mustafa eut le souffle coupé. Il crut étouffer. Il ne l'avait vu qu'une seule fois à Konak, mais il savait que c'était lui.

Mohammed sortit lentement par une porte latérale, revint sur le trottoir, passa devant Mustafa sans le voir et s'éloigna doucement. Mustafa était incapable de bouger. Paralysé. Il voulait voir sa fille et ne distinguait que son ombre. Elle était sans doute là, camouflée à l'intérieur de cet homme, pour déjouer son père.

Le temps de retrouver ses esprits, il vit Mohammed tourner à droite dans l'autre rue. Que fallait-il faire ? Le suivre et alors rater la sortie de Taylin ? Rester là et ne pas savoir où habitait le couple ? Et si Taylin n'était plus avec lui ? C'en était trop. Jamais il n'aurait cru si difficile de retrouver son enfant et la ramener à la maison. Son cœur faillit flancher et il s'ensuivit une quinte de toux qui sembla ranimer sa vieille maladie pulmonaire.

Le rideau de la nuit était rapidement tombé sur ce premier acte, mais le drame n'était pas terminé. Mustafa attendit encore quelques heures. Finalement, une pluie fine et froide le força à rentrer à son petit hôtel. Il reviendrait demain, à la même heure. Cette fois, il saurait quoi faire, ayant réfléchi toute la nuit. C'est ce qu'il fit, entre deux quintes de toux, une gorgée de thé et des crises d'angoisse qui avaient finalement toléré le sommeil aux premières lueurs du jour.

Le même rituel prit place le lendemain vers la fin de l'après-midi. Dans sa surveillance discrète, Mustafa passait par toute la gamme des émotions chaque fois que la porte réservée au personnel bâillait. Cette ouverture latérale semblait vomir des Taylin et des Mohammed de minute en minute. Tous les hommes étaient arabes, toutes les femmes étaient turques à ses yeux. Ne restait qu'à reconnaître le vrai Mohammed et la véritable Taylin.

Pendant qu'il fixait intensément la porte réservée aux employés, il ne remarqua pas un petit camion blanc qui se glissait doucement hors du ventre du parking souterrain de l'hôtel. Le véhicule tourna vers la droite et s'immobilisa juste en face de Mustafa, lui bouchant presque la vue, attendant que les feux de circulation ne dégagent l'intersection. C'est au moment où le Toyota démarra que Mustafa aperçut Mohammed au volant et, horreur et merveille, Taylin à ses côtés. Il en fut pétrifié. Il eut le sentiment que ses mains se détachaient de son corps, s'allongeaient jusqu'à la portière et en retiraient le corps de Taylin pendant que Mohammed s'enfuyait avec celui de Greta. Le temps d'éponger les larmes de rage qui l'aveuglaient, il vit le véhicule s'éloigner comme un cercueil blanc et silencieux. Il le suivit des yeux, les jambes paralysées, jusqu'à ce que la cohue du vendredi soir l'avale totalement.

\* \* \*

La surveillance du week-end fut infernale. Rien. Pas la moindre trace de Taylin ni de Mohammed. La porte des employés aspira et rejeta des dizaines d'hommes et de femmes; aucun d'entre eux ne ressemblait à ce couple maudit que Mustafa avait vu s'évanouir au cœur d'un grand boulevard le vendredi après-midi. Il s'en inquiétait doublement, car son visa n'était valable que pour deux mois et il ne lui restait que quatre jours avant de devoir repartir ou de tenter de négocier la prolongation de son permis de séjour. De peur d'éveiller les soupçons, il n'osa pas questionner d'autres employés afin d'obtenir l'adresse de Taylin. Il ne lui restait plus qu'à attendre le retour au travail le lundi.

\* \* \*

— Ne m'attends pas ce soir, je travaille. La phrase sonna comme un refrain connu aux oreilles de Mohammed; un refrain agaçant mais également sécurisant puisqu'il confirmait que le couple avait maintenant ses codes et ses habitudes. Mohammed sortit donc de l'hôtel vers seize heures trente en ce premier lundi de novembre. La température clémente avait incité le couple à se rendre au travail à pied ce jour-là. Comme d'habitude dans ces circonstances, Mohammed contourna l'hôtel, tourna à droite et rentra lentement chez lui.

La soirée était douce et la lumière d'automne légèrement voilée par de petits nuages qui s'agglutinaient à l'ouest. On était revenu à l'heure normale; la nuit regagnait peu à peu l'espace qu'on lui avait volé depuis avril dernier.

Le trio de Jesus était particulièrement en forme. Des hommes d'affaires et des industriels vénézuéliens en congrès à Berlin s'étaient donné rendez-vous au bar *Habana* et leur ravissement de se retrouver dans une atmosphère latino-américaine avait mis le feu à une soirée déjà chaude où la musique coulait aussi intensément que le rhum ambré. À l'entracte, Jesus, grisé par le succès de la soirée, se précipita à l'étage où travaillait Greta, l'entraîna dans un grand placard rempli de draps et de serviettes, bloqua sommairement la porte de l'intérieur et, le sexe anabolisé, se plaqua contre le ventre de la jeune fille. Catapulté dans un nirvana démentiel, le couple n'entendit pas des voix s'approcher, la porte s'entrouvrir, se refermer, et un gloussement ricaneur s'éloigner dans le corridor. Les yeux injectés de désir, Greta rajusta sa robe et, mordillant vivement la lèvre inférieure de Jesus, soupira :

– Reviens vite.

Jesus sortit du placard et remonta sur scène avec une énergie renversante qui satellisa la fête sur une orbite sidérale.

Au deuxième entracte, il eut peine à s'arracher aux fêtards qui lui intimaient l'ordre de poursuivre son spectacle et tentaient de l'en convaincre à coups de marks et de verres de rhum. Les marks, il les empochait ; le rhum, il le distribuait.

Il retrouva Greta à l'étage supérieur. Elle avait repéré une chambre encore inoccupée. Cette fois, ce fut elle qui s'empara de lui. Totalement.

Depuis le début de cette aventure, Greta avait succombé au plaisir pour le plaisir. Elle mentait, inventait des raisons pour expliquer ses absences à Mohammed. Et plus il posait de questions, plus elle fuyait dans les bras de Jesus. Pour la première fois de son existence, elle se permettait de «surfer» sur toutes les émotions qu'elle avait envie de vivre. Elle ne sentait plus aucune contrainte. Sa relation avec Jesus allait bien au-delà de la sexualité. Elle élargissait les frontières de la liberté que Mohammed lui avait permis d'atteindre. Elle ne voyait pas pourquoi, après avoir goûté cette liberté, elle devait la limiter à cet homme, la restreindre ou s'en passer. C'est un homme, son père, qui avait étouffé cette liberté ; ce sont d'autres hommes qui la lui restituaient. Cette ivresse du plaisir l'avait rendue de plus en plus imperméable aux besoins et aux émotions des autres. Ainsi avait-elle été insensible aux allusions de Jesus quant aux rencontres avec les fonctionnaires de l'Immigration. Il avait reçu des lettres qui contestaient son droit de séjour; on ne lui accorderait pas la citoyenneté allemande; il devait rentrer à Cuba et, de là, déposer une demande d'immigration qu'on prendrait le temps d'étudier. Il avait rencontré non seulement des fonctionnaires mais aussi des policiers. Peu à peu l'étau se refermait, surtout depuis ce face-à-face fortuit avec un enquêteur qui s'intéressait aux attaques dont avaient été victimes les musulmans, dont Mohammed, dans une mosquée. «Votre cas m'intéresse», avait lancé l'inspecteur. Il avait cru à une blague. Il était véritablement devenu un «cas». Pour la première fois, il devait sérieusement prévoir partir. Seule sa chaude liaison avec Greta lui permettait d'oublier; et d'espérer qu'on l'oublierait en Allemagne.

Enivrée du parfum de Jesus qui s'était incrusté dans les pores de sa peau, Greta décida de rentrer doucement à pied, le temps de redescendre sur terre et, aussi, de diluer les odeurs de l'amour dans lesquelles elle avait baigné toute la soirée. La nuit était étonnamment tiède en ce début novembre et les boulevards débordaient de promeneurs nocturnes qui prolongeaient avec gourmandise la délectation des dernières poussées de chaleur d'un été qui refusait de mourir. En quittant l'hôtel, Greta croisa deux compagnes moqueuses.

– Alors, chaude soirée, Greta?

Elle opina sans se douter du sens réel de l'allusion de ces deux femmes qui la regardaient s'éloigner avec un brin d'envie au fond des yeux.

Elle aurait normalement sauté dans un taxi, vu l'heure tardive, mais la soirée était si belle, si invitante, qu'elle bifurqua une fois de plus vers les grands boulevards pour se détendre, divaguer doucement et profiter de l'éclairage plus sûr qu'offraient ces longues avenues. Un homme la suivit quelque temps, un autre lui siffla son admiration, deux policiers la saluèrent et un groupe de punks la supplièrent de leur faire l'aumône. Sur la terrasse bondée d'une taverne, elle dénicha une table, s'y installa et commanda une bière blonde, qu'elle avala paresseusement en regardant passer la parade des noctambules ressuscités par ce dernier sursaut de l'été. «Ça doit être ça, la liberté: une longue avenue chaude où l'on retrouve la passion à une extrémité et la sécurité à l'autre.»

Elle aspira un peu de mousse, allongea les jambes et se surprit à fredonner une ballade cubaine. Il était passé minuit lorsqu'elle reprit le chemin de l'appartement.

Quand elle arriverait, Mohammed l'embrasserait, la gronderait d'avoir marché la nuit dans Berlin, de s'être arrêtée seule à la terrasse d'une brasserie, de sentir le houblon. Tout cela serait sympathique et tolérable; tout cela occuperait la conversation et camouflerait bien la brûlante soirée d'amour avec Jesus. Elle s'isolerait dans la baignoire, s'allongerait nue auprès de Mohammed qui la posséderait amoureusement pendant qu'elle superposerait dans sa tête l'image des deux hommes grâce à qui elle déambulait seule sur le boulevard de la liberté.

Elle quittait maintenant le quartier animé pour pénétrer dans une zone plus calme, moins éclairée, moins protégée. Elle connaissait désormais chacune des rues, des maisons qu'elle longeait. Un chat fila rapidement près de ses jambes, la faisant légèrement sursauter. Par les fenêtres ouvertes soliloquaient les téléviseurs bavards. La nuit tiède allait bercer doucement Berlin jusqu'aux rives du sommeil.

Soudain un petit tourbillon de lumière bleue attira son attention. Plus elle approchait de l'intersection, plus les rayons bleus s'intensifiaient, comme si la lumière d'un phare s'était subitement mise à tourner à vive allure. Greta pressa le pas. Elle tourna dans sa rue. À cinquante mètres devant elle, trois cars de police bloquaient l'entrée de l'immeuble où elle habitait avec Mohammed. Elle se mit à courir. Une petite foule agglutinée l'empêchait d'approcher et même de voir ce qui se passait. Elle joua du coude tout en regardant ses voisins qui laissaient les gyrophares leur lécher le visage. Une longue bande de plastique jaune interdisait l'entrée de l'immeuble.

– Que se passe-t-il? demanda-t-elle à deux inconnus.

– Je ne sais pas; une bagarre, paraît-il…

Elle allait demander l'autorisation de monter chez elle quand elle vit sortir de la maison un corps allongé sur une civière.

– Qui est-ce?

Personne ne pouvait répondre. Impossible de l'identifier; le visage était recouvert et la rapidité des ambulanciers ne laissait aucun doute quant à la gravité des blessures.

– Paraît qu'il est mort, dit un homme.

– Encore une histoire de femme, ajouta sa voisine.

– Vous savez qui c'est ? demanda Greta, inquiète.

– Non. C'est plein d'immigrés ici.

Greta jeta un œil vers l'étage de son appartement. Mohammed l'attendait, car il y avait encore de la lumière. L'incident lui permettrait d'expliquer partiellement son arrivée tardive. Elle respira un peu mieux. Elle allait tenter de nouveau d'entrer dans l'édifice lorsqu'elle aperçut les policiers escorter rapidement un homme vers le fourgon. Trapu, costaud, il avait une veste brune et portait une moustache ; de loin, on distinguait mal son visage. La foule, voyeuse, s'approcha naturellement du cordon de sécurité. D'un pas rapide, les policiers firent monter le suspect dans le camion cellulaire. Il faillit trébucher. On le retint. Il se retourna vers la foule pendant une seconde avant de s'engouffrer dans le véhicule. Greta faillit hurler.

– C'est le meurtrier, dit son voisin.

# 20

D'un seul coup de vent, l'automne avait chassé les lambeaux d'été qui traînaient encore dans les rues de Berlin.

– Ne restez pas là, mademoiselle, vous allez prendre froid. C'est plus chaud en dedans.

Le portier faisait les cent pas devant les marches de l'hôtel, où Greta s'était assise en attendant la sortie de Jesus.

Les premières gouttes de pluie froide la firent battre en retraite sous la marquise, où le portier s'était aussi réfugié. La lumière crue qui bavait du plafond révéla le visage défait d'une jeune femme apeurée.

– Un taxi?

– Non, fit Greta. J'attends…

Elle n'eut pas à terminer sa phrase. Jesus sortit rapidement, salua le portier et prit Greta par le bras.

– Jesus, emmène-moi!

Il harponna un taxi. La pluie dansait dans le pare-brise au rythme des essuie-glaces. Il l'enlaça et voulut l'embrasser.

– Non. Pas maintenant.

Greta se blottit contre lui. En lui caressant le visage, il sentit comme une fine couche de glace sous l'épiderme. Troublé, il ne dit mot, se contentant de perdre ses doigts de magicien dans la chevelure dévastée de sa compagne.

Greta se laissa guider comme une droguée jusqu'à l'étage supérieur d'une maison bourgeoise dont Jesus avait loué le grenier transformé en minuscule appartement. Au passage, il avait pris le courrier, qu'il jeta sur le lit pour chasser le chat qui ronronnait au cœur des draps imprimés aux couleurs des tropiques.

– Toi, tu as besoin d'un bon rhum, lança-t-il à Greta.

Elle se laissa tomber sur un divan de velours élimé où se tenait bien droite une vieille guitare espagnole. Pendant que Jesus lavait deux verres, Greta retira ses chaussures et replia ses jambes, laissant son cou et sa tête épouser l'arc du dossier. Le plafond était percé d'une lucarne où bâillait timidement une petite fenêtre sur laquelle tambourinaient les larmes froides de l'automne.

– Viens près de moi. Viens.

Jesus se rapprocha et prit sa main, qu'il embrassa tendrement avant de la diriger vers sa nuque. Greta ravala un long soupir. Son cœur se troubla. Elle entrouvrit la bouche et ses lèvres esquissèrent des phrases qui s'abîmaient dans le silence de la douleur. «Mohammed... Il est mort», finit-elle par lâcher en s'effondrant dans les bras de son amant.

Lentement, Greta se mit à raconter. Elle accumulait les mots qui, un à un, dessinaient les contours de l'histoire. Mais Jesus sentait que cette grande frayeur qui l'agitait prenait sa source ailleurs que dans ces détails qui entouraient la mort de Mohammed. Il y avait derrière cette mort un autre drame, une force obscure encore plus menaçante. Il ne comprenait pas encore et ne voulait surtout rien brusquer. Greta était comme un verre de cristal posé sur le rebord d'une fenêtre ouverte : une simple brise pouvait la faire basculer et la réduire en miettes.

À deux reprises, elle s'endormit, lovée dans les coussins du divan. Jesus n'osa pas bouger. Il lui laissait le temps de refaire ses forces, de remettre un peu de vie dans ses émotions ; elle finirait bien par se rendre au bout de son histoire, comme un enfant trouve toujours le moyen de franchir le couloir sombre pour enfin atteindre la chambre de ses parents et appeler à l'aide.

Alors que Greta semblait profondément endormie, Jesus se leva doucement, se versa un autre rhum et déchira lentement l'enveloppe qu'il avait jetée sur le lit. Elle portait la mention «Ministère de l'Immigration».

*Monsieur, nous vous informons de notre décision de vous ordonner de quitter le territoire allemand d'ici un mois. Vos permis de séjour et de travail sont révoqués. Vous devez dans les vingt-quatre heures suivant réception de cette lettre vous rapporter aux bureaux du ministère...*

Et, au bas de la lettre, une gifle s'ajoutait à l'injure :

*Une copie de cet avis a été adressée à votre employeur et à l'ambassade de Cuba.*

– Jesus, où es-tu ?

Greta s'éveillait, en sueur. Il eut juste le temps de cacher la lettre dans le tiroir de la commode et accourut vers la jeune femme.

– J'ai tellement chaud... J'ai fait un cauchemar, j'ai eu peur... Il la suivit à la salle de bains.

– Je vais me détendre dans la baignoire, dit-elle.

Il sortit et relut la lettre maudite. Il en était à la cinquième ou sixième lecture, quand il entendit Greta l'appeler doucement. Il cacha de nouveau la lettre. Greta était allongée dans la baignoire, ses cheveux mouillés tirés vers l'arrière, les seins surnageant à peine d'entre les bulles de mousse. Elle le fixa dans les yeux.

– Assieds-toi ; j'ai quelque chose à te dire.

Sa voix était étonnamment calme et le ton presque ferme. Il s'assit par terre près de la baignoire. Il avait encore en tête l'ordre d'expulsion quand il fut foudroyé par ces quatre petites phrases.

– Jesus, je sais qui a tué Mohammed. Je l'ai vu. Il me cherche aussi. C'est mon père.

Toute la nuit, Greta trembla. Incapables de dormir, Greta et Jesus luttaient silencieusement pour leur survie. Elle, frémissant devant l'image figée du cadavre de Mohammed, dominée par son père qui la cherchait dans la foule. Lui, étouffant sous les ordres d'un policier qui lui hurlait un ordre de départ. Parfois, les nerfs lâchaient et leurs corps claquaient violemment comme des fouets. L'un et l'autre se blottissaient au mitan du lit comme des enfants effrayés. Finalement, épuisés, ils s'endormirent en imaginant les gouttes de pluie comme autant de poings frappant à la porte de leur liberté.

Il fallut qu'un puissant rayon de soleil fouille la lucarne du plafond pour tirer Jesus de son sommeil. Assommé, comme au lendemain d'une cuite, il se glissa doucement hors du lit où Greta semblait momifiée. Son chat vint frôler sa jambe et l'entraîna vers le coin cuisine, où un bol de lait frais le rendit aussitôt totalement indifférent à son maître. Quand celui-ci ouvrit le bocal de café, l'arôme du Sud le troubla.

\* \* \*

Terrorisée, Greta se terra chez Jesus. Il ne fallait surtout pas que la police la retrouve et la force à témoigner.

Le personnel du Metropol apprit l'agression contre Mohammed et les rumeurs les plus folles accréditèrent l'hypothèse d'un complot ourdi par Greta et Jesus, dont la liaison avait vite fait le tour. Ces ragots insupportables les forçaient à agir. Et vite. La nuit suivante, un taxi déposa Jesus et Greta à quelques pas de la maison où Mohammed et Greta avaient vécu. Ils se glissèrent dans la cour arrière et montèrent à l'étage par l'escalier de secours. Comme des voleurs, ils forcèrent la fenêtre de la chambre dont le loquet brinquebalant céda facilement. Silencieusement, ils s'emparèrent des vêtements de Greta. Des traces de sang maculaient le plancher. Greta faillit vomir. Quand le taxi recula pour sortir de l'allée, les phares arrosèrent le camion de Mohammed, qui, comme un bon chien, semblait attendre le retour de son maître. Greta détourna la tête et ferma les yeux.

Pendant que la ville explosait de vie, elle se voyait encore une fois obligée de fuir, pourchassée par l'ombre de la mort qui s'étendait maintenant de Konak à Berlin. Jesus lui avait révélé son ordre d'expulsion. Ses deux copains musiciens étaient aussi dans la même situation. Il avait choisi de s'évader. Elle n'avait d'autre solution que d'en faire autant. Mustafa n'allait pas la rattraper. Son père, elle l'avait bien reconnu entre les mains des policiers. Il avait donc retrouvé sa trace et voulu assassiner sa liberté en tuant Mohammed. Non, la liberté, ce n'était plus Berlin ni même l'Europe. Jesus avait raison.

\* \* \*

Le train Berlin-Hambourg maintenait sa vitesse à cent quatre-vingts kilomètres heure. Les deux musiciens tambourinaient sur leurs cuisses au rythme régulier des roues sur les rails. Les villages de l'Allemagne profonde somnolaient d'indifférence au passage de cette flèche d'acier bourrée de voyageurs affairés à cuver leur dernière bière, ou à pianoter sur le clavier de leur ordinateur.

Assis face aux deux autres Cubains, Jesus et Greta trompaient leur angoisse par des demi-sourires que le stress éclipsait rapidement. Dans une heure, ils descendraient dans cette ville portuaire où Jesus connaissait un autre exilé cubain, Oswaldo, qui y travaillait comme concierge.

À l'arrivée, Oswaldo les attendait fidèlement sur le quai, emmitouflé dans son parka matelassé. Accueil chaleureux, bien que rapide ; deux taxis emmenèrent le groupe de fuyards vers un appartement douillet d'un vieux quartier de Hambourg.

– Vous vous installerez ici. L'appartement est inoccupé. On ne le louera sûrement pas avant Noël.

Le vent glacial de la mer du Nord s'engouffrait dans le couloir de l'Elbe et débouchait violemment sur Hambourg, où semblaient s'être réfugiés des centaines de navires aux coques meurtries par le sel.

\* \* \*

Greta frissonna. Jesus pressa le pas.

– Tiens bon, on arrive.

La chaleur doucereuse du magasin les enveloppa. Les clients flânaient devant les étalages de pulls, de parkas et de pantalons de velours côtelé, comme pour retarder le moment où ils devraient ressortir et affronter les premières rafales cruelles de l'hiver. En tournoyant machinalement devant la glace pour apprécier le pull choisi, Greta remarqua l'irrémédiable conquête du noir sur l'or de sa chevelure. Pendant un instant, elle imagina qu'elle retrouvait sa magnifique tignasse noire. « Ainsi, je pourrais être perçue comme une véritable Sud-Américaine », songea-t-elle.

Une heure plus tard, chaudement vêtus, Greta, Jesus et ses compagnons arpentaient les quais du port de Hambourg. Un navire, le *Canmar Europe*, devait y prendre livraison de conteneurs à destination du Brésil. La cargaison ne devrait pas être si difficile à identifier. Ensuite, ce ne serait qu'une affaire de chance et d'argent.

De l'argent, il n'en manquait pas. Greta avait récupéré les deux mille marks que Mohammed lui avait avancés et Jesus avait encaissé les économies accumulées grâce au marché noir à l'époque bénie du socialisme en Allemagne de l'Est.

Discrètement, le groupe explorait le port, cette ville dans la ville, ce monstre aux grues tentaculaires qui, comme un joueur d'échecs, s'amuse à prendre et à donner, à remplir et à vider le ventre de ces coquilles d'acier dont le jeu consiste à s'approcher et à repartir le plus vite possible de ces quais affamés où les hommes ne sont que des pions dans l'univers des rois du commerce.

Informés par Oswaldo de l'existence d'une filière roumaine par qui l'on pouvait pénétrer dans les conteneurs, Jesus et ses compagnons prirent contact avec un certain Danielu qui tenait bistrot aux abords des quais. D'abord méfiant, il fit semblant de ne rien comprendre aux demandes de Jesus. Quel bateau? Quelle compagnie? Le Brésil? La semaine prochaine? Et puis cette femme avec eux : pourquoi? Ce n'est que lorsque Greta lui parla des étudiants de Bucarest, de Ferenc à Brasov, d'Istvan et de Nicolae Mondovan que le patron du bistrot développa une certaine sympathie pour le groupe. Greta venait de marquer un point et de faire sa place. Ils allaient maintenant pouvoir discuter : le départ pour le Brésil, c'était pour quand? Sur quel quai les conteneurs? Et surtout, combien pour s'y glisser?

Le lendemain matin, étourdie, Greta ne put accompagner les trois hommes au rendez-vous fixé par le Roumain. Jesus et ses compagnons s'installèrent au bistrot près du port, où le patron les mit en contact avec deux passeurs. Un prix fut fixé. C'était normalement deux mille marks par personne mais, pour un groupe de quatre, on pouvait s'entendre pour mille cinq cents DM, la moitié dans les vingt-quatre heures, le reste étant requis le jour du départ, qu'on prévoyait juste avant Noël.

– Ce sera plus facile, avait affirmé un des passeurs, car les travailleurs du port auront hâte de partir pour fêter; la surveillance sera moins grande.

Avec la complicité des Roumains, Jesus et ses copains purent se promener pendant deux jours près des quais de transbordement des conteneurs. Ils repérèrent ceux qu'on destinait à Sao Paulo et purent même vérifier le mécanisme d'ouverture des portes. C'est ainsi qu'ils découvrirent que le voyage se ferait au milieu d'un chargement de plaques de céramique fabriquées en Inde.

– Parfait, avait lancé un des passeurs. Mieux vaut voyager dans un conteneur lourd; en cas de mauvais temps, ça bouge moins, c'est plus solide...

– Et si ça décroche, ajouta l'autre, tu es assuré de te retrouver au fond de la mer.

Jesus sourit, mais n'en fut pas moins inquiet. Tomber à la mer... Il n'y avait jamais pensé.

La semaine s'acheva non pas à préparer les bagages mais à dé-cider de ce qu'ils allaient laisser derrière eux. Dans un conteneur, pas question de valises. Il fallait partir chaudement vêtu et n'emporter que de l'eau, des noix, du chocolat, des fruits, quelques sacs pour les excréments, et une lampe de poche. De plus, aucun papier d'identité, rien qui puisse aider les autorités brésiliennes à les refouler. On allait réclamer le statut de réfugié politique.

Greta ne sortit pas pendant les jours qui précédèrent le départ. Souvent étourdie, fatiguée, elle tentait de récupérer ses forces pour le long voyage. Elle pleura beaucoup. Seule. La disparition de Mohammed la laissait suspendue au-dessus du vide, accrochée à un filin tenu à chacune des extrémités par Mustafa et Jesus. Elle avait confiance en Jesus, elle craignait son père, mais elle sentait en elle une zone d'inconfort permanent dans ses rapports avec les hommes. Mustafa, Mohammed et Jesus étaient tous des déracinés. Elle était née par Mustafa, avait connu la liberté par Mohammed et découvert l'amour passion par Jesus. Elle était passée de l'enfance à l'âge adulte brusquement, sans avoir eu le temps d'apprivoiser la vie. N'y avait-il pas quelqu'un qui pourrait l'aider à adoucir cette vie? Alors, un peu comme le soleil qui se glisse entre deux orages, une image lumineuse lui apparut : celle de sa mère. Greta trouva un stylo et du papier.

*Chère maman,*
*Tu apprendras sans doute, un jour, que je vis en Allemagne.*
*L'important, c'est que tu saches que je vis, quel que soit le pays.*
*J'espère que tu seras la seule à lire ce petit mot. Ne t'inquiète*
*pas.*
*Ta fille qui t'aime.*

Furtivement, elle s'éclipsa de l'appartement et se rendit poster la lettre. Sur le cachet de la poste, on lirait : «Hambourg – 20 XII 1991».

Le 23 décembre, Greta et les trois Cubains se rendirent tel que convenu au bistrot de Danielu. Jesus remarqua la nervosité inhabituelle de ses deux compagnons. Lui se sentait plutôt calme et se voyait déjà descendre à Sao Paulo, au bras de Greta.

– Jesus, lui dit un des deux hommes, nous ne sommes pas prêts à tenter cette aventure.

Greta et Jesus se sentirent lâchés.

– Nous avons pourtant tout planifié ensemble!

Subitement, la conversation des trois hommes bifurqua vers l'espagnol. Greta ne comprenait plus rien. Jesus dit qu'il lui résumerait tout. Le temps pressait et il fallait tirer cette affaire au clair. Pendant près d'une heure, les trois amis argumentèrent. De temps à autre, Jesus traduisait quelques idées, quelques phrases pour Greta, mais rapidement reprenait l'échange en espagnol. Quand les passeurs firent leur entrée, Jesus avait la mine triste.

En fin d'après-midi, alors que quelques flocons de neige s'affolaient dans le ciel anthracite de ce début d'hiver, Greta et Jesus firent leurs adieux aux deux Cubains et prirent la route du Brésil en passant d'abord par les quais du port de Hambourg. Le Roumain les fit monter dans une fourgonnette identifiée comme véhicule officiel de l'administration portuaire.

– C'est la partie la plus risquée du voyage, leur dit-il. Il faut franchir un petit kilomètre sans se faire intercepter par la police du port.

– Mais ce camion? demanda Jesus.

– Emprunté à un copain pour une heure. Il faut faire vite.

Assis par terre, Jesus et Greta se tenaient la main comme des enfants. Ils n'étaient plus maîtres de la situation. Prisonniers de leur soif de liberté, ils se laissaient emmener par un étranger qui, en bout de piste, empocherait quelques milliers de marks, les enfermerait dans un conteneur et s'éloignerait vite vers un bistrot où il noierait le souvenir de leur rencontre au fond d'une chope de bière.

Le petit camion roulait lentement le long d'une palissade de conteneurs multicolores que semblaient narguer de superbes cargos sombres tachetés de petites lanternes. Soudain, le Roumain immobilisa son véhicule. Une lumière bleue clignota derrière eux et une voiture de patrouille les doubla doucement. Greta vit les deux policiers regarder à gauche puis à droite avant de poursuivre leur chemin sur le quai presque désert. Le passeur redémarra. Greta remarqua la sueur qui perlait sur ses tempes. Il avait peur.

La fourgonnette dut interrompre sa course un peu plus loin : des ouvriers s'affairaient à tasser des caisses qui jonchaient le quai.

– Saloperie! jura le Roumain. Un conteneur a dû s'ouvrir pendant le transbordement vers le navire.

Jesus frissonna à l'idée de voir *son* conteneur s'ouvrir entre ciel et terre. Greta ne dit mot. Elle sentit un violent pincement au ventre, une sorte de choc électrique qui lui transperça les entrailles en une seconde et disparut en ne laissant qu'une légère trace d'inquiétude. Le faisceau bleu de la voiture de police balayait à intervalles réguliers l'intérieur de la fourgonnette.

– Baissez-vous! ordonna le Roumain.

Un policier s'approcha, jeta un œil distrait au Roumain, le salua de la tête et lui fit signe de baisser la glace de la portière.

– Il y en a pour longtemps? demanda le passeur.

– Non, c'est presque terminé. Un accident stupide; les gars étaient pressés...

– Ouais, Noël approche.

Le policier sourit, le salua de nouveau et s'éloigna vers son véhicule. Le Roumain se retourna mais ne vit pas le couple de fugitifs. Il étira le bras et sentit sous une bâche deux masses tièdes qui tremblaient silencieusement.

– Ça y est, plus de problèmes. Restez cachés. On repart.

Deux minutes plus tard, la fourgonnette s'immobilisa.

– Vite, dit le Roumain. Il faut faire vite. Donnez-moi l'argent. Sortez rapidement par l'arrière. Il n'y a personne pour le moment. Votre conteneur, c'est celui-là, le rouge; c'est écrit «Sao Paulo».

Pendant que le passeur comptait les billets, Greta et Jesus se glissèrent dans la nuit froide entre deux rangées de ces immenses blocs de métal. Comme prévu, le sceau avait été brisé et la porte du conteneur se laissa ouvrir facilement. Le Roumain s'approcha et éclaira l'intérieur à l'aide d'une torche.

– Voici votre nouvelle maison, dit-t-il avec un petit sourire. Il n'y a pas le chauffage, mais ça vous emmènera dans un pays chaud.

Depuis le départ, Jesus et Greta n'avaient pas dit mot. Tout était si brutal, tout se passait si vite. Ils se sentaient lâchés en chute libre dans un univers vertigineux dont les codes leur échappaient. Greta, la première, pénétra dans la caverne d'acier. Des milliers de plaques de céramique coincées dans des carcans de bois seraient leurs seuls compagnons. Le chargement n'occupait pas tout le volume du conteneur; le couple bénéficierait d'un espace d'environ dix mètres carrés.

– C'est bon, dit le passeur. Parfois, c'est plus coincé. Tenez, prenez ceci; vous en aurez besoin.

Il leur tendit deux sacs de couchage.

– Je vais maintenant refermer la porte et replacer le sceau.

Greta eut envie de s'évader. De courir sur les quais. D'aller revoir cette Allemagne dont elle avait tant rêvé. De s'offrir Berlin, Munich, Francfort. Elle s'accrocha fermement au bras de Jesus.

Le Roumain ajouta :

– Et demeurez cachés au moins trois jours. Si on vous trouve trop vite, on vous débarquera sur une île.

Il les salua de la main, leur souhaita bonne chance et referma la porte. Le couple frémit en entendant la tige de fer grincer sur ses gonds. Trente secondes plus tard, on entendait le vrombissement du moteur s'éloigner. Jesus et Greta étaient enlacés dans l'obscurité. De peur ou de froid, ils grelottaient. Ni l'un ni l'autre n'osaient desserrer l'étreinte qui les unissait. Le temps et l'espace venaient d'être abolis. Ils restèrent ainsi immobiles pendant de longues minutes, noyés dans le silence d'une quatrième dimension où ils s'étonnaient de pouvoir encore respirer. Le passage d'un véhicule le long des conteneurs les extirpa de leur anesthésie.

– Jesus, tu es là ? chuchota Greta.

– Mais oui, mon amour.

Ils échangèrent un baiser qui peu à peu ramena à la vie toutes les cellules de leur corps.

\* \* \*

À l'aide de la torche électrique, ils avaient repéré le coin le plus logeable et y avaient étendu leurs sacs de couchage. Pour épargner les piles, ils attendaient maintenant dans le noir le plus total, assis l'un contre l'autre. Malgré leurs yeux grands ouverts, ils ne pouvaient voir qu'avec leurs mains. Maladroitement, ils se repéraient, se palpaient, se redécouvraient. Greta chercha le visage de Jesus, le toucha comme une aveugle qui essaie de reconnaître les traits de quelqu'un. Jesus laissa ses mains glisser sur le corps de cette femme invisible. Le jeu de leurs doigts se transforma en caresses. Une immense chaleur les noya de plaisir. Chacun redécouvrait le corps de l'autre, le redessinait, le possédait. Leurs bouches se redonnaient fougueusement la vie. Ils se sentaient renaître, catapultés dans un cosmos d'ébène où la passion chorégraphiait le ballet invisible de leurs corps. Greta s'abandonnait. Jesus allait la posséder quand subitement un hurlement métallique enveloppa le conteneur. Arraché à la gravité terrestre, le cube d'acier fut aspiré, transporté et déposé presque en douceur sur ce qui semblait être un autre conteneur. «Pourvu qu'on ne soit pas en fond de cale», pensa Jesus. Greta resta figée et silencieuse. À peine réconfortée par l'étreinte passionnée, elle redécouvrait maintenant le vertige de cette aventure dont les péripéties avaient relégué dans sa mémoire la mort dramatique de Mohammed et l'apparition cauchemardesque de son père. Ils entendirent de nouveau gémir les muscles d'acier qui empilaient les conteneurs dans le ventre ou sur le pont du navire. Greta imagina un personnage géant qui bâtissait un village aux maisons identiques. Une seule était habitée et personne ne s'en doutait.

L'angoisse les gagna. Allaient-ils survivre à la traversée?

– J'ai peur, chuchota Jesus.

Greta se sentit obligée de le réconforter alors qu'elle avait envie de lui dire qu'elle aussi avait peur.

Les heures qui suivirent leur parurent des siècles. On entendait toujours le va-et-vient des grues qui vidaient le quai pour remplir le ventre et le dos du *Canmar Europe*. Il devait maintenant être minuit. Un filet de vent glacial coincé entre deux portes semblait supplier Jesus et Greta de le laisser entrer. Un visiteur auquel on ne pouvait même pas ouvrir.

– J'ai faim.

Greta fouilla dans un sac pour en sortir quelques dattes séchées, des noix, un morceau de chocolat et un peu d'eau, qu'ils partagèrent. Ils étaient maintenant habitués à l'obscurité. Ils pouvaient bouger, se promener un peu sans buter contre les blocs de céramique.

Un formidable coup de klaxon les fit tressaillir. Greta alluma la lampe de poche. Trois heures quarante-cinq. Ce devait être la nuit, mais seul le cadran de la montre pouvait en témoigner. Le vrombissement des moteurs refoula des volutes d'eau contre la coque. À peine sentit-on le déplacement latéral du navire tellement sa masse et sa taille effaçaient le moindre roulis. Un an après avoir été arrachée à l'Allemagne par son père, elle se laissait de nouveau déraciner de *son* pays, cette fois par la crainte de son père. Un violent spasme fit monter de son ventre vers sa gorge un cri qu'elle étouffa en se mutilant presque les lèvres de ses ongles acérés. Noyé d'anxiété, Jesus devina à peine la douleur de sa compagne.

– Greta, tu imagines ? Bientôt, le Brésil...

– Le Brésil, je ne peux pas l'imaginer ; tout ce que je sais, c'est que ce n'est pas l'Allemagne. Pourquoi ton pays serait celui où ta mère te laisse sortir de son ventre ? Pourquoi ne peut-on pas choisir son pays ?

– Sans doute pour les mêmes raisons qu'on ne choisit pas ses parents.

Greta chercha un peu de chaleur dans les bras de Jesus. Ils s'assoupirent, agglutinés l'un contre l'autre dans leurs sacs de couchage réunis.

Un autre puissant coup de klaxon les tira du sommeil dans lequel ils s'étaient réfugiés. Greta alluma la lampe de poche. Midi. Jesus grelottait. Il dégagea le capuchon camouflé dans le col de son anorak et enfouit sa belle tête au fond de cette caverne de toile qu'il referma d'un cordon sous la gorge. Greta sourit en l'imitant. Quelques noix, une orange, du chocolat, un peu d'eau : le repas fut vite avalé.

– Je rêve à une pizza, lança Jesus.

– Et moi à une baignoire remplie d'eau chaude, répliqua Greta en frissonnant.

– Sur la pizza, plein de fromage, de saucisson, d'origan...

– Avec des tomates et des olives...

– Et une bouteille de vin rouge...

– Non ! Je préfère un coca !

– D'accord, une bouteille de rouge pour monsieur et un coca pour madame. Et comme plat principal ?

– Poulet rôti ! Tiens, avec des frites...

– Choucroute pour moi...

– Désolé, monsieur, plus de choucroute. Je peux vous offrir du poisson, de l'anguille peut-être...

– L'anguille, non, jamais ! Je déteste ça.

– Alors, de l'agneau, gigot d'agneau...

– Oh ! Oui, madame, avec des pommes de terre rissolées et des haricots...

– Pourquoi des haricots ?

– Parce que c'est vert et que j'aime le vert dans une assiette...

– J'ai aussi des betteraves, si vous aimez le rouge.

– Non. Le rouge, on le boit !

Ils délirèrent ainsi pendant un long moment. Comme des alcooliques en manque, ils avalaient un repas imaginaire qui leur faisait oublier la faim qui les tenaillait. Parfois ils éclataient de rire en combinant des plats incompatibles. Malgré l'obscurité totale, ils se voyaient rire, se touchaient affectueusement, bougeaient pour chasser le froid.

Ils venaient de s'abîmer dans le sommeil quand soudain une main invisible sembla soulever l'arrière du navire. Enrobés de leurs sacs de couchage, ils glissèrent légèrement vers l'avant. À peine avaient-ils eu le temps de se ressaisir que le bateau remonta dans les vagues et les repoussa vers l'arrière.

– Mon Dieu! dit Jesus. Une tempête!

– Ce n'est peut-être que la mer, balbutia Greta.

– Et si ça augmente, nous serons écrasés par le déplacement des blocs de tuiles.

Au bout de trente minutes, ils comprirent que la mer les bousculerait fermement tout au long du voyage. Il ne semblait pas faire tempête, mais l'immense cargo n'était de toute évidence qu'un minuscule esquif ballotté sans vergogne par les vents qui régissent la mer du Nord en cette saison. Greta sentit tout le repas imaginaire lui remonter dans la gorge. Jesus, lui, respirait profondément comme il le faisait les soirs de cuite dans les rues de Berlin. Le vertige, dilaté par l'absence de repères visuels, culbutait les corps dans cet espace totalement charbonné où les gémissements de l'acier constituaient le dernier cordon ombilical, l'ultime lien avec la vie. Le chœur des conteneurs allait ainsi psalmodier l'hymne à la mer pendant toute la traversée. Des galériens invisibles hurlaient de froid et de douleur, insensibles à Greta et Jesus qui n'étaient que deux morceaux de chair tiède suspendus au crochet de la survie par le destin des expatriés.

Le mal de mer gagna peu à peu la bataille contre les noix, les fruits secs et le chocolat. Le froid n'arrivait pas à effacer l'odeur âcre des vomissures et des excréments. Lors d'une formidable plongée au creux des vagues, Jesus et Greta comprirent, au ruissellement de l'eau dans leur donjon, que leur conteneur n'était pas enfoui dans la cale mais bel et bien ancré sur le pont du navire. L'infiltration de l'eau en vint à liquider partiellement les déjections et, au bout d'une douzaine d'heures, la vie sembla se stabiliser tant sur la mer que dans l'estomac des voyageurs. Le couple s'engloutit dans le plus profond des sommeils.

Greta rêva.

Dans le ciel pourpre de l'aurore, une immense cigogne blanche franchit la cime noire des montagnes de Konak. Le premier rayon du soleil, effleurant le ventre de l'oiseau, inonda la vallée d'une lumière si chaude que la neige des sommets se liquéfia rapidement, transformant en torrent de boue la route menant du village à Denizli. Les habitants, les maisons, les voitures, les animaux : tout fut emporté avec violence. Seul, surnageant avec puissance, Mustafa, son père. Dans une main, un couteau. L'autre, blessée, était drapée dans un tcharchaf. La cigogne, inconsciente du danger, alla faire son nid sur la branche basse d'un arbre mort. Mustafa surgit et planta son couteau dans le ventre de l'oiseau. Une flamme jaillit violemment. Le tcharchaf prit feu et Mustafa, incapable de s'en défaire, disparut en cendres sur lesquelles vint mourir la cigogne.

Malgré le vent et les plaintes de l'acier, Jesus fut réveillé par les hurlements de Greta. Il alluma la lampe de poche et la retrouva recroquevillée dans le coin du conteneur, les mains sur son ventre, les yeux hagards.

– Non, non, cria-t-elle, pas de lumière.

Il voulut s'approcher.

– Laisse-moi seule !

Jesus comprit que la pudeur lui commandait d'obéir. Dans l'obscurité complète, il sentit la mort s'approcher. Greta gémit doucement. Elle versait des larmes secrètes qui, comme un torrent de lave, incendiaient son ventre. Toujours accroupie, elle retira son pantalon, écarta les jambes et laissa s'écouler lentement de son sexe une petite lampée de vie tiède et glaireuse.

# 21

À coups de poing et de pied, Jesus assaillait la porte du conteneur depuis des heures. «Ouvrez! Ouvrez!» hurlait-il. Mais en vain. Épuisée, Greta le regardait, impuissante et troublée. Elle lui tendit deux tuiles qu'elle avait réussi à sortir d'un des paquets. Il martela de plus belle le métal de la porte. À sa montre, il vit qu'il était treize heures.

— Il doit bien y avoir une ronde! Quelqu'un doit sûrement inspecter le pont!

Une tuile dans chaque main, Jesus agressait maintenant la porte avec rage.

— Vous allez ouvrir, nom de Dieu? Au secours! Au secours!

— Calme-toi. Nous ne sommes pas en danger.

— Tu as perdu du sang. C'est dangereux…

— Je n'ai pas perdu que du sang…

Il cessa de frapper le métal. Inquiet, il se rapprocha de Greta, qui éteignit la lampe de poche.

— Jesus, c'est un bébé que j'ai perdu.

— Un bébé! De moi?

Greta ne répondit pas. Elle appuya sa tête sur l'épaule de son compagnon, qui plongea ses doigts dans la chevelure chaude et humide de cette jeune femme qui grelottait.

— Je ne saurai jamais. Lorsque j'ai senti mon corps se modifier, Mohammed était toujours vivant…

— Et moi…

— Et toi? Je ne saurai jamais.

Greta enfouit sa tête entre les bras de Jesus sidéré. Encore une fois, la vie lui échappait au moment où elle croyait l'avoir bien en main. Son ventre n'avait pu préserver ce que son cœur lui avait offert. Sur le plancher froid d'un conteneur gisait un morceau de sa liberté, la naissance de l'amour et la fuite de la mort. Puis une violente décharge de lumière inonda l'intérieur du conteneur. Greta et Jesus se jetèrent dans les bras l'un de l'autre pour se protéger les yeux. Une masse d'air glacé envahit le cube de métal et les gifla.

– *Anyone here?*

Peu à peu, ils ouvrirent les paupières. Deux ombres s'approchaient doucement.

– Venez, nous sommes ici, cria Jesus, à la fois apeuré et euphorique.

Il leur fallut une bonne minute avant de pouvoir affronter la lumière du jour. Devant eux se dressaient deux petits hommes, sans doute des Philippins, lourdement emmitouflés dans des parkas orange, une tuque de laine enfoncée jusqu'aux yeux.

– *Follow us*, ordonna l'un d'eux. *You are under arrest.*

Ils aidèrent le couple à descendre par une échelle, le conteneur ayant été placé sur un autre cube ancré au pont du navire. Le vent faillit arracher Greta. Un des deux marins la retint par la ceinture de son pantalon et remarqua qu'il était lourdement taché de sang. Péniblement, luttant contre les bourrasques et les embruns glacés, ils se faufilèrent entre les conteneurs. Il fallut cinq bonnes minutes au groupe pour atteindre une porte qui les mena vers un ascenseur. Une chaleur presque tropicale les enveloppa pendant qu'ils étaient aspirés au sommet de ce gratte-ciel flottant.

– Alors, vous n'étiez pas satisfaits de votre chambre! ironisa le capitaine en leur jetant un regard méprisant. Qui êtes-vous?

– Des réfugiés, répondit rapidement Jesus.

– Vos noms! Je veux connaître vos noms, et tout de suite!

Greta s'agrippa au bras de Jesus qui, ne sachant s'il devait répondre, baissa la tête.

– En vertu du droit maritime international, vous êtes sous mon autorité. Je suis le capitaine Velder. Vous serez traités selon les normes et avec respect.

– Je m'appelle Greta et lui, Jesus.

– Jesus! Tiens, quelle coïncidence! C'était hier votre anniversaire?

– Mon anniversaire? Mais non…

– Hier, c'était Noël! dit-il en riant. Allez, je vous souhaite un joyeux Noël avec un peu de retard.

Le capitaine s'approcha d'eux et leur serra la main. Décontenancés, Jesus et Greta balbutièrent un «merci beaucoup» comme s'ils avaient reçu un cadeau.

– Quelle destination avez-vous choisie?

– Nous avons surtout choisi de fuir, répondit fermement Greta.

– Fuir? L'Allemagne? Vous, mademoiselle, vous êtes...

– Allemande.

– Pour qui me prenez-vous, mademoiselle Greta? Et vous, se retournant vers Jesus, avec un nom comme le vôtre, vous êtes...

– Musicien, répliqua Jesus en riant gauchement.

– Vous avez faim? Alors, quand je saurai qui vous êtes, vous aurez droit au restant du repas de Noël offert à l'équipage. D'ici là, je vous mets aux arrêts dans une chambre.

– S'il vous plaît, l'interrompit Greta, je voudrais...

Elle ne put terminer sa phrase. Elle s'effondra aux pieds du marin qui allait l'escorter. Le capitaine et Jesus se précipitèrent.

– Si vous saviez de quel enfer elle sort, dit Jesus en lui tapotant le visage.

– Je sais, je sais, grogna Velder. Vous sortez tous de l'enfer. C'est chaque fois la même chose. Mais savez-vous dans quel enfer vous me précipitez, moi? C'est sept mille dollars d'amende par passager clandestin. Sept mille! hurla-t-il en ordonnant d'un geste sec et autoritaire qu'on aide Jesus à transporter la jeune femme dans une cabine.

Lorsque Greta ouvrit les yeux, elle vit s'approcher doucement le visage de Jesus qui émergeait du brouillard. Une chaleur étouffante régnait dans la petite chambre aux lits superposés. Dans un coin, le lavabo; dans l'autre, le cabinet d'aisances. Entre les deux, une penderie flanquée d'une chaise de bois. Un minuscule hublot ouvrait discrètement l'œil sur l'horizon givré de l'Atlantique Nord.

– Le capitaine doit savoir qui vous êtes, dit le marin avant de les quitter. Il doit avertir les autorités du prochain port où vous serez débarqués...

– Débarqués? enchaîna Greta. On va nous débarquer?

– Mais oui! Vous ne pouvez rester à bord pour toujours, dit l'homme en riant.

Jesus et Greta se laissèrent enfermer.

Une demi-heure plus tard, Greta sentit une petite coulée tiède glisser le long de ses cuisses. Discrètement, elle entrouvrit la robe de chambre. Deux filets de sang exploraient lentement ses jambes blanches. Elle s'allongea sur le lit inférieur, les jambes serrées, espérant freiner le saignement.

– Jesus, tu devrais appeler le gardien. Il faut tout lui dire. Ça n'a plus d'importance maintenant. Nous débarquerons au Brésil. D'ici là, nous mangerons, nous dormirons, nous referons nos forces...

– Et notre vie.

«Notre vie», songea-t-elle. Elle s'était évadée de son corps, cette vie. Elle fuyait comme elle, Greta, n'avait cessé de le faire depuis huit mois. «Et pourquoi ma vie ne ferait-elle pas comme moi? Pourquoi mon sang serait-il si différent de moi? Cet enfant qui s'est éclipsé n'était-il pas de moi et d'un homme qui, lui aussi, avait décidé de partir?» Un enfant qui avait fui la vie avant que la vie ne le force à fuir. Une vie empruntée, dérobée, escroquée à la mort, qui finit toujours par réclamer son dû. Pourquoi, à vingt ans, fallait-il se battre avec le temps comme si ses jours étaient comptés? Pourquoi ce navire, cet Atlantique, ce Brésil alors qu'elle rêvait d'une chambre, d'une rue, d'une Allemagne?

On frappa à la porte. En déclinant leurs noms et nationalités, ils allaient maintenant manger. Un nom, un pays pour un plat de poulet. Et peut-être la liberté.

\* \* \*

– Vous rêvez donc au Brésil? demanda le capitaine en leur offrant du thé. Vous l'imaginez comment, le Brésil?

– C'est la vie, la chaleur, la liberté, répondit Jesus en se servant un deuxième morceau de bûche de Noël.

Greta fixait son assiette à moitié pleine.

– Et vous, mademoiselle, vous ne pouviez plus vivre en Allemagne?

– Nous ne sommes pas des criminels, répliqua-t-elle d'une voix douce et ferme. Nous aimions l'Allemagne, mais des gens nous ont chassés. Notre vie était menacée.

– Vous savez, enchaîna Jesus, il y a des Allemands qui ne veulent plus voir des gens comme nous dans leur voisinage.

– Je vois, fit le capitaine. Et vous croyez qu'au Brésil ce sera mieux?

– Nous n'avons rien à perdre, dit Jesus.

– Eh bien, moi, j'ai une meilleure suggestion à vous faire, dit Velder. Ce n'est pas au Brésil que vous allez tenter votre chance. Mais au Canada!

Greta et Jesus étaient tétanisés.

– Dans quelques jours, ce navire déchargera sa cargaison à Montréal, au Canada, avant de repartir vers l'Europe.

– Mais le Brésil... On nous avait dit que vous vous dirigiez vers le Brésil...

– Qui vous a dit cela? Les passeurs sans doute...

– Oui, justement...

– Ils font le coup à tout le monde à ce temps-ci de l'année. Je connais peu de gens qui risqueraient de débarquer au Canada en plein hiver! C'est pourquoi les passeurs parlent toujours du Brésil, du Chili.

– Mais sur notre conteneur, c'était inscrit «Sao Paulo».

– Ça ne veut pas dire que le navire se rend au Brésil. Ce conteneur, nous le débarquons à Montréal, d'où il sera acheminé vers le Brésil par un autre cargo. Voilà tout.

Ils regagnèrent leur cabine en silence. La porte ne fut pas verrouillée.

* * *

Dans le lit supérieur, Jesus ronflait. Éveillée, Greta essayait d'imaginer le Canada. Elle se souvenait vaguement des cartes postales affichées au café des Jeunes de Konak; elle se rappelait avoir vu le mot «Canada», mais ne pouvait y accoler aucune image, aucun paysage. Un souvenir blanc. Comme la neige et le froid. Elle sentit une petite mare tiède mouiller ses fesses. Elle glissa ses doigts entre ses cuisses. Elle saignait encore un peu. Elle frissonna à l'idée de mourir au bout de son sang. Jesus s'éveillerait, l'appellerait et elle ne répondrait pas. Il s'approcherait du lit, lui toucherait l'épaule, lui caresserait le front. Il hurlerait au contact de sa peau froide. En retirant les couvertures, il découvrirait un immense tcharchaf de sang brunâtre dans lequel serait figé à jamais le corps vide d'une jeune femme libérée de sa vie d'errance.

Un creux de vague aspira la proue du navire. Projetée contre le mur, Greta sortit de son cauchemar. Elle sentit que l'Atlantique ne la laisserait pas mourir tranquille. Il lui fallait d'abord vaincre le mal de mer avant de disparaître. Le bateau sembla surgir du fond de la mer et s'enfoncer bravement dans la tempête. «J'ai sûrement autant de courage que le navire», se dit-elle en s'accrochant au bastingage de son petit lit. Elle s'étonna de sourire de nouveau. Elle glissa sa main entre ses cuisses. Machinalement, elle massa son sexe comme on berce un enfant pour calmer ses pleurs. Un geste qui, répété pendant les jours qui suivirent, contribua à freiner les saignements.

*  *  *

Une vingtaine d'hommes attablés frappaient dans leurs mains en cadence. À l'arrière de la salle à manger, trois marmitons rythmaient leurs discrets pas de danse en frappant des casseroles avec des cuillères. Après quelques jours de tempête, la mer essoufflée refaisait ses forces dans une accalmie digne des tropiques. Debout sur une table, Jesus, guitare à la main, chantait, bougeait, roulait des hanches devant un auditoire ravi que le capitaine permette de fêter la fin de l'année. Jesus avait, la veille, obtenu de Velder l'autorisation de visiter le navire. Son charme et sa convivialité avaient séduit tout le monde, au point que ce couple de passagers clandestins semblait maintenant faire partie de l'équipage. C'est ainsi qu'un Philippin lui avait prêté sa guitare et qu'en retour il avait offert au premier officier d'organiser une fête.

Les rumeurs de la fête ne parvenaient pas aux oreilles de Greta, qui avait choisi de demeurer au lit pour éviter que l'hémorragie appréhendée ne reparte de plus belle. En jetant un coup d'œil au hublot, elle sursauta. Au loin, elle distinguait bel et bien des taches de lumière qui, par grappes irrégulières, dessinaient les contours d'une zone de vie. Soudain un puissant point blanc vint clignoter à deux reprises dans l'encre de la nuit. Un appel. Une salutation. Une furtive trace de craie sur le tableau noir de l'Atlantique.

Dans la petite glace de la penderie, elle remarqua ses traits tirés. Elle avait perdu du poids. Les cernes sous ses yeux dessinaient des écuelles dans lesquelles elle avait beaucoup versé de larmes depuis plus d'un an. «Je ne veux plus pleurer. Jamais. Bonne année, Greta!» murmura-t-elle.

Elle s'approcha du miroir et posa doucement ses lèvres sur les siennes en fermant les yeux.

## 22

Le *Canmar* ralentit. Un brouillard avait enveloppé le navire. La corne de brume lançait de longs gémissements qui venaient mourir dans le fracas de l'eau qu'on entendait mais qu'on ne voyait plus. Intrigués, Jesus et Greta se collèrent au hublot. C'est alors, tel un fantôme, qu'un minuscule navire s'approcha de la coque du géant porte-conteneurs. Dans la cabine, on distinguait trois hommes vêtus de rouge. L'un d'eux sortit sur le petit pont arrière et fit de grands signes de la main comme s'il saluait le couple posté derrière le hublot.

– La police, dit Greta. On vient nous arrêter.

– On va nous débarquer sur une île.

Le petit bateau naviguait maintenant parallèlement au *Canmar*. Les vagues le faisaient monter et descendre comme un bouchon. Tout à coup, une longue structure de métal descendit tranquillement au-dessus des eaux. Le petit bateau s'approcha encore un peu. L'un des hommes saisit prestement ce qui semblait être la rampe d'un escalier pour monter à bord du porte-conteneurs.

On frappa à la porte de la cabine.

– La police! réagit Greta.

– Qui est là?

– *Lunch time!*

Le marin les escorta à la salle à manger et les installa près des cuisines. Après le potage, Greta demanda la permission de se rendre aux toilettes. Elle venait à peine de s'absenter que l'homme qu'on avait vu monter à bord entra dans la salle à manger. Il retira son parka rouge, qu'un sous-officier s'empressa de suspendre. L'homme regarda lentement autour de la pièce. «Il vient nous chercher», se dit Jesus en baissant la tête.

Le brouillard enveloppait toujours le cargo; on entendait la corne mugir régulièrement. Jesus imagina le petit bateau collé aux flancs du *Canmar*, son équipage attendant le retour de l'officier pour emmener les deux passagers clandestins sur une île. Sur une île norvégienne, danoise ou britannique? Impossible de savoir où était rendu le navire. Était-ce encore la mer? Ce ne pouvait être le Canada, car on n'avait pas encore vu de terre. Le cargo avait sans doute été retardé par la tempête.

Jesus commença à s'inquiéter de l'absence de Greta. L'officier, seul à sa table, déplia un journal, leva les yeux vers la salle, fixa Jesus et rangea son journal alors qu'on lui apportait son potage. Jesus n'osait aller chercher Greta, de peur d'attirer l'attention. On apporta son plat et celui de sa compagne : un ragoût au curry. Intrigué, le serveur demanda dans un anglais approximatif s'il fallait rapporter l'assiette de la *lady* aux cuisines. Jesus fit signe que non; elle serait là d'un instant à l'autre. On servit le même plat à l'officier, qui, avant de prendre sa première bouchée, regarda de nouveau en direction de Jesus, qui baissa la tête. La corne de brume se fit entendre. Greta ne revenait toujours pas. Jesus avala son repas et demanda qu'on le ramène à sa chambre. Il expliqua au marin qui l'accompagnait que Greta s'était sentie mal et qu'elle était retournée dormir. Quand il passa devant la table de l'officier, celui-ci le salua et lui demanda s'il était un passager.

– Oui, balbutia Jesus, accélérant le pas pour sortir le plus vite possible.

Il frappa à la porte de la cabine. Pas de réponse. Un rapide coup d'œil. Personne. Le capitaine ordonna une fouille systématique du navire. Malgré ses protestations, on enferma Jesus dans sa cabine. Deux membres d'équipage parcoururent les dix étages des quartiers habitables du navire. Chaque coin fut inspecté. Tous les employés furent informés de la fugue de la prisonnière; car elle était bel et bien sous arrêt. Au bout de trois heures, les deux marins informèrent le capitaine des résultats de leurs recherches : rien. Aucun indice, aucune piste. Seul un aide-cuisinier l'avait vue passer et disparaître par une porte donnant sur l'escalier qui mène aux ponts. Deux autres hommes prirent la relève.

Jesus rageait; autant contre Greta que contre cet officier venu les cueillir. Le brouillard empêchait de voir le petit bateau, qui naviguait sans doute en parallèle. La corne de brume meuglait toujours. Et voilà que des rafales de neige semblaient annoncer une autre tempête; le *Canmar* roulait de plus en plus entre les vagues. Un officier frappa à la porte.

– Monsieur! Le capitaine demande que vous vous joigniez à nous pour les recherches.

Pendant une autre heure, Jesus allait découvrir les couloirs, les escaliers, les chambres et les salles de cette caverne flottante. Au début, il ne disait mot. Puis, incapable de se retenir plus long-temps, il se mit à appeler Greta. Entre chaque coup de corne, il pouvait scander jusqu'à dix fois le prénom de sa maîtresse. À la fin, il le hurlait et la suppliait de se montrer. Rien n'y fit. Épuisé, suant à grosses gouttes, il demanda à retourner dans sa cabine. Il se mit machinalement à fouiller les lieux, même s'il était impos-sible de se dissimuler dans un espace aussi minuscule. Il remarqua soudain que l'anorak de Greta avait disparu. Il l'imagina un instant se précipitant dans les eaux glacées de l'Atlantique. Il sortit en coup de vent. L'officier tenta de l'arrêter.

– Dehors! Il faut monter sur le pont! cria-t-il en entraînant son gardien.

Ils étaient maintenant une demi-douzaine d'hommes à grelotter en tentant de marcher sur le pont du navire. Le froid intense ralentissait les gestes. Jesus frappait sur les conteneurs givrés, dérapait, reprenait pied, luttait contre le vent qui commençait à chasser le brouillard. La nuit allait envahir l'espace lorsqu'il eut l'idée de retrouver le conteneur baptisé «Sao Paulo». L'équipage découvrit une échelle sur les flancs glacés des blocs de métal superposés. Jesus insista pour monter, mais on le lui interdit. Un Philippin grimpa pendant que les autres empêchaient l'échelle de glisser. Jesus avait le regard fixé sur la porte du cube rouge, qu'on devinait mal fermée. Hurlant contre les morsures du froid, le marin réussit à entrouvrir la porte. Malgré le vent, les hommes l'enten-dirent crier : «*There she is!*» Deux autres hommes montèrent, suivis de Jesus qu'on ne put retenir. Ses doigts congelés arrivaient à peine à s'agripper à l'échelle. Greta était étendue par terre, inconsciente. Ses lèvres bleuies laissaient craindre le pire. On la gifla pour lui faire reprendre conscience. Elle ne bougeait pas. En soulevant ses paupières, Jesus découvrit avec horreur des yeux vitreux.

Les vagues rendaient le bateau de plus en plus instable. Il fallait agir vite. Le plus costaud des marins souleva le corps inerte, le plaça sur son épaule et entreprit de redescendre par cette échelle dont les embruns avaient déjà glacé les barreaux. Sous le poids du corps, il perdit pied et bascula presque dans le vide. Il rattrapa de justesse l'échelle, que retenaient difficilement deux autres marins. Jesus tremblait de froid et de peur. Les yeux exorbités, il fixait le corps sans vie que l'homme transportait comme un gros sac de farine. On arriva à compléter l'opération. Le vent fit claquer furieusement la porte du conteneur, comme si un mauvais esprit avait été empêché de faire son travail.

*  *  *

Dans l'infirmerie, on suffoquait. Impuissant, pleurant à chaudes larmes, Jesus regardait un officier tenter de ranimer Greta, enveloppée dans des couvertures et placée sous oxygène. Elle ne réagissait pas. Puis, lentement, elle remua un doigt, son cou se tordit légèrement, et tout son corps se mit à trembler. «*She is alive*», murmura calmement l'officier. Jesus se précipita. On le laissa caresser les cheveux de celle qui lui avait fait vivre l'amour, la vie et la mort en une seule journée.

Quelques heures plus tard, revenue de ses émotions, elle demanda au premier officier qui vint la voir si on l'avait débarquée du navire et retournée en Allemagne.

– Mais non. Pourquoi vous aurait-on débarquée?

– Cet homme en rouge venu sur un petit bateau, ce n'était pas pour nous emmener sur une île?

L'officier sourit et lui expliqua que le cargo était maintenant entré dans les eaux canadiennes et qu'il fallait des pilotes spécialisés pour naviguer sur le Saint-Laurent. Cet homme était un pilote et non un policier.

*  *  *

Une terre blanche et vide. Une terre de roche piquée d'arbres rabougris et tenaces. Une terre dure et ravinée, comme le visage des hommes de Konak. Un pays de neige et de glace. Un espace fou où le vent, sans contrainte, hurlait sa démesure. C'était donc ça, le Canada.

Le front appuyé contre le hublot givré, Greta avalait du regard les rives désertes du fleuve Saint-Laurent. Deux jours dans cette échancrure large de cent kilomètres que les gens du pays appellent «la mer» tellement les berges sont éloignées. Deux longs jours à voir défiler la rive gauche où parfois les forêts tailladées laissent courir librement de puissantes lignes de transport du courant électrique qui semblent surgir de nulle part et filer vers l'inconnu. Puis un village. Encore des forêts. Puis une petite ville. Toujours des forêts. Parfois un autre navire, couvert de glace, semblait fuir le pays tellement le courant de ce fleuve-mer était puissant. Était-ce donc ici qu'enfin elle allait arrêter sa fuite vers la mort et trouver un cadre à sa vie, un espace pour sa liberté?

Il semblait n'y avoir personne dans ce pays de neige. Un désert blanc. Mohammed lui avait parlé du désert, de *son* désert à la frontière du Yémen. Elle n'avait jamais imaginé le désert froid, couvert de forêts. Elle revit le beau visage de Mohammed, la douceur de son sourire, la chaleur de son regard. Sur la vitre embuée du hublot, elle dessina machinalement une tête. La même qu'elle avait tracée un jour dans la grande fenêtre du car qui l'emmenait vers Denizli. Cette fois, il n'y avait d'espace que pour une seule personne sur la surface du petit hublot. Émue, elle détourna les yeux vers le lit, où Jesus faisait la sieste. «Qui est donc cet homme? Un autre compagnon de fuite? La liberté? La passion? L'amour?»

\* \* \*

Jesus semblait pouvoir échapper à toutes les contraintes. La vie se glissait, heureuse, sous sa peau ambrée pour resurgir comme un torrent explosif au bout de ses mains magiques. Une vie devenue amour et musique. Au milieu d'un fleuve rebelle, au seuil d'une terre inconnue, il savait dormir, un sourire reposant sur ses lèvres à demi ouvertes. Ils avaient tous deux été forcés de quitter un pays aimé. Pendant qu'elle, Greta, semblait à bout de souffle, lui, Jesus, se laissait couler vers l'aventure. L'Allemagne, il ne l'avait jamais vraiment choisie. On l'avait invité à s'y rendre travailler; il avait décidé d'y rester. Simplement. Rien ne l'attirait vers Cuba, où pourtant sa famille recevait de temps à autre de ses nouvelles et un peu d'argent. Son père, qui l'avait nommé Jesus à la suggestion d'un jésuite, ne désespérait pas de le revoir malgré les cataractes qui lui voilaient la vue de plus en plus. Mais, à trente-six ans, sa vie prenait un virage qui ne semblait pas l'inquiéter. Il n'allait pas encore à l'école quand Fidel Castro avait révolutionné son pays. Il avait d'abord goûté aux avantages d'un régime communiste dont les efforts avaient permis à toute une population d'avoir accès au travail, à un système de santé public, à l'instruction gratuite et à une certaine répartition de la richesse. Il s'était ensuite éveillé aux carences du régime, surtout à l'absence de liberté. Il avait donc choisi de s'évader par la musique. Ce qui l'avait conduit en Allemagne de l'Est. Aujourd'hui, assoupi dans le lit d'un navire, il se laissait emporter par le rythme des vagues. Il n'avait jamais vraiment eu en main sa destinée. Comme beaucoup d'hommes de son âge, élevés dans la culture communiste de l'irresponsabilité, il avait appris naturellement à fuir vers l'intérieur, dans cette zone secrète de l'âme où nul ne peut se faire dicter son mode de vie. Il savait maintenant mimer les gestes de l'obéissance, fondre ses désirs dans le moule perméable de la soumission, naviguer entre les diktats pour mieux profiter de l'instant présent. Il n'avait choisi ni l'Allemagne, ni le Canada, ni Greta. Il s'était laissé choisir. Aucun vent contraire ne pouvait le dérouter, car il n'avait pas d'itinéraire. Une seule chose lui semblait inacceptable : retourner à Cuba.

Le lendemain, le brouillard avait abandonné le ciel à la neige. Tard dans la soirée, le *Canmar* ralentit de nouveau. Greta s'approcha du hublot. Elle fut éblouie. Une ville trônait sur une falaise. Tout en haut, un château, une véritable forteresse dont les murs et les contours baignaient dans des faisceaux de lumières multicolores. Ce pays était donc habité.

Un autre petit bateau s'approcha du *Canmar*. L'escalier de métal fut de nouveau abaissé. L'homme au parka rouge en descendit, sauta à bord de la navette, serra la main d'un autre homme à parka rouge qui, à son tour, monta à bord du cargo. Le petit bateau s'éloigna vers cette ville de neige qui scintillait dans l'écrin noir d'une nuit glaciale. Le porte-conteneurs reprit de la vitesse.

– Ce n'était donc pas Montréal, fit Jesus.

– Que va-t-il nous arriver ?

– Vivre. Nous allons vivre, Greta. Nous allons demander l'asile. Des réfugiés, n'oublie pas ; nous sommes des réfugiés, pas des immigrants.

– Réfugiés de l'Allemagne ? Jamais on ne nous croira.

– Des réfugiés venus d'Allemagne. Ce qui importe, ce n'est pas l'Allemagne mais le pays que nous fuyons. Moi, c'est Cuba. Toi…

– Moi, c'est mon père…

– Ton père, ce n'est pas un pays.

– Mon pays, c'était l'Allemagne ; mon père m'en a chassée.

Greta s'examina dans la glace de la penderie. Elle saisit ses cheveux à deux mains et les releva.

– Regarde, Jesus. Regarde ce qu'il a fait, mon père.

Les mains dans sa chevelure, elle fouilla la cendre qui envahissait les derniers faisceaux mordorés de son rêve germanique.

– C'est le pays noir que je fuis.

L'angoisse inavouée de débarquer dans un pays inconnu les fit dormir ensemble pour la première fois depuis l'avortement survenu dans le conteneur. Enlacés, ils arrivèrent difficilement à fermer l'œil, sachant que dans quelques heures ils quitteraient le navire. Subitement cette prison flottante leur parut un nid confortable. Ils se caressèrent longuement, retrouvant naturellement les gestes qui, quelques semaines plus tôt, les catapultaient dans les sphères éclatées de la passion.

Ils furent réveillés par des bruits sourds et irréguliers. On aurait dit que quelqu'un martelait les flancs du navire. Encore endormie, Greta se glissa vers le hublot : la surface du fleuve était parsemée de blocs de glace qui heurtaient l'arrogante coque d'acier du *Canmar*. L'ombre du géant dessinait sur ces îlots givrés des taches sombres qui rapidement s'estompaient pour laisser les premiers rayons du soleil les colorer d'une pellicule orangée. Le fleuve exhalait des bouffées de brume comme autant de hurlements muets sous la torture des vents sauvages descendus de l'Arctique. Blessé, le Saint-Laurent fumait de partout. Il livrait un dernier combat contre l'hiver, qui le tapisserait de glace avant la fin de la journée.

Un formidable coup de klaxon fit sursauter Greta. À travers le rideau effiloché des volutes glaciales, des grues géantes semblaient saluer l'arrivée du navire. Derrière elles émergeait le cou d'une longue girafe de béton. Une immense tour inclinée défiait les lois de la gravité en s'allongeant démesurément au-dessus de l'arc arrondi du toit d'un édifice. «Sans doute un stade.»

Le navire progressait en fracassant les morceaux de glace qui couraient partout sur la surface gélatineuse de l'eau. Le spectre d'une ville traversa soudain l'écran du brouillard et fixa dans les yeux de Greta l'image du temps qui, enfin, allait arrêter de fuir devant la vie.

Là, devant elle, un port, une rue, des maisons, des voitures. La neige avait blanchi la ville comme une glace sur un gâteau d'anniversaire : partout le sucre de l'hiver décorait les arbres dépouillés, saupoudrait la brique rouge des maisons et enveloppait le dos arrondi d'une grosse butte au pied de laquelle la ville s'était blottie. Greta sourit. Sentiment de confort, de protection, de bienêtre. Les habitants de cette ville devaient être chaleureux pour avoir su résister à l'hiver.

Un autre coup de klaxon acheva de réveiller Jesus. Jetant un œil par le hublot, il fut, lui, sidéré. Personne dans les rues ; que des voitures et des maisons qui fumaient devant l'agression du froid. Un port à moitié vide ; des bateaux qui déchargaient des montagnes de sel. Et le béton arrogant du stade olympique. Aucun bar, aucun bistrot en vue. Et cette petite montagne chauve qui semblait dormir sous un bonnet de nuit ridiculement blanc.

– Quelle tristesse après Berlin !

– Tu préférerais Cuba ? lança Greta.

Un autre coup de klaxon permit à Jesus de ne pas répondre. Lorsque le *Canmar* colla son ventre rouge aux quais givrés de Montréal, Greta sentit qu'un chapitre de sa vie se terminait. Calmement, elle enlaça Jesus, mit sa tête sur son épaule et, de ses lèvres amaigries, tenta d'apaiser le cœur de son compagnon inquiet. Il voulut parler, dire n'importe quoi, mais elle glissa son index sur ses lèvres charnues.

– Ne dis rien, chuchota-t-elle. Écoute le silence.

Plus rien. Plus un bruit. Après des mois d'errance et des semaines d'angoisse, après des jours de roulis et de tangage, la vie s'était aplatie comme une ligne droite et muette. Quelqu'un, quelque part, avait enfin trouvé l'interrupteur de la fuite.

Trois coups secs frappés à la porte les séparèrent.

– Qui est là ?

– Le commandant veut vous voir. Maintenant.

La porte de la capitainerie s'ouvrit sur Velder assis sur le coin d'une grande table de bois.

– Les voici ! grogna-t-il. Quatorze mille dollars !

Du fond de la pièce, Greta et Jesus virent s'avancer deux officiers de police. Le couple de fugitifs se figea.

– *English ?* Français ? demanda gentiment l'un des deux hommes. *You speak…*

– *English*, répondirent-ils simultanément.

– Nous sommes officiers des douanes. Nous avons été informés de votre présence illégale à bord de ce navire. Avez-vous des pièces d'identité?

Greta et Jesus firent signe que non.

– Nous devons connaître vos noms, votre origine et les raisons de votre présence à bord du *Canmar*. Veuillez nous suivre.

Encadrés par les deux officiers, Greta et Jesus sortirent sur la passerelle. Une violente morsure raidit tous leurs muscles. Les crocs glacés du vent du nord perforaient leur chair sous un soleil éblouissant. Les larmes aux yeux, ils descendirent maladroitement un long escalier qui les livra, incrédules, à l'Amérique. Épongeant leurs yeux, ils découvrirent des photographes et cameramen qui filmaient leur arrivée. Naturellement, Jesus reprit contenance, étala son plus beau sourire et salua de la main. Éberluée, Greta éclata de rire de voir ainsi Jesus-la-star renaître si rapidement.

– Pourquoi des photographes? demanda Greta qui marchait près d'un officier.

– Le hasard. Les journalistes sont ici aujourd'hui parce que le *Canmar* est le premier navire à pénétrer dans le port de Montréal cette année. C'est une coutume.

– Et pourquoi nous?

– Ils ont sans doute été informés que vous êtes des passagers clandestins. Et, à cette période de l'année, il n'y a pas beaucoup de nouvelles. Alors, ils prennent tout ce qui passe.

Ils s'engouffrèrent dans une camionnette dont la cabine était surchauffée.

– Mais il n'y a personne dans votre ville! s'inquiéta Jesus.

– C'est le congé des fêtes du nouvel an, répondit l'un des officiers.

Jesus et Greta n'en revenaient pas. Personne. Pas un seul piéton sur les trottoirs. À peine quelques voitures dans cette immense rue pavée de neige durcie.

– Où allons-nous? demanda simplement Greta.

– Bureau de l'Immigration, répondit sèchement un des deux hommes.

– En prison?

– Non, non, s'esclaffa le chauffeur. On enquête, puis on vous donne un logement. Après…

Greta comprit mal la fin de la phrase, la camionnette doublant un duo de chasse-neige aussi bruyants qu'imposants par leur taille et leur allure martiale. Le boulevard désert traversait des raffineries agglutinées sur les quais. Quelques rues transversales révélaient une usine, un parc de camions, une base militaire bourrée de matériel des Nations unies. La camionnette croisa un autre duo de chasse-neige. Des blindés de la guerre froide. Puis on vit des maisons, un quartier, des parcs sans flâneurs, des feux de circulation, de grands édifices et un robuste pont vert qui lançait ses flèches d'acier de l'autre côté du Saint-Laurent. Le boulevard plongea dans un tunnel au moment où des quartiers qui semblaient habités allaient révéler leur visage et, sans doute, leurs populations. On franchit ainsi quelques kilomètres dans le ventre de Montréal, où il semblait tout à coup faire chaud. La camionnette refit surface au milieu de superbes gratte-ciel, d'élégantes demeures et d'un nombre étonnant de boutiques et de grands magasins. Vide. Partout c'était vide. Seuls les mannequins dans les vitrines rappelaient qu'il devait y avoir une vie dans cette ville qui n'était pas Sao Paulo.

* * *

– Vous désirez une ou deux chambres?
Était-ce à cause du congé, du week-end ou d'une politique d'accueil incroyablement ouverte? Toujours est-il que Greta et Jesus s'étaient retrouvés en moins de deux heures dans un bâtiment confortable, à la fois centre de détention et auberge de jeunesse.
– Une seule chambre, avaient-ils répondu à l'unisson.
Les officiers des douanes les avaient d'abord poliment questionnés dans un bureau situé sur les quais. Nom, âge, origine, statut, raisons de leur fuite. Avaient-ils des papiers, de l'argent? Ils ne demandaient rien d'autre que le statut de réfugiés. De l'argent, ils en avaient assez pour survivre jusqu'à ce qu'ils trouvent du travail et un petit logement. Elle était turque mais presque allemande; lui était cubain et anticommuniste. Oui, ils formaient un couple. Non, ils n'avaient pas d'enfant et ne désiraient pas faire immigrer leur famille. La langue anglaise : pas de problème. Le français? On n'en savait rien avant d'arriver.
– On vous emmène au Centre d'accueil des immigrants.

215

– Nous ne sommes pas des immigrants mais des réfugiés, avait prestement répliqué Jesus.

– Vous serez logés et nourris jusqu'à ce que des fonctionnaires du ministère de l'Immigration vous interrogent au début de la semaine prochaine. D'ici là, vous ne pourrez quitter ce Centre.

La chambre était propre, avec deux lits, une salle de bains, la télé et quelques brochures sur le Canada et le Québec traduites en dix langues et abondamment illustrées.

– Le Québec? demanda Greta.

– Oui, j'ai déjà entendu ce nom. Ça doit faire partie du Canada…

Pendant que Greta coulait son corps fatigué dans l'eau trop chaude de la baignoire, Jesus s'allongea sur son lit, et télé-commande à la main, il entreprit de découvrir l'Amérique. Tel un enfant laissé sans surveillance dans une confiserie, il butinait d'une chaîne à l'autre, passant des États-Unis au Canada, du français à l'anglais, à l'espagnol, à l'italien, du football américain à un match de hockey sur glace, des maisons à vendre à la météo permanente, de la vie sexuelle des singes de l'Amazonie au pati-nage artistique, de CNN à TV-5, du golf à un cours universitaire sur l'aménagement urbain à Montréal, du rap à une biographie du pape Jean-Paul II. Il ne pouvait circuler en ville, mais voyageait partout dans le monde sous la simple pression d'un doigt pa-resseux. Assoupie dans la baignoire, Greta l'entendait rire et s'amuser. Il parlait seul, en espagnol. Elle le devinait en grande conversation avec la télé, à qui il devait raconter plein de joyeux mensonges et de demi-vérités sur son bonheur d'être là, libre, quelque part en Amérique.

Épuisée, elle se hissa hors de l'eau tiède, s'enroula dans un grand drap de bain et s'approcha de Jesus.

– Tu baisses un peu le volume de la télé? Je vais m'étendre et dormir; je n'en peux plus.

Elle se pencha vers lui, découvrant légèrement des seins gonflés, et l'embrassa tendrement. Il parut surpris et un peu dérangé. Il sourit distraitement et continua de regarder ces images télévisées qui le fascinaient tant. Greta sentit un petit soupçon de tristesse, sourit de nouveau et s'effondra sur son lit, où le sommeil l'aspira totalement en quelques secondes.

Jesus se régala tout l'après-midi de cette découverte. Capitaine d'un navire immobile, il faisait, du bout des doigts, apparaître et disparaître à volonté les destinations, les pays, les continents. Cette chambre était un conteneur lumineux qu'il déposait sur les quais de ses rêves, dans un Brésil de neige que la chaleur de la musique afro-cubaine transformerait bientôt en rivières d'or. Jesus rêvait.

Greta rêvait aussi.

En déposant le pied sur le quai, subitement tout avait disparu. Plus de navires, de fleuve, de ville : tout était blanc. Un grand vide blanc, un désert sans sable ni rochers, une absence totale de vie. Elle flottait, nue, dans un monde oblitéré, sans odeur, sans son, sans couleur, sauf celle de ses longs cheveux noirs qui l'enveloppaient d'une carapace veloutée. Blanc *et* noir. La vie avait tranché. Elle n'avait plus à choisir. Apaisée, elle se déposait lentement entre les mains invisibles d'une Taylin protectrice qui allait la bercer pour la vie dans l'univers immobile du vide et de l'absence ; dans l'interstice d'une entre-vie ; au-delà du temps ; en deçà de la mort. Enfin elle s'évadait de la fuite.

– Chérie ! Greta ! Viens voir !

La voix de Jesus la secoua.

– Viens vite ! C'est notre navire !

Arrachée à son rêve, elle entrouvrit les yeux. Jesus regardait un journal télévisé. Le *Canmar* venait d'accoster. Des officiers souriants saluaient. Des hommes en tenue de ville serraient la main du capitaine Velder.

– Qu'est-ce que c'est ? demanda Greta, encore endormie.

– Je ne sais pas. C'est Velder. Je ne comprends rien à ce que raconte la journaliste.

– Elle parle français ?

– Sans doute. Regarde ; ça doit être pour cela que les photographes étaient là : le premier navire de l'année.

– Regarde : c'est nous !

Estomaqués, Jesus et Greta se virent descendre la passerelle, accompagnés des officiers des douanes. Jesus s'esclaffa quand il se vit saluer de la main à la caméra.

Ils écoutèrent attentivement et crurent reconnaître les mots «réfugiés», «conteneur», «Brésil». La séquence dura moins d'une minute ; on les voyait finalement monter à bord de la camionnette, qui s'éloignait sur le quai.

Greta secoua la tête ; la vie blanche et déracinée de son rêve se fracassait dans l'écran de la réalité : elle était dans un pays noir où les mèches blondes de ses cheveux n'enveloppaient que sa tête encore pleine des violences et des soubresauts de sa vie de fuyarde. Jesus, lui, souriait. Il se voyait déjà reconnu, chantant chaque soir sur la scène d'un grand hôtel de Montréal. Et riche. On frappa à la porte.

– *Dinner time*. Souper.

La voix s'éloigna dans le couloir, où elle répéta son invitation. En se glissant hors du lit, Greta déposa la main sur les draps.

– Jesus! Ah non!

Il fit de la lumière. Elle tremblait légèrement. Une grosse tache de sang maculait le drap.

– Chérie, c'est affreux.

Il se précipita vers la porte pour rattraper celui qui les invitait au repas.

Dix minutes plus tard, couchée sur une civière, la main accrochée à celle de Jesus, sous les yeux rassurants d'un accompagnateur, Greta franchissait cette ville inconnue dans une ambulance jaune.

* * *

– Syn-to-ci-non.

– Qu'est-ce que c'est?

– Un médicament. On va me garder ici encore une journée. Avec le synto…, on va contracter l'utérus. Ça ira.

Elle s'endormit doucement, le doigt ancré au filet d'or qui courait sur son cou comme un sentier circulaire sur lequel la vie revenait sans cesse à son point de départ.

# 23

– Tu crois vraiment que ça nous aidera?
– J'en suis sûr, Greta. La publicité, y a que ça!
Ébahis, Jesus et Greta fixaient cette page du journal où paraissait leur photo.

Ils étaient maintenant installés depuis quelques jours au Centre d'accueil du ministère de l'Immigration. Alertée par le reportage télévisé, une journaliste du *Journal de Montréal* avait réussi à contacter Jesus pendant l'hospitalisation de Greta. Il avait raconté leur fuite de l'Allemagne et la traversée de l'Atlantique en conteneur. Un photographe était venu les rencontrer le jour de la sortie d'hôpital de Greta. Et ce matin, photo couleur à la une, le quotidien publiait l'aventure du couple à bord du *Canmar*. Évidemment, il n'avait pas tout dit; rien sur la mort de Mohammed; rien de la fausse couche. Mais, habilement, Jesus avait joué la carte de l'anticommunisme et souligné le sort fait aux femmes dans certains pays musulmans, pour justifier la fuite de Greta.
– Tu n'aurais jamais dû dire une telle chose, lui reprocha Greta. Je ne suis pas musulmane; c'est ma famille qui l'est. Et puis je n'ai rien contre la religion. Je veux simplement être libre.

\* \* \*

Aujourd'hui, on leur permettait de s'absenter du Centre. Ils pouvaient y habiter jusqu'à ce qu'ils dénichent un appartement. On allait les aider.

Même dans le conteneur, Jesus n'avait jamais eu aussi froid. «Il vous faut des bottes fourrées, des vêtements chauds, des gants, un chapeau», les avait prévenus la journaliste. Jamais ils n'avaient cru possible que des humains eussent à endurer pareil climat.

Ils n'avaient fait que quelques mètres et déjà ils ne sentaient plus leurs pieds. Jesus chaussé d'escarpins et Greta, d'une paire de chaussures sport, ils attiraient les regards étonnés des passants. Tête et mains nues, le couple n'était vêtu que d'un anorak et d'un jeans. Par moins 27 degrés Celsius, les aiguilles du vent perforaient l'épiderme. Un stylet de cuivre chaud allait les atteindre au cœur quand ils parvinrent in extremis à la bouche de métro, qui les aspira promptement.

À peine avaient-ils franchi deux stations de métro qu'ils comprirent pourquoi cette ville leur paraissait si vide, si déserte. En hiver, Montréal vivait sous terre.

Des milliers de personnes circulaient en tous sens. Des kilomètres de rues souterraines, éclairées, chauffées. Des sons, des odeurs, des drames, des musiques, des joies folles : la vraie vie était là, tapie à quelques mètres sous la surface gelée de la ville. Des bars, des restaurants, des cinémas, des gymnases, des salles de spectacles; des tours d'habitation, des hôtels, des centres commerciaux, des collèges, des universités, des bibliothèques, des banques, des musées : on pouvait s'installer sous terre et y passer toute une vie sans jamais avoir à mettre le nez dehors. Une énergie en rhizome qui émergeait partout dans cette métropole immense où un mode de vie européen avait trouvé refuge dans une architecture américaine. En une journée, comme des enfants, Greta et Jesus allaient franchir en métro des kilomètres de vie, faisant surface dans un quartier, puis dans un autre. Les Montréalais étaient polis, réservés, accueillants, courtois, et parfois indifférents. Le couple avait rapidement trouvé bottes et vêtements chauds à des prix raisonnables. Illusion peut-être, mais ils se sentaient déjà moins étrangers, comme si l'uniforme imposé par le climat favorisait l'intégration. Pour la première fois, ils ne vivraient plus sous surveillance. De retour au Centre d'accueil, ils eurent le sentiment de rentrer à la maison; une maison de transition, point de chute et de départ d'où ils trouveraient enfin un toit bien à eux. Ce qui fut fait en quelques jours.

\* \* \*

– Voilà. Je pense que ça ira. S'il vous manque quelque chose, vous n'avez qu'à me téléphonez. Bonne soirée !

La petite dame serra fermement la main de Jesus, embrassa maternellement Greta sur les joues et disparut dans l'escalier intérieur mal éclairé. La porte du rez-de-chaussée claqua deux fois. Greta et Jesus demeurèrent muets et immobiles un long moment, le temps de s'habituer au silence de leur dernier espace de vie. Le vent gémit à la fenêtre et composa les premières notes du nouveau mouvement de leur existence rhapsodique.

– Généreuse, cette femme!

– C'est sa communauté; elle m'a dit que les religieuses ici, à la demande des autorités, aident les immigrants.

La sœur Monique leur avait trouvé un trois-pièces, chauffé, meublé. Les enfants du quartier Hochelaga avaient dans la bouche des mots durs et froids comme des glaçons. Un quartier populaire où le hockey-bottines, joué dans les ruelles, semblait être le seul exutoire à la pauvreté et à la violence de certaines familles, s'il fallait se fier aux éclats de voix qui, chaque jour, jaillissaient des maisons.

\* \* \*

La porte du rez-de-chaussée claqua deux fois; elle ne fermait jamais du premier coup. Comme chaque fin de journée depuis une semaine, Jesus rentrait après avoir cherché les bars et les bistrots où il pourrait peut-être obtenir un premier contrat. Épuisée, Greta avait décidé de ne pas sortir et d'apprivoiser le pays de sa fenêtre, où le combat du chaud et du froid dessinait chaque jour sur la vitre une jungle boréale où des fougères de givre s'accrochaient aux rayons fossilisés d'un soleil frileux. De son ongle, elle y dessinait souvent une tête d'enfant sur laquelle elle appuyait ensuite sa main ouverte. La chaleur faisait fondre l'enfant, qui coulait en larmes marbrées vers les fougères. Ne restait plus alors que le contour d'une main vide imprimé dans l'hiver. Ni le froid ni le dépaysement ne l'empêchaient de sortir. La chaleur et l'intimité de ces trois pièces l'enveloppaient du confort de la nostalgie. Pour la première fois depuis sa fuite, Mohammed lui manquait. Et ce petit logement au bout de la rue Cuvillier lui rappelait cet appartement qu'elle avait rêvé d'habiter avec lui, en amoureux, dans le quartier des tanneries d'Istanbul. Cette liberté découverte avec Mohammed, elle la partageait aujourd'hui avec l'homme d'une passion. Mais cet enfant qui avait appris à fuir la vie avant que la vie ne l'atteigne, cet enfant évadé entre deux pères avait laissé dans son ventre l'empreinte de la passion avortée et de la liberté assassinée. Il lui fallait se reposer.

Sa nouvelle liberté tapissait maintenant les murs dénudés d'un appartement anonyme, dans une ville inconnue d'un pays du bout du monde. Elle avait envie de s'enraciner ici, dans cette terre gelée, pour ne plus jamais être arrachée à la vie. Ni Turquie ni Allemagne, ce pays saurait l'ignorer, la laisser renaître, lui rendre son âme. Elle pourrait enfin reprendre vie avec une identité qu'elle serait la seule à avoir choisie. Plus de prénom, de nom, de cheveux colorés; effacer son passé, fixer le présent, laisser arriver l'avenir : c'est ici, dans ce petit logement perdu au milieu d'une tempête, que sa liberté prenait enfin toute sa dimension. Elle ne voulait plus en sortir; elle ne devait plus bouger. Son âme hibernait dans la tanière d'un animal blessé.

Le lendemain, après le départ de Jesus, elle s'empara d'une paire de ciseaux et tailla court ses cheveux. Puis, elle enleva les lentilles azurées.

* * *

– Deux cents dollars. Mon dernier prix.

Jesus caressait amoureusement les courbes, le vernis. Il vérifiait d'un œil la droiture du cou, manipulait chacune des clés.

– C'est O.K. pour deux cents dollars, à condition que vous me donniez un jeu de cordes neuves.

Jesus plongea la main dans sa poche, en sortit dix billets de vingt dollars tout neufs et s'empara de la guitare.

– Attendez, lui dit le vendeur. Vous n'allez pas sortir par un temps pareil sans étui.

Il coucha la guitare dans un vieil étui cartonné noir.

– Ça la protégera de la neige.

– Il y en a encore pour longtemps de cet hiver?

– Trois mois.

– Quoi! Je ne survivrai jamais!

– Mais oui, mon vieux. On dit tous cela quand on débarque. Moi, quand je suis venu de Colombie, il y a vingt ans, je m'étais juré qu'en moins d'un mois je serais déjà reparti vers les États-Unis.

– *Habla Espanol!* s'écria Jesus.

– Ruiz. Jorge Ruiz.

– Cordoban. Jesus Cordoban.

La conversation passa subitement de l'anglais à l'espagnol. Dans le cœur de Jesus, il faisait déjà un peu plus chaud. Le

Colombien lui offrit le café, discuta de ses projets et lui indiqua quelques adresses de resto-bars latino-américains où il pourrait peut-être trouver des petits contrats. Une heure plus tard, Jesus arpentait le boulevard Saint-Laurent. Le vent du nord clouait sur son visage brun des millions de flocons blancs acérés. La main droite cramponnée à la poignée de l'étui, il crut ne jamais pouvoir déplier les doigts, comme si le froid y avait congelé le sang.

– Le 3735. Enfin.

Il poussa la porte. Ébloui par l'éclat du soleil sur la neige, il mit quelques secondes à recouvrer la vue pour découvrir une grande pièce sombre où les chaises étaient encore posées à l'envers sur les tables. Une odeur de vieille cendre lui rappela le bar *Habana* de Berlin. La salle décorée de palmiers et de plantes vertes semblait avoir été empruntée à un vieux paquebot vénézuélien échoué ici il y a longtemps.

– Jorge Ruiz, de *La Casa Música*, m'a suggéré de venir vous rencontrer.

– Ah! un *amigo* de Jorge. Que me voulez-vous?

Jesus expliqua rapidement au patron qu'il était l'ami d'un ami de Jorge Ruiz. Qu'ils s'étaient connus à Berlin. Qu'il avait fui l'obligation de retourner dans son pays communiste. Il allait renchérir lorsque le patron l'interrompit :

– Ça va, ça va. Je n'aime pas les détails. Vous voulez du travail?

– Chanter. Je veux chanter. Jorge vient de me vendre cette guitare. J'ai oublié la mienne sur le bateau. Alors, je dois chanter pour gagner un peu d'argent. Il faut que je paye Jorge. J'ai acheté cette guitare à crédit. Je veux le rembourser d'ici deux semaines.

– Quel genre de musique?

Tout en changeant les cordes de son instrument, Jesus exposa son répertoire, nomma des dizaines de chansons et inventa des tas d'anecdotes pour se rendre plus intéressant. Malgré une guitare désaccordée et une voix étranglée par le froid, il fredonna quelques airs cubains et latino-américains.

– Je vois que vous avez du métier. Malheureusement, je ne puis vous payer convenablement.

– Je me débrouillerai avec un salaire de base et les pourboires.

– Je ne veux pas exploiter l'ami d'un ami de Jorge. Quel est votre nom?

– Cordoban. Jesus Cordoban. Et vous?
– Ruiz. Juan Ruiz. Le frère de Jorge.

Jesus faillit s'étouffer.

– Allez, laissez votre guitare ici. Elle sera mieux au chaud pour le spectacle de dix-sept heures.

Jesus repartit le cœur léger annoncer la bonne nouvelle à Greta. Dans une boutique du métro, il acheta une chemise blanche et un pantalon noir. Il paya dix dollars un gros bouquet de marguerites et entreprit de retrouver son chemin vers le logement de la rue Cuvillier.

La porte claqua deux fois. Complètement frigorifié, il gravit les marches comme un enfant excité.

– Greta! Tes yeux, tes cheveux... C'est comme si je te rencontrais pour la première fois.

– Jusqu'à hier, quand tu touchais mes cheveux, tes doigts se promenaient dans l'Allemagne, dans mes rêves. Pour empêcher la Turquie d'envahir ma tête, je devais tricher et me faire une teinture. Ça, c'est terminé. Maintenant que j'ai dû fuir l'Allemagne, je n'ai plus besoin de fuir la Turquie.

Greta déposa les fleurs dans l'eau. Lentement, elle jeta un regard circulaire, puis attira Jesus vers la fenêtre givrée.

– Tu vois cette vitre? Donne-moi ta main.

Elle lui prit la main gauche et l'appliqua sur la surface givrée. Elle fit de même avec sa propre main droite.

– Retire maintenant ta main. Regarde bien. La vitre, c'est le Canada. Nos mains, c'est hier, autrefois. La chaleur de nos mains fait fondre le givre. Regarde bien maintenant. Le givre se reforme; dans quelques instants, le froid aura effacé notre passé. Ne restera que la mémoire de nos mains.

– Je ne comprends pas, dit Jesus. Tu n'as jamais dit des choses pareilles.

Elle reprit les mains de Jesus et les fit glisser dans sa courte chevelure. Elle lui parla longuement, calmement, de cette cicatrice intérieure qu'elle devait apprivoiser. Parfois incohérent, parfois baigné de clairvoyance, son discours semblait dénouer des sentiments, libérer des frayeurs qu'elle avait enfouies dans les recoins les plus secrets de son âme. Interloqué, Jesus ne disait rien. Il découvrait une Greta inconnue, troublante, qui semblait délirer après un choc dont les secousses avaient mis des semaines à atteindre les rivages d'une lucidité mise à vif. Elle souffrait, mais se libérait en même temps de sa douleur. Puis ils s'embrassèrent devant la vitre givrée où l'hiver effaçait irrémédiablement la forme de leurs mains.

\* \* \*

Greta apprit avec joie comment Jesus avait trouvé son premier contrat. Elle refusa cependant de l'accompagner.

– Je n'ai pas envie de sortir. Peut-être demain ou après-demain.

Jesus fut plutôt satisfait de lancer seul sa nouvelle carrière. D'instinct, il croyait plus prudent de ne pas révéler à quiconque qu'il vivait en couple.

Greta avait fermé l'éclairage. Jesus parti, elle avait enfilé un survêtement et s'était installée à la fenêtre de la chambre, d'où elle s'amusa à observer le ballet des déneigeuses qui envahissaient la rue Cuvillier. Après le vacarme, une main invisible déroula un tapis de silence apaisant. Le long lampadaire en col-de-cygne arrosait la langue noire de la rue d'une tache jaunâtre où papillonnaient de nouveaux flocons. En fermant les yeux, elle revit les zones de lumière des rues de Bucarest sous lesquelles butinaient ces étudiants qui l'avaient si bien accueillie. Mohammed la tenait par la main, souriant à l'évasion, à la liberté, à l'amour.

Depuis qu'elle vivait recluse dans ce logement de Montréal, elle avait le sentiment de prolonger en Amérique l'aventure interrompue à Istanbul. Avant de laisser le sommeil l'envahir, elle profitait chaque soir de ce moment de solitude pour rouvrir le coffre secret de ses souvenirs et en sortir la perle précieuse de sa liberté. Elle se retrouvait attablée au restaurant avec Mohammed, se promenait de nouveau dans les rues d'Istanbul, redécouvrait avec émotion le petit logement dans lequel son autonomie aurait pu se développer et la transformer en femme libre. Elle n'avait jamais franchi la porte de cet appartement. Il y avait eu ce bon Ismaïl, le lien avec Konak, la crainte de voir débarquer son père, la fuite, l'Allemagne, la mort de Mohammed, encore et toujours son père, la deuxième fuite, le conteneur, l'enfant perdu. Se pourrait-il que ce soit ici, dans ce quartier pauvre de Montréal, qu'elle ouvre enfin la porte de la liberté dont elle s'était tellement approchée à Istanbul? Chaque soir, après avoir refait ce voyage, elle s'endormait dans ce logement de la rue Cuvillier où plus personne ne pourrait l'empêcher de prendre racine, de grandir et de s'épanouir. Chaque soir, elle avançait un peu plus dans ce sentier de la compréhension, de la découverte de soi. Elle comprit qu'elle avait confondu la liberté avec l'Allemagne. Cette liberté était impossible sans qu'il y ait d'abord un sol accueillant dans lequel on puisse s'ensemencer, se nourrir, se fabriquer. La liberté n'était pas une condition préalable mais une conséquence, le résultat de cet enracinement. Ces idées lui traversaient l'esprit pêle-mêle; elle se sentait trop petite, trop jeune pour les manipuler, les organiser, les ordonner. Et puis elle ne voulait plus rien ordonner. Elle se sentait vieille, très vieille quand elle se laissait surprendre par toutes ces réflexions qu'elle ne pouvait partager avec personne. Surtout pas Jesus.

— Mohammed, pourquoi viens-tu me hanter? murmura-t-elle.

Ses mains pétrissaient son ventre et réchauffaient cette zone vide où la vie reviendrait peut-être un jour. Un long souffle tiède répandit sur son corps un rideau de sable chaud. Les rubans de la nuit flottaient sous l'haleine du désert où courait le ruisseau étincelant d'une étreinte amoureuse.

Quand elle ouvrit les yeux, elle surprit son doigt encore ancré à la chaîne d'or, fixée à son cou comme un filin incassable qui ferait toujours le lien entre hier et aujourd'hui.

* * *

— Qui est là?

On sonnait à la porte.

— C'est moi, c'est Monique.

— Qui?

— Monique, sœur Monique.

Greta ouvrit la porte à la religieuse en s'excusant de ne pas s'être souvenue de son nom.

— Je voulais prendre de vos nouvelles. Comme vous n'avez pas encore le téléphone, j'ai décidé de m'arrêter en passant.

Monique l'embrassa sur chaque joue, un petit geste qui fit chaud au cœur de Greta. Cette femme avait au moins dix ans de plus que sa mère.

— Votre ami Jesus n'est pas là?

— Oh! lui, il se balade sans cesse dans la ville. Depuis quelques semaines, il s'est trouvé une guitare, des copains et un emploi.

– Eh bien! il est rapide, celui-là. Sans doute que l'article du journal l'a aidé.

– Vous l'avez lu?

– Certainement. Votre histoire, tout le monde la connaît en ville. D'ailleurs, c'est un peu pour cela que je voulais vous voir.

La religieuse lui apprit que des gens de la communauté turque de Montréal l'avaient contactée. Émus par la mésaventure de leur jeune compatriote, ils désiraient l'aider en lui offrant du travail. Il ne fallait pas en parler ouvertement, c'était «un job au noir», mais ça pourrait lui permettre de s'implanter, d'acquérir une autonomie, et, finalement, l'aider à convaincre les fonctionnaires de l'Immigration de lui accorder un permis de séjour.

– Les horaires sont flexibles et ça vous permet de suivre les cours offerts aux immigrants...

– Les cours?

– De français.

– Mais je n'en ai pas besoin. Je parle déjà trois langues.

– Je sais. Mais, vous savez, Greta, ici, la langue, c'est le français.

– Pourquoi le français? C'est l'Amérique ici.

– C'est l'Amérique, oui, mais c'est aussi et d'abord le Québec. Dans le cours aux immigrants, on va vous expliquer tout cela.

– C'est compliqué, tout cela.

– Ne vous inquiétez pas. Personne ne vous empêchera de parler anglais. Mais le français...

La porte du rez-de-chaussée claqua deux fois. D'un pas étonnamment lourd et irrégulier, Jesus fit son entrée. Il était complètement gelé. Et ivre. Il aperçut d'abord Monique et crut se tromper de logement.

– Excusez-moi, madame... Je crois que je ne suis pas chez moi...

Greta, hésitant entre la honte et le fou rire, décida de s'en amuser.

Monique sourit et se leva pour partir.

– Oh!... Excusez-moi, madame. Il fait froid et mes copains au bar m'ont suggéré de boire un peu d'alcool pour me réchauffer avant de partir. Je pense qu'il fait maintenant un peu moins froid...

Le trio éclata de rire. Monique en profita pour remettre son manteau. Elle griffonna son nom et son numéro de téléphone sur un bout de papier.

– Contactez-moi pour ce dont je vous ai parlé.

Monique partie, Greta pouffa de rire.

– Quelle tête tu as, Jesus !

– Qu'est-ce qu'elle a, ma tête ? Je ne sais plus si j'ai froid ou si j'ai chaud.

– Ton spectacle, comment c'était ?

– Formidable ! Il n'y avait que cinq clients. Ils ont tous applaudi…

Greta comprit que la conversation n'irait pas très loin. Elle se fit couler un bain. Jesus s'effondra dans le lit.

Préoccupée par la proposition de la religieuse, Greta n'arrivait pas à dormir. Une petite pluie fine tambourinait contre les vitres. Étonnée de voir la température passer si vite du froid au chaud, elle se leva et décida d'aller se promener dans le quartier.

Le vent du sud avait vaincu les bourrasques du nord. Les trottoirs en liquéfaction refoulaient les rares piétons dans la rue. «Quel pays étonnant ! songea-t-elle. On croit la ville vide et elle se cache sous terre. Personne ne semble se préoccuper de personne et on se trouve du travail comme ça ! On imagine l'hiver éternel et il disparaît en une nuit.» Elle marchait rue Sainte-Catherine, s'enfonçant vers l'est. À cette heure de la nuit, les panneaux de bois qui masquaient les fenêtres des maisons abandonnées donnaient au quartier des airs de village assiégé. Les vitrines des magasins emprisonnaient derrière leurs treillis métalliques des mannequins dénudés, des meubles vieillots ou des animaux empaillés. Parfois, un chien apeuré aboyait derrière une porte de métal sinistre.

Une voiture ralentit à sa hauteur. Le chauffeur s'adressa à elle en français. Elle haussa les épaules tout en continuant son chemin. «*How much do you charge ?*» reprit-il en anglais. Elle fit signe que non et retourna sur ses pas. La voiture s'éloigna.

Elle vit venir au loin une auto-patrouille. Ne voulant pas se voir confondue avec une prostituée par la police, elle tourna dans une petite rue où un bar allait fermer. Trempée, elle décida d'aller s'y asseoir quelques minutes.

Sitôt qu'elle fut entrée, le portier referma la porte. La petite salle était pleine. Il y avait là des hommes et des femmes, des Blancs, des Noirs, des Asiatiques. On y parlait toutes les langues, mais chacun semblait soliloquer à travers l'alcool, la bière et l'odeur de marijuana qui se faisait de moins en moins subtile. Deux femmes dansaient langoureusement en s'embrassant à pleine bouche. Aux tables du fond, des Portugais jouaient aux dominos pendant que les serveurs remplaçaient leurs grosses bouteilles de bière vides. Greta circulait librement; personne ne lui parlait. Elle se trouva une chaise, un peu à l'écart, et commanda une eau minérale. D'autres clients continuaient d'entrer; de toute évidence, l'endroit était fréquenté par des habitués qui connaissaient le mot de passe permettant de se faire ouvrir. Une femme s'approcha d'elle et lui demanda si elle voulait danser. Surprise, Greta lui sourit et refusa en prétextant qu'elle était fatiguée.

– Tout le monde est fatigué ici, lui répondit aimablement la femme en tirant une chaise vers celle de Greta.

Intimidée, Greta souriait tout en se tordant les doigts.

– Tu as de jolies mains; laisse-moi les voir, lui dit l'inconnue en lui prenant la main gauche.

Elle pétrit la paume de Greta, comme une institutrice effacerait un tableau noir avant d'y inscrire de nouvelles phrases. La femme était petite et maigre mais dégageait une énergie pénétrante. Ses longs cheveux roux donnaient à son visage plutôt pâle une luminosité apaisante qui transformait ses yeux verts en émeraudes étincelantes. De l'index, elle parcourut les lignes de la main moite de Greta.

– Il y a deux familles de lignes, lui dit-elle. Je n'ai jamais vu une main comme la vôtre. C'est comme si vous aviez deux vies. La femme que je touche n'est pas celle qui se cache en vous. Votre vie antérieure est à proximité de celle que vous vivez maintenant. Il y a parfois collision entre vous et celle qui vous habite.

La femme s'interrompit. Troublée, elle fixa Greta dans les yeux.

– Qui êtes-vous?

Émue, Greta ne répondit pas.

– Je vois plusieurs hommes dans votre main, continua-t-elle. Mais, ils se superposent dans votre vie. Il y a l'amour, la vie et la mort.

Greta referma sa main.

– Vous n'avez pas le droit de savoir tout cela, lui dit-elle.

– Je n'ai aucun droit, répondit la rousse. Je n'ai que des intuitions.

– Je n'ose vous demander ce qui va m'arriver.

– Faites confiance aux femmes.

L'inconnue vit l'inquiétude gagner Greta. Elle lui passa la main dans les cheveux et sur la nuque. Greta la fixait dans les yeux. Il y avait dans cette ville quelqu'un qui venait de toucher son âme. De glisser son doigt entre le passé et le présent. Elle se sentait mise à nu; séduite et violée. Elle prit doucement la main de la femme et la retira de sa nuque. Elle allait la remercier lorsqu'une voix d'homme l'interpella :

– Greta, je te cherchais.

Le visage courroucé de Jesus émergea de la fumée. Elle retira sa main, comme une enfant surprise à voler une friandise.

– Et toi, Jesus, que fais-tu ici? Tu dormais, non?

Le retour à la maison fut tumultueux. Jesus était furieux de voir son repaire découvert. Il n'avait tout simplement pas imaginé que Greta puisse s'absenter sans l'en informer. Surtout pas au cœur de la nuit. Il finit par admettre qu'il fréquentait ce bar clandestin depuis quelques semaines. Il l'avait repéré par hasard. «Comme toi», lança-t-il à Greta. Elle comprit qu'il y passait donc de nombreuses soirées alors qu'elle le croyait au travail, boulevard Saint-Laurent. Elle se sentait trompée et lui, trahi. Elle eut beau lui raconter sa rencontre fortuite avec la femme rousse, il mit en doute sa version. L'avait-elle espionné? L'avait-il suivie? Le couple s'engueula haut et fort, libérant toutes les frustrations que les mésaventures des derniers mois avaient fait s'accumuler.

La pluie les força à rentrer rapidement à la maison, où ils s'effondrèrent, hébétés par cette altercation subite qui avait secoué les fondations fragiles de leur vie de couple. Assommée, Greta s'endormit rapidement. Jesus, lui, n'arrivait plus à fermer l'œil. Il n'avait pas fait tout ce chemin depuis Berlin pour s'engoncer dans une vie de couple où il lui faudrait maintenant expliquer ses allées et venues, ses absences et ses retards. Les choses n'auraient pas été les mêmes si ce sacré conteneur n'avait pas été dérouté sur le Canada.

*Pays d'illusions*
*Illusion d'un pays*

Les mots surgirent dans sa tête épuisée. Un rythme, deux phrases banales allaient s'accoupler pour faire naître une chanson.

Il eut peur. Il ne savait pas comment faire. Ce n'était pas son rôle de créer, d'assumer la responsabilité de mener à terme un geste, une parole, un engagement. Ces deux petites phrases, il n'allait pas les autoriser à changer un mode de vie, une manière de penser. Il ne fallait surtout pas les écrire. «Les mots, lui avait dit son père, c'est de la dynamite.» Il savait qu'avec un simple stylo il pourrait enfouir dans le roc de sa vie des explosifs qui détourneraient le cours secret d'une existence jusque-là tranquille. Comme une rivière souterraine, sa vie jaillirait en surface là où il ne fallait pas. Elle inonderait la sécurité, les habitudes, les zones contrôlées du quotidien. Même dans sa fuite de l'Allemagne, il n'avait jamais senti autant d'insécurité que devant ces deux lignes. Une chanson qu'il ne voulait pas voir grandir, prendre force et s'imposer à lui comme une zone de responsabilité dont il ne pourrait plus se libérer. «Pays d'illusions. Illusion d'un pays. Non, non. Il ne faut pas», se répéta-t-il.

Il se leva, avala un café noir, puis un autre. L'odeur du pain grillé ne tira pas Greta de son sommeil. Il rédigea un petit mot. «J'ai rendez-vous ce matin. À plus tard.» Il s'empressa de quitter le logement. Il pleuvait toujours autant.

Il admira le spectacle. Le printemps allait-il noyer l'hiver? Le Sud allait-il abolir le Nord? Ce pays se situait vraiment à la frontière de deux grands climats ennemis. Ses habitants en faisaient les frais. Ils semblaient même en tirer une certaine gloire. Il comprit enfin pourquoi tout le monde ici parlait tellement de la température et du temps. Ce peuple vivait à cheval sur deux mondes. Il avait fait de l'ambiguïté un mode de vie. Comment choisir quand l'épicentre de son existence repose sur une faille tectonique dessinée par les humeurs du ciel? Comment choisir quand la langue du Sud côtoie les valeurs du Nord? Voilà ce qu'en quelques semaines il avait pu voir, entendre et apprendre sans toutefois tout comprendre. Toutes ces images le heurtaient, le troublaient, tout en stimulant chez lui le désir de se perdre dans cette cité d'Amérique du Nord où il sentait en permanence souffler un vent de tolérance et de liberté. Les contradictions, les ambivalences, voilà une eau dans laquelle il aimait bien nager; car rien ne vaut un certain brouillard pour apparaître et disparaître à loisir. Montréal offrait cette liberté. Une ville assez grosse pour s'y perdre et assez petite pour s'y retrouver. Un confluent de la civilisation européenne et de l'aventure nord-américaine. Une ligne de feu où l'hiver et le printemps prenaient plaisir à se livrer des combats ahurissants.

Le soir même, alors qu'il rentrait de travailler, les grands vents du nord avaient repris d'assaut la ville, qui recommençait à grelotter.

Pays d'illusions. Illusion d'un pays. Jesus eut envie de mettre les mots sur papier. Il noya cette responsabilité dans le whisky. Jamais plus il ne permettrait à des mots d'imposer un rythme différent à sa vie.

# 24

Des milliers de peaux tannées reposaient en tas sur les tablettes qui ceinturaient l'immense pièce. Au fond, des manteaux, des pantalons, des jupes et des vestes dormaient suspendus à des cintres immobiles. Partout, des tables de coupe et des machines à coudre attendaient l'arrivée des ouvriers et artisans. Il n'était que six heures trente. L'atelier ne s'éveillerait qu'à sept heures avec le débarquement bruyant d'une trentaine de femmes et d'hommes qui travaillaient pour un Turc immigré au Canada depuis vingt ans et qui faisait fortune dans le commerce des cuirs. Chacun des futurs compagnons de travail de Greta avait un jour été amené ici, tôt un matin, comme elle; des immigrants, légaux ou clandestins, qui avaient réussi à s'installer à Montréal grâce à ce riche compatriote.

Greta avait finalement accepté l'offre de la sœur Monique. C'est ainsi qu'un lundi matin de février, par une température de moins 28 degrés, elle affronta cet hiver tant maudit par Jesus pour rencontrer la religieuse dans un quartier du nord de la ville. Les deux femmes, bras dessus, bras dessous pour mieux se réchauffer, marchèrent de la station de métro jusqu'à un commerce de vêtements de cuir dont les portes étaient encore fermées à cette heure matinale.

Un homme vint leur ouvrir et elles pénétrèrent en rafale dans le magasin, où une douce chaleur détendit leurs muscles. Pendant que Monique essuyait la buée qui bouchait les verres épais de ses lunettes, Greta fut transportée pendant quelques secondes à Istanbul. Le cuir, les odeurs, les tanneries : elle se sentit au bras de Mohammed, à deux pas de la liberté.

Greta sursauta. Un homme au teint brunâtre, les cheveux noirs, bouclés, lui tendait la main.

– Bonjour, Mustafa, dit Monique. Je vous présente Greta, dont je vous ai parlé la semaine dernière.

Mustafa. Il se nommait Mustafa. Greta eut le réflexe de retirer sa main, de fuir. Monique n'y vit que de la timidité. Le trio descendit au sous-sol de l'établissement.

Greta apporterait d'abord les peaux aux tailleurs et aux couturières; ensuite, si elle le désirait, elle pourrait apprendre l'un des métiers du cuir et devenir ouvrière spécialisée.

– C'est ma politique, lui dit Mustafa avec le sourire d'un bon père de famille. J'essaie toujours d'aider mes compatriotes.

Elle eut envie de partir sur-le-champ. Elle ne travaillerait qu'avec des Turcs. Elle rêvait de prendre racine ici dans l'anonymat, et voilà que le destin et la nécessité de gagner sa vie la ramenaient dans un ghetto où l'odeur du cuir et le prénom du patron lui infligeaient les souvenirs de Mohammed et de son père. Mais, l'argent commençant à se faire rare, elle se voyait forcée d'accepter ce travail.

Le lendemain matin, vers six heures, alors que Jesus naviguait dans les eaux calmes du sommeil, elle quitta le logement. Le masque de la nuit recouvrait encore le visage de la ville. Le vent glacial croqua férocement dans sa chair tiède. Elle remonta la rue Cuvillier vers la rue Sainte-Catherine, où un chauffeur de taxi, croyant avoir affaire à une des putains du quartier, l'invita à monter. Elle marcha droit devant elle jusqu'à l'arrêt d'autobus. Le taxi s'éloigna. La rue était nue et morte sous le linceul de neige qu'un nuage furtif avait déposé sournoisement pendant la nuit. Jamais elle ne s'était sentie aussi seule. «Bien. C'est bien ainsi», songea-t-elle.

Dans ce désert de l'identité, elle savait que sa nouvelle vie couvait secrètement. Elle se couvrit la tête du capuchon dissimulé dans le col de son anorak. Elle se sentit cachée au fond d'une caverne de toile, en retrait de la vie, incubée pour cicatriser des plaies invisibles qui la faisaient souffrir. En ajustant le capuchon, elle eut l'impression de refaire le même geste que sa mère, lorsque celle-ci replaçait machinalement son tcharchaf. Un geste qui avait son origine dans Konak et se prolongeait jusqu'en Amérique. Elle en fut émue. Que devenaient sa mère et ses frères? L'arrivée de l'autobus la ramena à Montréal. La porte s'ouvrit. Elle monta tout en fouillant dans son sac pour trouver un ticket.

– Fait froid, n'est-ce pas? lança une voix douce.

Greta, ne comprenant pas le français, fit comme si de rien n'était et continua de chercher son ticket. Elle allait le déposer dans la boîte métallique quand, relevant la tête, elle retint un cri d'étonnement. Le chauffeur était une femme; une femme qui portait un tcharchaf.

– *Good morning*, balbutia-t-elle.

– *Good morning! Cold, hey?*

Subjuguée, Greta s'assied à l'avant, près du chauffeur, qu'elle ne cessait de regarder. Cette femme avait à peine quelques années de plus qu'elle. Blanche, francophone, elle conduisait un autobus au petit matin dans les rues d'une ville d'Amérique du Nord! Et elle portait le tcharchaf!

– Première fois que je vous vois sur ce circuit, lui dit le chauffeur.

– Première fois que je vois...

– Une femme avec un voile au volant d'un autobus, poursuivit-elle en riant.

Sans doute habituée à cette question, la femme chauffeur expliqua à sa passagère qu'elle était bien d'ici, née au Québec d'une famille catholique, mais que son mari, musulman, lui avait demandé de porter le voile islamique en public.

– Et ça ne vous gêne pas?

– Pas du tout. C'est joli et même pratique. Parfois, quand on n'a pas le temps de se coiffer...

Les deux femmes sourirent.

– Immigrante?

– D'Allemagne, répondit Greta en baissant les yeux.

– Première fois que je vois une Allemande aux cheveux si noirs. On vous imagine toujours blondes aux yeux bleus.

L'autobus tourna vers la station de métro.

– Vous savez dans quelle direction aller?

– Oui, je crois, répondit Greta, encore troublée par la remarque du chauffeur.

– On se reverra peut-être demain. Bonne journée!

Greta descendit et courut vers la station de métro Papineau. En moins de dix minutes, elle avait découvert l'envers de la médaille. Dans cette ville, ce pays de renaissance, une jeune femme catholique, chauffeur d'autobus, s'était convertie à l'islam par amour

235

pour un immigré. Ce musulman *l'autorisait* à faire un métier d'homme, seule, la nuit! Greta fut troublée. Elle qui s'était rebellée contre l'autorité de son père, contre la soumission des femmes musulmanes, contre les rares tentatives de Mohammed pour lui dicter sa conduite, voilà qu'en terre occidentale elle se surprenait du comportement d'une jeune femme qui semblait se soumettre sans inquiétude aux diktats du monde musulman traditionnel.

Greta fut accueillie à l'atelier avec réserve. D'abord, une petite phrase de bienvenue en turc et rapidement on passa à l'anglais. Ce qui surprit un peu Greta puisque tout le monde était d'origine turque. Mustafa la confia au chef d'atelier, Myrka, une costaude aux cheveux teints en blond et qui se baladait en permanence avec un téléphone sans fil à la main.

– Il faut satisfaire les clients, expliqua-t-elle en lui désignant le casier où elle pourrait pendre ses vêtements et laisser son sac à main.

À sept heures pile, les machines à coudre tirèrent les premières rafales d'aiguilles dans les peaux découpées qu'elle allait dorénavant transporter d'une table à l'autre sous la surveillance autoritaire de Myrka. De petits haut-parleurs débagoulaient la musique tonitruante d'une radio bourrée de messages publicitaires mitraillés à l'américaine. Greta se rendit compte qu'elle n'avait pas encore écouté la radio depuis son arrivée à Montréal. Elle fut surprise du nombre de fois où l'annonceur répétait l'heure, la météo et les conditions de la circulation. Tout cela en anglais. «Bizarre, se dit-elle. Partout j'entends parler français et la radio est en anglais.» Elle eut un petit pincement au cœur quand elle entendit une chanson du groupe Metallica, mais ce n'était plus pour elle qu'un souvenir sans importance. Myrka la fit voyager de table en table, les bras chargés de peaux tannées et colorées qui seraient transformées en jupes, en pantalons et en blousons. Les hommes lui jetaient des regards plutôt insistants, mais les femmes levaient à peine les yeux quand cette «nouvelle petite» leur apportait les pièces de cuir. À l'heure du repas, personne ne lui posa de questions. Ici, on était habitué de voir arriver et repartir rapidement les nouveaux arrivants et l'on savait que jamais ils ne disaient toute la vérité quant à leur venue dans ce pays d'adoption. Seul le présent comptait. Le passé, c'était des histoires de familles, de clans; parler d'hier, c'était rouvrir des plaies. On avait d'abord choisi de quitter son pays avant de choisir le Canada. Une certaine loi du silence balisait donc les rapports et les conversations de ces néo-Canadiens dont les racines turques sortaient rarement de la maison.

La première journée fut stressante, non par la lourdeur de la tâche mais par la schizophrénie de l'univers dans lequel elle se retrouvait. Elle était entourée de Turcs qui conversaient entre eux dans une autre langue. Elle se sentait très près de ces hommes et de ces femmes bien qu'elle devinait une certaine indifférence à son égard. C'est ce qu'elle souhaitait, bien sûr, mais elle n'avait jamais cru y arriver avec des gens qui, de par leur origine, pouvaient en quelques mots la ramener en Turquie et, par un certain silence, la tenir à distance en lui faisant sentir qu'elle avait un bon bout de chemin à faire avant de prétendre s'intégrer à leur clan.

Fourbue, elle reprit le métro en fin de journée, à la fois heureuse d'apprivoiser la ville et inquiète de devoir le faire par la diaspora turque, avec qui elle ne se sentait pas beaucoup d'atomes crochus. Elle descendit de l'autobus rue Sainte-Catherine, près de Cuvillier. Elle allait s'engager dans *sa* rue lorsqu'elle tomba sur Jesus.

– Tu pars déjà?

– C'est bizarre de se croiser ainsi au coin de la rue. Oui, je suis en retard.

– En retard? Tu travailles à heure fixe toi aussi?

– Greta, tu te rends compte : on commence à travailler, on a des horaires…

– Et des habitudes! fit-elle en souriant.

– Des habitudes… On n'a jamais eu d'habitudes, toi et moi.

Il l'embrassa et courut prendre l'autobus.

Cette rencontre furtive troubla Greta. Elle rêvait de solitude et voilà que l'ennui se dessinait en filigrane. Chaque matin, elle quitterait le logis avant le lever du soleil. Chaque soir, elle croiserait Jesus : elle achevait sa journée alors qu'il commençait la sienne. Qu'en était-il de cette passion fulgurante qui les avait soudés l'un à l'autre à Berlin? Sur quelle base leur relation se développait-elle maintenant? Pourquoi étaient-ils encore ensemble? Il y avait sans doute des réponses à ces questions, mais elle se trouvait trop jeune pour s'acharner à les trouver. Elle rêvait de vie, d'identité, de naissance, sans toutefois y apposer les mots justes. Depuis sa fausse couche, ils n'avaient fait l'amour que deux fois, péniblement. Jesus lui en voulait-il ? Que devenait-elle à ses yeux ?

Cette nuit-là, quand Jesus rentra, elle l'entendit maudire ce pays froid, ce faux Brésil où un conteneur les avait traîtreusement vomis. Dans un demi-sommeil, elle colla son corps chaud à la peau ambrée de son compagnon. Les caresses effacèrent l'angoisse de l'hiver. Jesus s'endormit comme un enfant dans les bras enveloppants de Greta.

* * *

Toujours aussi froid. Même obscurité. Même taxi en maraude. Elle regarda sa montre et fut étonnée de voir surgir l'autobus à l'heure indiquée sur l'horaire. Les portes s'ouvrirent et, comme chaque matin, le chauffeur au tcharchaf accueillit Greta.

– *Good morning !* Bonjour !

Depuis plus d'une semaine, les deux jeunes femmes avaient entrepris une conversation qui, chaque fois, durait les sept minutes du trajet. Greta se faisait une joie de se lever en sachant que Louise l'attendait. Chaque matin, au fil des commentaires habituels sur la température, la neige, et l'hiver trop long, elles distillaient peu à peu les gouttes d'information qu'elles avaient envie de partager sur elles-mêmes et leur vie quotidienne. Rien encore de bien intime, mais avec suffisamment de générosité de la part de chacune pour faire sentir à l'autre tout l'intérêt qu'elle portait à cette complicité féminine dont Greta imagina qu'elle serait l'antichambre d'une amitié plus profonde. Car, de toute sa vie, seule Greta Schneider avait tissé avec elle des liens assez forts pour qu'elle puisse l'appeler « mon amie ». Même chez les Turcs de Solingen, jamais elle n'avait trouvé de confidente avec qui elle aurait pu partager ses rêves, surtout pas celui de devenir allemande. Voilà que maintenant, dans une rue froide et noire d'Amérique, elle reprenait le temps perdu et s'empressait d'ouvrir de plus en plus généreusement les portes de sa vie à une femme qui portait le foulard islamique et à qui elle n'avait pas encore révélé qu'elle n'était pas allemande. Et qui s'en balancerait sans doute quand elle l'apprendrait, se disait-elle.

– Que fais-tu de tes soirées ?

– Rien.

– Tu ne sors jamais ?

– Pour aller où ? Je ne connais personne.

– Ici pas besoin de connaître quelqu'un pour aller quelque part. Greta descendit de l'autobus et salua Louise. Elle avait déjà hâte de la retrouver. La phrase de l'inconnue du bar clandestin lui revint en tête : «Faites confiance aux femmes.» Les employés saluaient maintenant Greta comme une des leurs. Sans plus. Le midi, autour des sandwiches et des casse-croûte qu'on réchauffait au four à micro-ondes, les femmes se regroupaient pendant que les hommes échangeaient des blagues, souvent sexistes, sur leurs consœurs. L'un d'eux risqua une première allusion aux «beaux yeux» de Greta. Elle fit mine de ne rien entendre, mais surprit le regard réprobateur d'une des couturières.

C'était jeudi, jour de paye. Mustafa remit trois cent cinquante dollars à Greta pour ses deux premières semaines de travail.

– Je te paye comptant, en billets. C'est mieux pour toi. Et pour moi. Tu ne révèles à personne combien je te verse.

Greta se sentit riche. Et troublée. Elle venait de gagner ses premiers vrais dollars. Ce n'était évidemment pas des dollars américains, mais ces dollars canadiens feraient bien l'affaire. Elle se souvint de la remarque de Louise : «Tu ne fais rien le soir?» Pourquoi rentrer à la maison? Jesus serait au resto-pub à gratter sa guitare. Le temps s'était adouci. Elle avait de l'argent plein les poches.

Elle se perdit au centre-ville. Elle ne parla à personne et personne ne lui adressa la parole. Elle se sentait transparente, invisible; agréablement à l'aise, légèrement perdue. Finalement, fatiguée, elle reprit le métro vers la station Papineau, puis l'autobus la déposa presque silencieusement rue Cuvillier. Elle marcha dans la rue comme si celle-ci lui appartenait. Elle n'entendit même pas Jesus entrer au milieu de la nuit. Elle dormait au cœur d'une ville qui l'avait un peu plus absorbée.

\* \* \*

– Je ne t'ai jamais vue si souriante, lui lança Myrka.

Greta se promenait d'une table à l'autre, distribuant aux tailleurs des pièces de cuir et reprenant aux couturières les vêtements complétés.

– Tout va très bien ce matin, répondit Greta. Et ça ira encore mieux ce soir !

Surprise de ce qu'elle comprit comme une confidence, Myrka lui fit un clin d'œil complice qui la fit rougir.

– Oh! ce n'est pas ce que vous pensez.

– Mais je ne pense rien! répondit Myrka en riant. Je suis simplement ravie de voir que tu as hâte à ce soir. À te voir sourire, *il* doit être séduisant…

Pour la première fois, Greta sentit qu'on la considérait comme une femme libre. Cette allusion de Myrka à une soirée de libertinage et d'évasion la fit rougir mais la rendit fière de voir qu'on la croyait assez autonome et délurée pour se permettre une aventure. Et pour s'en vanter. On ne connaissait rien d'elle dans cet atelier, mais il lui était agréable de penser qu'on la percevait comme une jeune femme moderne, audacieuse et en pleine possession de ses moyens. Jamais elle n'avait imaginé qu'on puisse l'associer à une autre culture que celle que lui avait inculquée l'islam de ses parents. Malgré l'âpreté de sa lutte pour acquérir sa liberté, elle n'avait jamais cru qu'on pouvait l'identifier aussi facilement à une femme libre. Voilà que grâce à un minuscule quiproquo, une petite allusion et un clin d'œil complice, elle se sentait subitement soulagée d'un invisible tcharchaf qu'elle portait encore inconsciemment; un voile diaphane qui avait moulé son corps jusqu'à ce qu'elle le confonde avec une deuxième peau; un épiderme social auquel elle s'était si bien habituée qu'elle n'en sentait ni le poids, ni l'image, ni le code auquel elle continuait d'obéir pour mieux le combattre et le détruire. Ainsi donc, elle pouvait être séductrice; infidèle même. Mais infidèle à quoi, à qui? À son éducation? À ses parents? À Jesus? Jamais elle ne s'était sentie infidèle à Mohammed. Elle avait tout simplement cheminé par Mohammed vers Jesus. Et par Jesus, elle avait connu cette aventure qui lui permettait aujourd'hui d'entrer en contact avec elle-même, avec l'image qu'elle projetait, avec la liberté qui dormait au fond de son âme.

La journée passa très vite. Greta ne cessait de sourire et de fredonner en se rappelant l'invitation que lui avait lancée Louise ce matin, quand elle était montée dans l'autobus: «Rendez-vous à dix-neuf heures au métro Papineau.» Après le travail, elle retrouva le centre-ville et ses boutiques, où elle dénicha un superbe pull de laine ocre. «La couleur du désert», pensa-t-elle. Ce désert dont Mohammed lui avait tant parlé, qu'elle n'avait jamais vu mais qui lui semblait être le lieu sublime de l'abolition des frontières et de l'explosion des libertés. Elle passa rapidement à l'appartement, rue Cuvillier; Jesus était déjà parti. Douche, parfum, léger maquillage, et à dix-neuf heures pile elle attendait Louise, qui la trouva resplendissante et avec «un petit je-ne-sais-quoi dans l'œil» qu'elle ne lui avait jamais vu.

– Où veux-tu aller?

Greta fut décontenancée par la question. Elle ne connaissait rien de cette ville.

– Le seul endroit que je connaisse… sans le connaître… c'est le bistro où chante Jesus.

– Jesus? Qui c'est, Jesus?

Greta réalisa que Louise ne savait rien d'elle.

– C'est mon ami.

– Et il chante? Alors, tu veux y aller?

Louise avait posé cette question tout en laissant le tcharchaf retomber sur ses épaules comme un simple foulard. Greta n'y prêta pas attention. Elle fouilla dans son sac à main pour y retrouver l'adresse du bistro.

Pendant les trente minutes du trajet, Greta mitrailla Louise de questions : sur son travail, sur la ville, sur l'hiver «si long, si froid», sur son mari, sa liberté, les enfants, «C'est pour quand?» Chaque fois que Louise relançait Greta, celle-ci répliquait par d'autres questions. Elle avait décidé de ne pas livrer ses secrets à cette inconnue, si sympathique fût-elle. Elle commençait à peine à prendre sa vie en main; il n'était pas question d'y admettre quiconque pourrait en changer le cours.

Une cinquantaine de clients attablés mangeaient et buvaient sous un éclairage discret. On offrit aux deux femmes une table près de la scène, mais Greta en demanda une à l'écart. Elles déposaient leurs vêtements sur une chaise libre quand un projecteur enveloppa la silhouette de Jesus qui, guitare à la main, s'avança vers le micro. Greta était muette et Louise, étonnée de découvrir un Latino-Américain. Elle jeta un regard admiratif vers sa compagne.

– Bel homme, ton Jesus!

Pendant qu'il saluait les clients en espagnol, Greta se surprit à regarder Jesus à travers les yeux d'une autre femme. Jamais elle ne l'avait perçu comme pouvant être l'objet du désir d'une autre femme. Certes, «d'autres femmes» avaient existé avant elle, mais elle était convaincue que chacune avait séjourné dans la vie de Jesus parce qu'il en avait décidé ainsi et non parce qu'il avait été séduit. Louise, par une banale petite phrase, venait jeter un éclairage nouveau sur cet homme : une femme, des femmes pouvaient l'avoir désiré, conquis, aimé par leur volonté à elles. Elle se sentit soudain une de celles-là, une de celles qui avaient choisi Jesus, lui qui laissait toujours aux autres l'impression qu'il tenait bien les rênes de sa monture fringante. Il allait commencer à chanter. Elle se redressa fièrement sur sa chaise et sourit à Louise.

– C'est vrai qu'il est bel homme, murmura-t-elle.

Dès les premières mesures, elle fut transportée à Berlin. Une scène, un public, cette voix assurée : il ne manquait que les deux autres membres du trio. Et Mohammed.

La musique de l'homme avec qui elle avait fui la mort ranimait subitement celui par qui elle avait connu Jesus. Comme s'il avait existé une complicité entre les deux hommes. Jamais ils n'avaient reparlé de Mohammed depuis l'aventure du conteneur. Pourtant, à quelques reprises, Mohammed avait refait surface par la présence de Jesus. Elle sentit se superposer l'image des deux hommes. Un petit vertige l'aspira encore plus loin; vers Istanbul, Denizli, Konak; dans le taxi de la liberté où elle avait rencontré Mohammed. Une liberté qui la clouait ce soir sur une chaise droite dans la salle enfumée d'un bar de Montréal où elle écoutait chanter la voix d'un homme dans le corps d'un autre; où la musique de l'un se noyait dans les rythmes de l'autre; où les paroles de l'un racontaient la vie de l'autre. Puis elle se revit accroupie, là, dans un coin noir du conteneur, essayant de retenir cette vie qui lui échappait.

– Tu pleures?

La question la ramena dans la salle.

– Simplement émue. Je reviens.

Elle se leva pendant qu'on applaudissait le chanteur et se dirigea vers les toilettes. Elle s'aspergea vivement d'eau froide, retoucha son maquillage et revint s'asseoir auprès de Louise.

Pendant une demi-heure Jesus séduisit les clients avec ses chansons chaudes. Ce musicien doué se doublait aussi d'un comédien qui savait racoler son public. Il émaillait ses présentations de phrases en anglais et de quelques mots de français : il avait vite appris que, dans cette ville nord-américaine francophone et anglophone, mieux valait se camoufler derrière l'espagnol et éviter de choisir une langue plutôt qu'une autre. Il remporta un honnête succès et s'arrêta pour l'entracte.

Une porte latérale près du bar s'ouvrit. Curieux, Jesus regarda dans la salle, dont l'éclairage discret ne permettait pas de distinguer facilement les visages. Le serveur lui indiqua une table vers laquelle il accompagna le chanteur. Soudain, son visage se figea. Greta eut le temps de voir sa mine incrédule avant qu'un large sourire racoleur ne lui redessine un visage radieux. La surprise passée, Jesus tenta maladroitement de savoir qui était cette femme qu'il ne connaissait pas. Greta devina son malaise. Elle crut un moment qu'il allait se fâcher, comme il l'avait fait lors de la rencontre au bar clandestin. Qu'ils soient musulmans ou non, les hommes lui paraissaient possessifs et dominateurs. Jesus insista pour que les deux copines assistent au deuxième spectacle.

– Je crois que nous allons poursuivre notre exploration de la ville, répondit Greta en fixant Louise dans les yeux.

– Greta m'avait demandé de lui faire voir un peu Montréal. Nous reviendrons peut-être.

Jesus fut vexé de les voir partir.

– On se revoit plus tard, dit-il à Greta avec un sourire insistant.

– Peut-être! lui répondit-elle en riant.

Elle posa un baiser sur sa joue. Il serra la main de Louise et disparut. Les deux femmes quittèrent les lieux rapidement. Une solide rafale de vent glacé les invita à repérer rapidement un autre bar. Louise proposa une nouvelle salle de danse, installée dans une ancienne église.

– Chrétienne? s'étonna Greta.

– Sans doute. Tu es chrétienne?

Greta se sentit piégée. Elle n'allait quand même pas lui révéler ses racines musulmanes, sa fausse identité allemande. «Pourquoi ai-je prononcé ce mot?»

– Non, je ne suis pas chrétienne. Je suis plutôt rien; je ne suis d'aucune religion…

– Mais chez vous, en Allemagne, les gens sont chrétiens, non?

– Oh! Oui. Chrétiens et même musulmans, comme toi!

Greta sentit soudain un petit malaise l'envahir. Les questions de sa compagne l'embêtaient. Encore une fois, elle était confrontée à son identité. Si elle mentait, elle devait vite s'inventer des racines, une histoire, une famille, une vie. Et ça, elle ne le voulait pas. Si elle se révélait, elle détruisait ce vide si apaisant dont elle avait tellement besoin pour se rebâtir une existence bien à elle. Et si elle se taisait, elle risquait d'indisposer cette première personne avec qui elle pouvait développer des liens d'amitié qui lui tisseraient peut-être ce cocon de tendresse et de complicité dont elle rêvait.

– Allons danser! lança-t-elle subitement.

Greta fit plus que danser. Elle s'intoxiqua de musique, chavira dans la fête. Sur la piste, elle malaxait l'énergie de ses vingt ans et sa soif de revivre. Elle explosait. Elle dansait face à Louise, mais ne la voyait plus.

La soirée se poursuivit ainsi jusqu'à la fermeture du disco-bar, vers trois heures du matin. Louise eut l'impression d'avoir ouvert les vannes du délire en invitant cette nouvelle copine à sortir. Elle offrit à Greta de partager un taxi puisque, à cette heure tardive et par un froid si intense, il n'était pas question d'attendre l'autobus pour rentrer à la maison. Greta se fit déposer à quelques pâtés de maisons de chez elle et marcha doucement dans le silence glacé de février vers le petit logement, où la fenêtre illuminée de la chambre indiquait qu'on l'attendait.

D'un petit coup d'épaule, elle referma la porte du rez-de-chaussée. Deux fois. En gravissant lentement l'escalier, elle sentit un silence réprobateur flotter à l'étage. Elle enleva ses bottes souillées de neige fondante, les laissa sur le palier et ouvrit la porte de l'appartement. Toutes les ampoules étaient allumées. Agressée par tant de lumière, elle plissa les paupières. Elle jeta son manteau sur une chaise et se dirigea vers la chambre en franchissant la pièce de séjour. Rien. Personne. Elle revint sur ses pas et entra dans la cuisine. Personne.

– Jesus, tu es là?

Silence. Elle refit le tour de chacune des pièces. Elle était seule. Sur la table de la cuisine, elle vit alors une feuille blanche. Un message signé Jesus. «Je suis rentré à deux heures. Tu n'étais pas là. On se reverra demain. Peut-être. Si tu ne sors pas.»

Les larmes lui montèrent aux yeux, comme si on l'avait giflée. Comme une enfant coupable qu'on punit. Jamais elle ne lui avait reproché ses longues nuits d'absence. Elle savait bien qu'il ne chantait pas jusqu'aux petites heures du matin, mais elle le savait artiste, bohème; elle comprenait, sans toujours l'accepter, ses longues évasions qui, pour l'instant, lui permettaient de remettre en ordre sa tête et son corps. Elle refit le tour de la maison en éteignant une à une les ampoules. Jesus les avait toutes allumées. Toutes. Il avait mis les projecteurs sur le vide de son absence. Son absence à lui. S'il avait voulu lui reprocher cette sortie, il l'aurait sûrement attendue, engueulée peut-être. Non. Sa frustration, il la manifestait en la privant de sa présence.

Vers cinq heures, ce matin-là, Jesus rentra éméché. Greta, qui dormait profondément, ne l'entendit pas pénétrer dans la chambre. Quand il voulut gauchement s'emparer d'elle, elle poussa un cri de frayeur. Il n'en fallut pas plus pour qu'éclate la colère que Jesus n'avait pu totalement noyer dans l'alcool.

Le week-end fut des plus pénibles. Ils ne se parlaient pas, évitaient de se regarder, et la tempête de neige qui s'abattit sur Montréal les confina dans cet appartement où il était impossible de s'isoler. Greta rêvait au lundi pour retrouver Louise à bord de son autobus et ses compagnons de travail à l'atelier. Jesus, lui, put s'évader vers le resto-bar le samedi soir où il prétendit devoir travailler.

Quand il rentra, il trouva l'appartement plongé dans le noir. Et vide. Sur la table de la cuisine, un petit mot : «Merci de m'aider à vivre ma solitude.»

Greta l'avait rédigé en allemand.

# 25

Jesus n'osait contacter l'agent d'immigration chargé de son dossier, de peur d'éveiller les soupçons. Greta avait disparu. Depuis quelques jours, aucune nouvelle, pas un mot, sauf ces quelques lignes rédigées en allemand. Il ne connaissait pas les coordonnées de l'atelier de cuir, ni celles de la sœur Monique et encore moins celles de cette Louise avec qui elle était passée le saluer, boulevard Saint-Laurent. Alors qu'il ne s'était jamais vraiment préoccupé d'elle tant qu'elle était à la maison, voilà qu'il était inquiet de ne plus la voir chaque jour. Mais son angoisse se nourrissait plus des conséquences possibles sur sa vie personnelle que sur celle du couple dans lequel il ne voulait pas s'enfermer. Si elle avait été victime d'une agression, il serait interrogé, mis en cause peut-être, et cela nuirait à son projet de s'installer aux États-Unis.

Comme il le faisait régulièrement, une fois son petit tour de chant terminé, il se rendit à *L'Évasion*, ce bar clandestin où il avait, une nuit, croisé Greta qui se faisait lire dans les lignes de la main. Jorge Ruiz l'y attendait en compagnie d'un homme et d'une femme qu'il ne connaissait pas. Prudent, il laissa Jorge parler. À Berlin, il avait souvent magouillé ou trempé dans de petits commerces illicites. Mais entre le trafic d'icônes, le marché noir des dollars et «un *deal* de dope» comme disait Jorge, il y avait une marche périlleuse à franchir.

Dès son embauche comme chanteur, Juan, le patron de la boîte et frère de Jorge, avait fait allusion aux possibilités de «faire quelques extras» pour boucler les fins de mois. Comme il n'était pas très bien payé, Jesus avait ouvert la porte à ces «extras» qui pourraient lui rapporter un peu plus d'argent. La confiance ayant été établie par quelques opérations bénignes qui avaient bien tourné, ce soir on passait aux choses un peu plus costaudes. Et plus payantes. La conversation glissait de l'espagnol au français, car l'homme et la femme ne semblaient parler que le français. Jorge expliqua à Jesus que, comme les dernières fois, il quitterait *L'Évasion* avec une guitare dans son étui, sauf que ce soir, en plus des sachets de poudre blanche glissés dans l'instrument, il transporterait, camouflés dans la doublure de l'étui, dix mille dollars.

– Nos deux amis sont ici pour te conduire et protéger la cargaison.

– Et l'instrument?

– Ici, derrière ma chaise. Tu peux vérifier le contenu avant de partir.

Jesus eut le réflexe de prendre l'étui, mais préféra d'abord passer aux toilettes. L'homme le suivit en lui expliquant que la protection commençait à l'instant même. Il était trois heures du matin.

Jesus et son ange gardien étaient aux lavabos depuis une minute lorsque des cris et le bruit de tables qu'on renverse les firent sortir précipitamment. Ce n'était pas une bagarre. Deux douzaines de policiers occupaient le bar en ordonnant : «Que personne ne bouge!»

Vers cinq heures du matin, lorsque Jesus fut relâché avec promesse de comparaître «pour avoir été trouvé dans un débit de boissons après l'heure légale de fermeture», il se félicita de ne pas avoir touché à l'étui de la guitare, où l'on aurait facilement relevé ses empreintes digitales. Il remarqua que Jorge et la femme étaient longuement interrogés. Il les ignora et rentra vite à la maison, où la présence et le réconfort de Greta lui manquèrent.

* * *

– Greta, j'ai quelque chose à te montrer.

Pour la première fois depuis son arrivée à l'atelier, ce compagnon de travail, qui avait déjà fait allusion à ses «beaux yeux», s'adressait à elle en turc. «Une surprise», avait-il ajouté en lui faisant de l'œil.

La dernière chose que Greta souhaitait était bien une surprise. Elle rêvait de calme et de repos. Depuis qu'elle avait trouvé refuge chez la sœur Monique, elle avait réussi à dormir. Les religieuses la traitaient comme des tantes feraient d'une nièce en difficulté.

247

On l'avait installée dans une petite chambre. Chaque jour, on lui préparait un casse-croûte qu'elle apportait au travail. On ne lui posait pas de questions, on lavait son linge, et on lui avait même fourni une paire de bottes fourrées. Greta avait expliqué à Monique que Jesus et elle ne formaient pas un véritable couple. Il lui fallait vivre sa propre vie et le stress de leur statut de réfugiés ne faisait qu'empirer les choses. Hier soir, elle avait même écrit une lettre à sa mère; une simple page où elle lui disait son envie de reposer sa tête sur son épaule, de sentir ses doigts sur sa nuque; quelques mots de tendresse et de réconfort qui la rassureraient; une petite page qu'elle ne posterait pas. Il n'était pas question que quiconque à Konak sache où elle vivait. Son père n'était peut-être pas emprisonné. Elle savait, elle, qu'il avait agressé Mohammed. Mais, si jamais la police n'arrivait pas à faire la preuve de sa culpabilité, si on imputait ce meurtre, par exemple, aux skinheads, Mustafa pourrait rentrer à Konak et venir la chercher, ici, à Montréal. Elle avait écrit à Becuchi comme une enfant dessine la maison de ses rêves; pour continuer de croire qu'un jour, par miracle, elle apparaîtra.

Malgré tout, intriguée par cette «surprise» annoncée, Greta suivit l'homme vers le vestiaire. Il ouvrit la porte de son casier et prit sur la tablette supérieure un journal.

– Tu as fui l'intolérance ou la pauvreté?

Greta fut sidérée. Elle n'osait regarder son compagnon ni la page un peu jaunie du *Journal de Montréal*, que «tout le monde avait lue».

– Ne t'inquiète pas. Nous avons tous, ici, quitté un jour la Turquie pour de meilleures conditions de vie.

– Mais moi, j'ai quitté l'Allemagne, répliqua sèchement Greta.

– Mais tu as aussi quitté la Turquie, non?

L'homme se rapprocha d'elle et lui montra une enveloppe qui portait un timbre turc.

– Tu vois ceci? C'est une lettre de ma mère, là-bas en Turquie. Chaque mois, je lui envoie de l'argent et je lui donne de mes nouvelles. Alors, quand j'ai vu l'article du journal et ta photo, je lui en ai fait parvenir un exemplaire. Ma mère m'a répondu que tu ne t'appelais pas Greta.

Greta recula et s'appuya sur le casier de métal.

– Tu te nommes Taylin… Taylin, la fille de Mustafa Tancir.

Elle sentit qu'elle allait perdre conscience.

– Ne t'inquiète pas, Greta. Ce n'est pas grave. Beaucoup de jeunes changent leur nom quand ils passent par l'Allemagne.

– Mais qui est Mustafa? répliqua Greta.

– Il paraît que c'est ton père... et qu'il te cherche partout en Allemagne.

– Mon père ne me cherche pas! Il est mort, mon père, répondit sèchement Greta.

– Ah! excuse-moi. Je ne savais pas. Pourtant, ma mère m'a écrit...

– Qu'est-ce qu'elle sait de moi, ta mère?

– Elle sait ce que tout le monde de Konak sait maintenant...

– Konak!

– Oui, Konak. Elle habite Tavas, juste à côté. Elle a montré la photo du journal aux gens du village. Tous t'ont reconnue.

Greta s'enfuit vers l'atelier d'un pas si ferme que son compagnon eut le sentiment qu'elle en franchirait les murs sans s'arrêter.

La journée fut très mauvaise. Incapable de se concentrer, Greta commit gaffe sur gaffe. Myrka, la patronne, suggéra sans subtilité que le week-end avait sans doute été «épuisant». Affolée, Greta demanda la permission de s'absenter. Myrka la lui refusa.

– C'est le *rush* du printemps; on a besoin de tout le monde.

Greta releva la tête.

– C'est plus urgent que le printemps; je dois partir. À demain!

Greta était étourdie. Fallait-il encore fuir? Où? Avec qui? Comment? Soudain, sa décision fut prise.

\* \* \*

– Vous en êtes certaine?

– Absolument!

Devant une telle détermination, la coiffeuse s'exécuta. Pendant toute la durée de l'opération, Greta ne cessa de promener nerveusement son index sur la chaîne d'or.

En fin de journée, elle admira dans la glace les cheveux blonds d'une Allemande qui avait pris sa revanche sur cette jeune Turque pourchassée par de vieux cauchemars. Elle reprit le métro et l'autobus vers la rue Cuvillier, assurée, à cette heure tardive, que Jesus avait déjà quitté l'appartement pour aller travailler. En ouvrant la porte, elle sursauta.

– Jesus! Tu ne travailles pas?

Greta était à la fois frustrée de revoir si brusquement son compagnon et réconfortée de le retrouver après la journée catastrophique qu'elle venait de vivre.

– Tes cheveux! Incroyable! dit Jesus, embarrassé.

Les deux amants ne savaient plus quoi se dire. Greta n'avait pas envie de fournir d'explications et Jesus ne voulait pas revenir sur la querelle. Blessés, ils cherchaient gauchement à faire renaître la confiance disparue depuis leur affrontement. Mais cette courte séparation venait de leur apprendre qu'il fallait plus que de la passion pour jeter des ponts entre le présent et l'avenir. La solidarité des fugitifs commençait à s'effriter. Les deux expatriés souhaitaient une nouvelle complicité qui leur permettrait de se soutenir. Car ni l'un ni l'autre n'osaient révéler qu'ils étaient de nouveau traqués.

Jesus ne s'était plus présenté au bistrot pour chanter. Il ne se risquait plus à sortir. Son patron savait qu'il en connaissait trop sur son petit trafic de drogue pour le laisser circuler librement. Le Cubain devait disparaître, et vite.

Greta sentait qu'elle devait quitter Montréal, mais pour aller où?

– Je n'en peux plus, risqua Jesus. Ce climat me tue.

Greta saisit l'occasion.

– Si seulement on pouvait faire comme les Canadiens. L'hiver, ils s'évadent vers le Sud.

Ce soir-là, ils se réfugièrent dans une étreinte intense comme ils n'en avaient pas connu depuis longtemps.

\* \* \*

Greta fut éveillée en pleine nuit par le vacarme des déneigeuses. Elle fut incapable de retrouver le sommeil. Où aller et comment partir? Elle craignait d'en parler à Jesus alors qu'elle venait tout juste de renouer avec lui. Elle n'osait en parler à Monique, qui lui avait justement trouvé ce travail dans l'atelier qu'elle désirait fuir. Ne restait que Louise.

– Bonjour, *good morning!*

Louise referma rapidement les portes de l'autobus pour interdire à l'hiver d'y entrer.

– Tiens! Tes cheveux. C'est joli, blonds. Il y a une semaine que je t'ai vue. J'espère que notre sortie de vendredi n'a pas créé de problèmes entre toi et Jesus.

Greta ne répondit pas. Elle demanda simplement à Louise si elle pouvait la consulter sur une question particulière. Intriguée, elle lui donna rendez-vous à la fin de son quart de travail, à neuf heures, dans un restaurant près de la station de métro.

– Mais, dis donc, tu ne travailles pas aujourd'hui ?

– Je t'expliquerai.

Greta décida de se rendre au travail sur-le-champ pour y récupérer un pull qu'elle laissait dans son casier. Elle n'avait pas aussitôt mis les pieds à l'atelier que Myrka l'intercepta.

– Tiens, une nouvelle tête ! J'espère que ce n'est pas pour cela que tu t'es absentée hier.

– Non, pas du tout, répondit calmement Greta. Je vous l'ai dit, je ne me sentais pas bien.

– Et, évidemment, quand une femme ne se sent pas bien, elle change de tête !

– Mes cheveux, c'est mon affaire !

– D'accord ; mais la production, c'est la mienne ! Et hier, et cette semaine, et pendant tout le mois de mars, on est dans le jus ici. Il faut produire. On a besoin de tout le monde.

– Pas le droit d'être malade ?

– Malade, oui ; indisposée, non ! Ce n'est pas assez pour quitter son travail. Comprends-moi bien : des gens comme toi, qui débarquent et cherchent du travail, il y en a plein. Alors, c'est le premier et le dernier avertissement qu'on te donne. Une autre absence injustifiée et c'est la porte ! Compris ?

Greta serra les dents. Elle bouillait.

– Vous parlez comme un homme.

La phrase insulta Myrka.

– Un homme ? Tu en aurais peut-être besoin d'un vrai pour te mettre un peu de plomb dans la tête.

– Mêlez-vous de vos affaires !

– C'est justement ce que je fais : mes affaires, je m'en occupe. Ici, c'est moi qui dirige.

– Je croyais que c'était M. Mustafa.

Myrka rugit.

– Dans l'atelier, c'est moi.

– C'est vous l'homme !

Myrka faillit lever la main sur Greta.

– Ma petite, ton problème avec les hommes, c'est ton affaire. D'ailleurs, on a tous vu dans le journal avec quel genre d'hommes tu as débarqué ici !

Greta explosa.

– Vous n'êtes qu'une grossière Turque! Je ne vous permettrai pas de parler ainsi de mon compagnon et des hommes qu'il me faut ou pas!

– Tu renies tes origines turques maintenant...

– Et vous, qu'est-ce que vous faites ici? Pourquoi ne vivez-vous plus en Turquie?

C'était la phrase taboue, la zone interdite qu'il ne fallait pas franchir.

– Ici, c'est l'Amérique, ma petite. Et on ne se mêle pas des affaires des autres.

– Mais ici, à l'atelier, vous avez recréé la Turquie. Et ça fait bien votre affaire; vous voulez le meilleur des deux mondes : la soumission des employés et l'efficacité américaine.

– Greta, tu es congédiée. Tout de suite! Tu auras tout le temps voulu pour te faire teindre les cheveux.

– Et vous, Myrka, même avec la teinture qui tente de cacher vos origines, on voit bien que le tcharchaf s'est imprégné dans votre tête!

Greta tourna les talons et franchit l'atelier comme on fuit un pays. Elle avait inconsciemment réussi ce qu'elle souhaitait depuis vingt-quatre heures : s'expulser de ce territoire où on l'avait reconnue. Elle reprit le métro. Durant le trajet qui la ramenait vers le restaurant où Louise lui avait donné rendez-vous, elle ne cessa de promener son index sur la chaîne d'or qui courait à son cou.

Louise entra, laissa glisser son tcharchaf sur ses épaules et repéra sa copine. Greta avait réfléchi : elle ne lui parlerait pas de sa volonté de fuir, car il faudrait alors lui révéler qu'elle n'était pas allemande mais turque. Pour justifier cette rencontre devenue inutile, elle choisit de parler de sa relation difficile avec Jesus. «Du placotage de filles», comme dit Louise, ravie de jouer à la grande sœur. Lorsqu'elle posa certaines questions au sujet de Jesus, Greta se rendit compte du piège qu'elle s'était tendu : elle connaissait peu de choses de son amant. Pour préserver son secret, elle fit dévier la conversation sur l'opinion du mari musulman de Louise sur les relations hommes-femmes. Louise s'emporta.

– On me pose souvent cette question ici. Le jour où mon mari ne sera plus d'accord avec mon mode de vie, je lui rends mon foulard, dit-elle en s'esclaffant. Non... Sérieusement, Rachid, mon mari accepte bien que je fasse des choses pour moi, que j'aie ma portion de vie personnelle où il n'a rien à voir. Il est très tolérant. D'ailleurs, j'en ai un peu assez de cette réputation qu'on fait aux musulmans. Partout dans les journaux, à la radio, à la télé, au cinéma, on n'entend parler que des restrictions que les musulmans imposent à leur épouse. Eh bien, je vais te dire : moi, j'ai grandi dans un milieu chrétien, catholique, et j'ai vu autant de conneries de la part des hommes face à leur femme, autant d'intolérance, de misogynie. Prends l'Église catholique : une bande d'hommes, de vieux garçons qui ne tolèrent pas la présence des femmes dans leur hiérarchie. C'est de la tolérance, ça? Du respect? Non, madame! Les musulmans ne sont pas pires ni mieux que les catholiques ou les autres. Le problème, ce n'est pas la religion, ce sont les hommes, les mâles eux-mêmes! Et les femmes qui tolèrent ça!

Louise était survoltée.

– Mais, l'interrompit Greta, je t'ai simplement demandé si ton mari...

– Oh! oui, tu as raison. Je me suis un peu emportée. Mais, vois-tu, quand on aborde cette question, moi, je ne résiste pas. Mon mari, je l'aime; on aura sans doute des enfants. Le foulard, ce n'est qu'un signe extérieur; ça ne change pas ce que je suis. Tu vois, toi, tu avais les cheveux noirs la semaine dernière, et ce matin, hop! ils sont blonds. Est-ce que ça change quelque chose pour toi?

– Peut-être, répondit timidement Greta.

– Et tu porterais un foulard, si ça faisait plaisir à ton amoureux?

Greta était coincée. Elle brava :

– Ce n'est qu'un foulard. Je le porterais sûrement si ça me faisait plaisir à moi!

– Alors, tente l'expérience, lui lança Louise en détachant son tcharchaf. Tiens, je te le donne. Amuse-toi à le porter, toi, une Allemande! Tu verras toutes les questions qu'on va te poser.

Elle enfouit le morceau de tissu dans le sac de Greta, qui ne put refuser.

Les deux femmes se séparèrent en promettant de se revoir.

Greta regarda Louise s'éloigner et descendit machinalement vers le quai du métro. Louise avait parlé comme elle aurait voulu entendre sa mère parler. Louise portait sans doute le tcharchaf comme Becuchi avait accepté de le porter. Louise vivait dans un monde d'hommes comme sa mère avait appris à le faire. «Et si maman était comme Louise? pensa-t-elle. Si, derrière son silence, il y avait un discours, une rage, une indépendance secrète? Si le tcharchaf camouflait la force, la puissance, plutôt que la soumission des femmes…?»

Le train déboucha rapidement dans la station Papineau. Pendant un instant, elle sentit qu'elle pourrait un jour se laisser tomber simplement devant le métro. Un accident. Morte. Elle n'aurait plus à se demander comment venir au monde.

\* \* \*

Jesus était encore au lit lorsque la porte du rez-de-chaussée claqua. Une seule fois.

– Que fais-tu là? demanda-t-il, tout endormi.

– Jesus, je requitte la Turquie.

Greta vint le retrouver au lit avec deux tasses de café. Elle raconta longuement à Jesus, estomaqué, qu'un collègue de travail l'avait reconnue. Que tout Konak savait qu'elle vivait à Montréal et qu'elle avait été embauchée dans un atelier du nord de la ville.

– Jesus, ma famille sait où je vis!

En entendant cette phrase, il comprit que rien n'empêcherait Greta de partir. Il avala une gorgée de café en laissant sa tête s'emplir des arômes du Sud. Intérieurement, il sourit. Greta venait de lui ouvrir la porte qu'il n'osait pas encore pousser.

– Il n'y a que les États-Unis pour s'évader du Canada, glissat-il en retenant son souffle.

Jesus, qui rêvait secrètement de partir pour les États-Unis, voyait Greta le précéder.

Quelques jours plus tard, grâce à la complicité de la diaspora cubaine de Montréal, Jesus expliqua à Greta le plan de fuite. Direction : Miami.

– Tous les Cubains sont là-bas et, de plus, il fait chaud! lançat-il.

Le lendemain matin, le bruit de la porte qui se refermait éveilla Jesus. Il découvrit un petit mot sur l'oreiller de Greta : «Ne t'inquiète pas. Je suis partie faire une course essentielle. De retour dans une heure.» Intrigué, il jeta un œil par la fenêtre. Dans le matin noir et froid, il la vit, la tête couverte d'un foulard, remonter la rue Cuvillier et disparaître à la hauteur de la rue Sainte-Catherine.

Greta s'installa à l'arrêt d'autobus. Un taxi ralentit; le chauffeur sourit; Greta l'ignora. Le taxi reprit sa route. Puis, au loin, elle vit apparaître les phares de l'autobus, deux taches laiteuses qui surprenaient des milliers de flocons en pleine farandole nocturne. Dans quelques instants, Louise stopperait son mastodonte, ouvrirait la porte et la saluerait : «Bonjour, *good morning!*» Elle s'assoirait sur la première banquette, toujours vide à cette heure, et lui raconterait doucement qu'elles se voyaient pour la dernière fois. Que leur rencontre avait ranimé la flamme de l'espoir dans son cœur. Qu'elle avait découvert celle qui aurait pu devenir sa première véritable amie. Elles se souriraient, s'embrasseraient doucement. Les portes s'ouvriraient à la station Papineau. Greta ne descendrait pas; elle retournerait vers la rue Cuvillier en silence, regardant Louise conduire ses passagers vers leurs petits bonheurs. À Cuvillier, elle remettrait son tcharchaf à Louise et, sans mot dire, descendrait sur le trottoir pour regarder son amie s'éloigner avec, dans le foulard replié, un petit mot : «Sois heureuse.»

L'autobus s'approcha, plus rapidement qu'à l'habitude. Les portes s'ouvrirent et avalèrent la passagère au foulard.

– Pas chaud, hein, madame?

Stupéfaite, Greta regarda le chauffeur : un homme à la peau noire, un Haïtien sans doute.

– Louise n'est pas là?

– Ah! je ne sais pas. C'est un nouvel itinéraire pour moi. Alors, Louise...

Greta descendit à l'arrêt suivant. Elle marcha à rebours les quelques rues qui la séparaient de Cuvillier. Un chauffeur de taxi ralentit à sa hauteur. Elle l'ignora. Une pellicule de tristesse enveloppa son visage. Le vent voulut lui arracher son foulard. Elle s'y agrippa. «Ainsi Louise sera toujours avec moi.»

Le lendemain soir, alors que tout Montréal se passionnait pour un match de hockey à la télévision, Jesus et Greta enfouissaient deux sacs de toile bourrés de vêtements dans le coffre arrière d'une voiture. Greta monta derrière et Jesus, devant avec Ramon, le chauffeur passeur.

– Il faut payer la moitié avant de partir, dit Ramon. Une fois de l'autre côté, vous payez l'autre moitié.

Jesus lui donna deux cents dollars.

La voiture quitta le quartier Hochelaga par la rue Notre-Dame. Greta se retourna pour voir Montréal une dernière fois. La voiture franchissait le pont Champlain. Comme une fournaise éclatée, la ville explosait en tisons lumineux qui dessinaient des rues, des boulevards, des buildings, des collines. Greta eut un serrement au cœur. Quelque part dans ces rues, elle abandonnait Louise, Monique, les enfants de la ruelle et quelques racines qui auraient sans doute commencé à grandir au printemps, n'eût été cette page maudite d'un journal qui l'avait mise à nu. Montréal scintillait en se lovant dans un ballot de ouate. Jamais elle ne connaîtrait ses rues cruellement chaudes et humides en été. Jamais elle ne vivrait cette renaissance que des milliers d'immigrés ont saluée en se multipliant, en créant des rues et des quartiers où les odeurs de l'Europe se mêlent subtilement aux accents frondeurs de l'Amérique. Jamais elle n'aurait à choisir entre l'identité cana-dienne et l'identité québécoise. Jamais elle ne saurait si Louise la Québécoise s'arrimerait pour toujours à Louise la musulmane. Jamais elle ne saurait si Greta l'Allemande y aurait effacé Taylin la Turque.

Le trio roulait maintenant depuis une heure et demie. À la sortie d'un village, un panneau : *Frontière USA : 20 km.* Ramon ralentit.

– Un problème ? demanda Jesus.

– Je ne veux pas passer la frontière par cette route.

Après deux kilomètres, il obliqua vers la gauche dans une petite route de terre gelée que le vent décapait de sa couche neigeuse. Ils gravirent une pente assez raide, franchirent un hameau endormi et débouchèrent dans une forêt dont les longs sapins noirs montaient la garde face à l'ennemi blanc. Au sommet de la colline, Ramon immobilisa la voiture. Il désigna une grande surface nacrée.

– Vous voyez ce lac ? De l'autre côté, c'est les États-Unis.

– On est si près, chuchota Greta.

– Au Canada, on est toujours près des États-Unis.

Ramon se dirigea vers Canaan, au Vermont, par une route empruntée surtout par les camionneurs qui vident les forêts de leurs arbres. Il y avait autour quelques petits chemins forestiers qui traversent la frontière, sans poste-frontière.

– Pas de douaniers?

– Des caméras seulement.

– Des caméras! s'exclama Greta. On va être...

– Non, non, pas si on passe rapidement, les phares éteints, et qu'on change de route tout de suite après.

Greta abaissa la fenêtre «pour respirer une dernière fois l'air du Canada».

– Éteins le moteur juste une minute, demanda-t-elle. Je veux écouter le silence.

Un ciel de granit charbonné n'attendait que l'haleine tiède du sud pour libérer les millions d'étoiles prisonnières du souffle cryogénique qui coulait du nord. Un fracas silencieux ahurissant; une bouche ouverte sur l'éternité; une tache de sang noir figé à l'infini. Soudain, Ramon s'énerva.

– Christ! jura-t-il. La patrouille de nuit.

– Mais tu nous avais dit...

– Laisse tomber ce que j'ai dit et fais ce que je dis!

Ramon avait perçu avant ses passagers le vrombissement lointain des motoneiges. Il était impossible de faire demi-tour dans ces petits chemins de neige durcie. Il fit marche arrière, tous phares éteints, à l'exception des feux de recul, qui balisaient la piste blanche. Le son des moteurs se rapprochait. Il accéléra, fauchant quelques petits sapins. Greta et Jesus crièrent à l'unisson : «Attention!» Trois chevreuils franchissaient la route. Ramon freina; la voiture dérapa et s'enfonça dans un banc de neige.

– Vite, descendez! Il faut pousser.

Greta et Jesus enfoncèrent dans la neige jusqu'aux genoux. Les pneus n'avaient plus aucune prise; ça sentait le caoutchouc chauffé; rien ne bougeait. Le couple s'acharnait sur la voiture quand ils virent apparaître les phares blancs des motoneiges qui, comme des loups, convergeaient vers eux. Ils furent paralysés de peur et de froid. Le grognement des moteurs était insupportable. Les chauffeurs, casqués et vêtus comme des extraterrestres, encerclèrent la voiture, qui fut inondée de lumière. Ramon mit un bras devant ses yeux. Greta se réfugia dans les bras de Jesus qui, à son tour, baissa la tête pour ne pas être aveuglé. Les six motoneigistes descendirent de leur monture, le fusil à la main. Le trio leva les bras.

– Besoin d'un coup de main? demanda le plus grand.

L'homme releva la visière de son casque et fut imité par ses cinq acolytes. Ramon expliqua qu'ils s'étaient perdus en fin de journée et qu'ils n'arrivaient plus à sortir la voiture du banc de neige.

– Tu me prends pour un imbécile? dit l'homme. Les traces de pneus sont fraîches. Ça ne fait pas dix minutes que tu es là. Tu allais vers les États-Unis, non? Avec un nègre comme passager, tu dois être passeur.

Il éclata d'un rire sonore qui se perdit dans la pétarade des moteurs, qui tournaient toujours. Il fit signe à ses compagnons. Ils rangèrent leurs armes et, en moins de dix secondes, replacèrent la voiture dans la route. Jesus remarqua qu'aucun des patrouilleurs ne portait d'insigne ou de badge. Il douta qu'ils fussent des policiers.

– Merci, dit-il en français.

Ramon lui fit signe de se taire et, d'un geste autoritaire, lui ordonna de remonter dans la voiture. Il obéit pendant que le passeur prenait le motoneigiste à part. Deux autres hommes s'approchèrent de la voiture et l'inspectèrent avec des torches. Greta tremblait comme un animal traqué. La discussion s'animait entre le motoneigiste et Ramon. Ils gesticulaient et semblaient hausser le ton; le son des moteurs ne permettait pas de comprendre ce qu'ils se disaient. Ramon revint vers la voiture.

– Ils veulent deux mille dollars pour vous laisser passer.

– Qui sont-ils? demanda Greta.

– Regardez le traîneau derrière leurs machines. Sous les bâches, il y a sans doute des chevreuils. Ce sont des braconniers.

– Mais c'est tout ce que nous avons, deux mille dollars, s'indigna Jesus.

– On va négocier, fronda Greta en sortant de la voiture. Jesus voulut l'en empêcher, mais elle était déjà rendue près du motoneigiste. Ramon et Jesus, hébétés, la regardaient discuter, s'agiter, rire même. Elle suppliait l'homme de les laisser passer. Lui semblait amusé de discuter avec cette jeune femme énergique. Au bout d'une dizaine de minutes, elle revint dans la voiture. Malgré le froid intense, elle était en sueur. Il veut bien ne prendre que mille dollars, à condition que Jesus et moi montions avec eux sur leurs motoneiges. Ils nous feront passer la frontière, dit-il. Toi, Ramon, si tu ne leur donnes pas mille dollars, tu dois repartir seul.

– Si ça vous convient, dit timidement Ramon, moi, je n'y vois pas d'objection.

– Nous ne sommes pas vêtus pour ce voyage en forêt, répliqua Jesus. Et nous ne les connaissons pas. C'est trop dangereux.

Jesus sortit à son tour pour discuter. Il revint rapidement vers la voiture. Le motoneigiste ne voulait rien entendre et il commençait à s'impatienter. Le trio ne parlait plus, prisonnier d'une bande de braconniers au milieu d'une forêt hostile.

Soudain, ils virent deux hommes courir. Les six braconniers regardèrent vers la montagne, se précipitèrent sur leurs motoneiges et s'enfuirent dans toutes les directions. Ramon coupa le moteur et descendit la vitre de la portière. Au fur et à mesure que le son des moteurs s'éloignait, d'autres semblaient se rapprocher. Il vit au loin un faisceau blanc balayer le flanc de la montagne.

– Les gardes-chasse ou les gardes-frontière, dit-il.

Les faisceaux lumineux s'éloignèrent. On entendit les véhicules poursuivre leur course en direction nord, vers la route secondaire du côté canadien. Pour ne pas révéler sa présence et celle de ses clients, Ramon suggéra de ne pas faire tourner le moteur. La chaleur des corps embua les vitres de la voiture ; pour éviter le givre, il fallait les laisser ouvertes. Il faisait sûrement moins 15 degrés. Ils attendirent une bonne demi-heure avant de repartir. Ils allaient risquer l'aventure ; il fallait franchir la frontière avant le lever du jour.

Ramon redémarra. La voiture s'enfonça dans la nuit. Personne ne parlait. Ils avaient à peine roulé un kilomètre quand les phares balayèrent un panneau blanc sur lequel triomphait le dessin d'un aigle. *« You are now entering the United States of America. Please report to the nearest Border Control Office. Offenders will be prosecuted. »*

Ramon éteignit les phares. Seuls témoins : les longues épinettes au garde-à-vous comme les grandes orgues muettes d'une fugue en noir majeur. Cent mètres plus loin, le passeur bifurqua vers la droite. Une autre route. Un virage. Puis, enfin, une petite voie pavée qui grimpait au faîte d'une colline.

– Les États-Unis, soupira Jesus. Depuis le temps…

Greta, silencieuse, regardait droit devant elle, à la fois émerveillée et apeurée. Elle venait de percer la carapace de la plus grande puissance du monde. Ni vue ni connue, elle se glissait dans

cet immense territoire où elle finirait bien par trouver un minuscule bout de terre où prendre racine. Elle sentit le rêve allemand
s'éloigner un peu plus de sa mémoire. Ici, disait-on, on se foutait
de vos origines ; d'ailleurs, n'était-ce pas la terre où, en débar-
quant, les premiers pionniers avaient effacé leur histoire pour s'en
créer une nouvelle ?

Les U.S.A. : le plus grand camp de réfugiés du monde. Voilà
où elle venait à son tour se perdre, noyer son identité, lessiver sa
culture, sa langue, sa religion, pour enrichir le melting-pot, le
grand chaudron dans lequel chacun venait mêler son sang à celui
des autres. Un pays d'alchimistes du rêve ; un peuple qui, après
avoir purgé sa mémoire de tous les sévices subis dans l'Europe
intolérante du seizième siècle, s'était rapidement approprié Dieu
comme banquier moral : *In God We Trust* avait-on écrit sur les
pièces de monnaie. Une nation si certaine de sa puissance qu'elle
avait même usurpé le nom du continent qui l'avait accueillie. Ne
disait-on pas «l'Amérique» en parlant des États-Unis ?

«MOT. L»

Les quatre grosses lettres de néon rouge, auxquelles il manquait
un *E*, surmontaient une petite affiche «*Vacancy*».

– On prend deux chambres, dit Ramon. Demain matin, je vous
dépose au terminus des cars à Burlington. De là, vous prendrez
le bus pour New York et Miami.

– Et si on nous demande des pièces d'identité ?

– Pas de papiers ! Surtout pas les documents qu'on vous a
donnés au Canada. Sinon, ils vont vous renvoyer à Montréal.

Il était plus de deux heures du matin quand la lumière s'effaça
à la fenêtre des deux chambres louées trente dollars chacune.

# 26

Les gratte-ciel de Manhattan offraient à l'orgueil du soleil couchant un miroir à la mesure de la vanité et de l'arrogance de la ville. Peu à peu, alors qu'on quittait les montagnes et les collines du Nord-Est, la neige avait disparu. En cette fin de mars, on sentait la puissance du printemps. En descendant du car, Greta retrouva à New York l'atmosphère de bazar qui lui plaisait tant à Istanbul, les odeurs en moins. Elle proposa à Jesus d'y passer au moins une journée et de repartir le lendemain vers Miami. Pressé de retrouver les siens, Jesus prétexta le coût élevé d'une chambre d'hôtel pour sauter dans le bus de nuit à destination de Miami.

La fatigue finit par plomber leurs paupières qui luttaient pour demeurer ouvertes sur ce pays étonnant. De *highway* en *freeway*, de *city* en *suburbs* de *bus stop* en *rest area*, de *dinner* en *truck stop*, le car avalait des kilomètres de cette Amérique où les citoyens semblent vivre en voiture plutôt qu'à la maison. Et partout une seule langue : l'américain. Facile à comprendre quand on le lit, mais de plus en plus difficile à saisir quand émergent et se mêlent les accents de New York, de la Virginie, des Carolines et de la Georgie. Peu à peu, les premiers palmiers marquaient la limite du territoire des sapins. Les pins supplantaient les érables, et quelques eucalyptus signalaient qu'ici l'hiver et le froid n'étaient plus les bienvenus. Jesus soupira d'aise. Au fur et à mesure qu'on gagnait le Sud, un autre pays semblait apparaître, tant par sa végétation que par la couleur de la peau des gens.

– Regarde, dit Greta. Les panneaux…

Le long de l'autoroute, les publicités en espagnol se multipliaient. Mêmes produits que dans le Nord, mais offerts dans une langue qui réchauffa le cœur de Jesus. Greta comprit qu'elle pénétrait dans une zone dont un des codes majeurs lui échapperait. Le car avait quitté la Georgie. La Floride allongeait déjà ses plages et ses terrains de golf parsemés de milliers de copropriétés. Des noms magiques se succédaient : West Palm Beach, Delray Beach, Pompano Beach, Fort Lauderdale, Hollywood, Miami Beach et finalement Miami. Lorsque le chauffeur ouvrit la porte du car climatisé, un grand souffle chaud envahit le véhicule. «Enfin le Sud», murmura Jesus dont tous les muscles se détendirent rapidement. Sur le quai, deux *State troopers* faisaient le guet. Greta hésitait à descendre.

– N'aie pas peur, dit Jesus. Personne ne sait que nous sommes ici.

Les deux policiers s'approchèrent du car.

– Attendons un peu, dit Greta.

Elle laissa passer tout le monde avant de se lever de son siège. L'un des deux hommes les dévisagea alors qu'ils descendaient.

– *Long trip, hey?* dit le policier en souriant.

– *You bet*, répliqua Jesus en donnant la main à Greta.

Le policier les laissa passer et monta dans le car, accompagné d'un chien renifleur.

Les sacs récupérés, ils se dirigèrent vers la porte au-dessus de laquelle le mot TAXI s'inscrivait en grosses lettres jaunes. Il fallait faire la queue. Les deux *State troopers* repassèrent près du couple, qui fit semblant de les ignorer. Le chien s'arrêta près du bagage de Greta, puis de celui de Jesus, qui soupira d'aise lorsqu'il vit l'animal poursuivre sa ronde.

– Tu as eu peur, hein? lui chuchota Greta.

– Pourquoi?

– Si je n'avais pas trouvé et jeté ton sachet de cocaïne en faisant les bagages à Montréal, tu serais déjà dans le car de police.

Jesus en resta interloqué. Greta l'avait à coup sûr sauvé de la prison. Heureux et humilié, il ne put que sourire à sa compagne. L'arrivée d'un taxi lui permit de ne rien ajouter. Elle souriait.

– La plupart des chauffeurs me semblent cubains, dit-il.

À peine installés sur la banquette arrière, Jesus amorça la conversation. Ils discutaient en espagnol. Rapidement. Ils riaient, gesticulaient. À la radio, un orchestre de cuivres balançait les rythmes d'une salsa chaloupée. Jesus revivait. Ses doigts tambourinaient sur ses cuisses et ses épaules roulaient de joie sous les tempi hachurés de la musique cubaine.

– Qu'est-ce que vous vous racontez ? demanda Greta.

– C'est vrai… Excuse-moi, ma chérie. J'avais oublié que tu ne comprends pas l'espagnol.

– Il me semblait bien que vous n'étiez pas cubaine, vous, dit le chauffeur en anglais.

– On se dirige vers le quartier cubain, reprit Jesus, et notre ami chauffeur va nous emmener dans une petite pension tenue par un de ses cousins. Ils accueillent souvent des gens comme nous qui débarquent à La Petite Havane sans connaître personne.

La conversation reprit aussitôt en espagnol, laissant Greta totalement ignorante de son destin immédiat.

* * *

– Recommandés par mon cousin ? Alors, juste les prénoms, ça ira.

Le propriétaire de la pension Alvarez ne leur demanda qu'un simple dépôt de cent dollars avant de leur remettre les clés de la chambre, qui donnait sur la petite rue Alvarez, grouillante de vie malgré l'heure tardive. Jesus eut envie de descendre «prendre un bain de Cuba», comme il dit.

– Jesus, je n'en peux plus. Vas-y si tu veux ; moi, après la douche, je m'effondre dans le lit.

Malgré la fatigue, Jesus ne put résister. Il se perdit toute la soirée et une partie de la nuit dans les dédales de «Little Havana», où il prit un plaisir fou à parler avec des inconnus dont il était convaincu de la complicité simplement parce qu'ils étaient cubains d'origine. Il repéra au moins trois bars-restaurants, où il comptait bien proposer ses services de musicien dans les jours prochains. C'est en titubant qu'il retrouva la pension Alvarez et en trébuchant qu'il accéda à l'étage de la chambre. Greta, profondément endormie, ne l'entendit pas vomir ce qu'il avait bu au cours des dernières heures. Et Jesus ne remarqua pas les yeux gonflés de sa compagne, qui avait trop pleuré avant de s'endormir.

Dans les jours qui suivirent, Jesus s'enferma dans le quartier cubain. Comme un alcoolique qui refuserait de sortir d'un bar, il s'enivrait complètement de «son monde», comme il disait. Il invitait Greta à l'accompagner, mais n'insistait pas lorsqu'elle refusait. Il ne parlait qu'en espagnol, multipliait les contacts et parut même suspect à certains commerçants, qui, habitués de voir débarquer des réfugiés, ne lui accordaient qu'une sympathie superficielle. Jesus, lui, s'offrait à ses nouveaux compatriotes comme un trophée, une nouvelle victoire contre le communisme. En présence de Greta, il continuait toujours de converser en espagnol avec ses interlocuteurs, même si tout le monde, évidemment, parlait couramment l'anglais.

Elle finit par se sentir exclue. Elle commença même à regretter d'avoir poussé Jesus à partir si vite du Canada. De plus, elle avait peur. Peur d'être repérée et extradée. Peur surtout du climat de violence permanent qu'elle sentait partout à Miami. C'était donc vrai : une société agressive, sans doute nourrie du sens exceptionnel de la compétition dont vivent les Américains. Chaque jour, les journaux et la télévision ne rapportaient à la une que des meurtres, des agressions, des arrestations, des descentes de police contre des trafiquants de drogue. On pouvait acheter facilement une arme à feu. Elle s'en ouvrit à Jesus, qui se moqua de ses appréhensions. Elle lui dit qu'il faudrait bien trouver du travail. Au noir, évidemment. Il l'assura que dans quelques semaines il chanterait de nouveau dans un cabaret, qu'il ferait alors beaucoup d'argent et qu'ils se procureraient facilement la fameuse *green card* sans laquelle on ne peut travailler aux États-Unis. Mais pour l'instant, avait-il ajouté, «il faut jouer *low profile*, se noyer dans la communauté cubaine, multiplier les contacts, et tout finira par s'arranger. D'ailleurs, il fait si bon, si chaud ici…»

Voyant fondre ses économies, Greta en eut assez d'attendre. Un matin, après le départ de Jesus, elle quitta le quartier cubain pour le centre-ville de Miami, où elle avait repéré un hôtel qui affichait sa publicité en allemand.

– J'ai de l'expérience, dit-elle à la secrétaire du directeur du personnel.

– Où avez-vous travaillé?

– Istanbul, Berlin et Montréal.

– *Green card?*

– Non. *Black card*, dit-elle en riant. Pour l'instant, je ne peux travailler qu'au noir.

– Officiellement, je ne vous ai ni vue ni entendue, mademoiselle. Cependant, si vous me laissez votre prénom et un numéro de téléphone, peut-être que…

Dans l'autobus qui la ramenait vers le quartier cubain, Greta souriait. Elle sentait qu'elle venait de glisser une petite racine en terre américaine.

– Où étais-tu ? Lui demanda Jesus à son retour.

Une question. Trois petits mots qui froissèrent Greta.

– Chercher du travail.

– Quoi ? Mais tu n'as aucun papier.

– Et toi, tu en as des papiers, Jesus ?

– Moi, j'ai mes amis cubains ici.

– Des amis ? Ça fait dix jours que tu me racontes la même histoire. Je n'attends plus. D'ailleurs, je vois bien que tu préfères t'organiser seul. Alors, moi aussi, j'ai décidé de m'organiser.

– Tu ne te rends pas compte du risque que tu nous fait courir ? Si nous sommes repérés : dehors !

– Ah ! parce que ici, dans le quartier, nous ne pouvons pas être repérés ? Tu te crois à l'abri parmi les Cubains ?

– Plus que tu ne le crois. D'ailleurs, tu devrais simplement demeurer ici à l'appartement. Quand ce sera le moment, tu pourras sortir plus facilement. J'ai un plan. Tu ne dois pas le mettre en péril en improvisant des sorties inutiles hors de la zone cubaine.

– Quoi ! Tu vas maintenant me dire quoi faire, quand le faire et de quelle manière ? Tu n'es pas mon père, Jesus !

La phrase lui avait échappé. Elle se figea instantanément, muette de peur. En un instant, elle vit le regard de Mustafa dans les yeux de Jesus. Ce dernier profita du petit vertige de sa compagne pour en remettre.

– Non, Greta, je ne suis pas ton père. Je suis simplement celui qui sait comment ça fonctionne ici, à Miami. Et toi tu ne sais pas. Alors, je te demande juste un peu de patience et de confiance.

Dans les jours qui suivirent, Jesus quittait l'appartement le matin et y revenait parfois rapidement pour surveiller les allées et venues de Greta. La tension montait. Greta ne supporterait pas longtemps d'être prisonnière à la fois de l'intérieur et de l'extérieur. À deux reprises, elle s'échappa pour aller dans le centre de Miami. Elle arpentait les rues à la recherche du moindre indice qui lui permettrait de trouver du travail, un petit salaire et un début d'autonomie.

\* \* \*

– Où étais-tu ?

Une question. Trois petits mots. Une intonation blessante.

– Tiens ! Il suffit de faire le vide pour que tu t'aperçoives que j'existe.

– Je te demande simplement où tu étais. Je peux savoir, non?
– Et toi donc, où vas-tu depuis que nous sommes à Miami, hein? Plus de trois semaines à entrer et sortir, à t'évader parmi les tiens, à toujours parler espagnol en ma présence. À croire que tu ne veux pas que je sache ce que tu prépares.
– Je n'ai rien à cacher...
– Une autre combine de drogue, peut-être...?
Jesus leva la main. Greta l'intercepta.
– Oh! Non, mon vieux. Pas ça!
– Si tu crois que je vais te laisser insinuer que je suis dans le business de la drogue...
– Si tu crois que je vais me laisser traiter comme une femme soumise...
– Soumise? Je te rappelle que tu es venue ici librement et que tu peux faire ce que tu veux. Tout ce que je te demande, c'est de ne pas compromettre mes projets en allant quêter du travail alors que tu n'as aucun papier, aucun contact.
– Et moi je te rappelle que nous sommes venus ici ensemble. Que ce voyage, nous l'avons décidé ensemble. Une fois rendu ici, tu m'isoles, tu m'interdis de circuler et, quand nous sortons, tu m'ignores complètement. Je suis toujours obligée de te demander de tout traduire; tu ne tiens plus compte de moi.
– Moi, je joue ma carte la plus forte : je suis cubain, musicien cubain, dans un milieu cubain.
– Et moi je ne suis pas cubaine, ni musicienne. Et c'est à deux que nous avons décidé de venir aux États-Unis.
– Tu ne m'as toujours pas dit où tu étais aujourd'hui. Je ne t'ai pas vue de la journée.
– Eh bien, je vais te le dire, où j'étais. J'arrive de la Clinique des femmes.
– Et qu'est-ce qu'il t'a dit, ton médecin?
– Il m'a dit que la fille que tu as baisée récemment t'avait refilé des gonocoques! Voilà, salaud!
Le soir même, pendant que Jesus tentait de trouver un médecin dont les tarifs étaient abordables, Greta se réfugia dans une cabine téléphonique d'où elle parvint à joindre Monique à Montréal. La religieuse lui suggéra de se rendre le lendemain dans un refuge pour femmes dirigé par le chapitre américain de sa communauté. De là, elle pourrait communiquer avec elle pour tenter de l'aider.

Il était passé minuit quand Jesus revint à la chambre de la pension Alvarez. Allongée sur un petit divan, Greta ne dormait pas.

– Je t'ai laissé le lit. Moi, je dors ici.

– Greta…

– Surtout, ne me touche pas! hurla-t-elle.

– Greta…

– Si j'en avais les moyens, je ne serais plus là. Tu ne me verrais plus jamais…

– Pourquoi t'énerves-tu? Il n'y a aucun danger; le docteur me l'a affirmé.

– C'est la confiance qui n'existe plus.

– Tu confonds confiance et fidélité. Nous ne sommes pas mariés, que je sache…

– Ah! parce qu'il faut être marié pour être infidèle! cria-t-elle.

– Greta, ne crie pas!

– Je gueulerai comme je veux. Tout le monde saura que je t'aimais, Jesus! Que je t'ai aimé comme une folle! Et c'est parce que je t'aime encore que je suis si malheureuse.

– Mais, Greta, moi aussi, je t'aime…

– Tais-toi, menteur! Tu as aimé mon corps, mon cul, voilà tout. Un vrai macho. Je suis tombée amoureuse d'un macho.

– Et moi, d'une petite fille qui a voulu jouer à la grande!

– Et tu sais ce qu'elle te dit, la petite fille? Que tu n'es qu'un salaud, un…

– Un macho, je sais, tu l'as dit. Et tu sais ce qu'il te dit, le macho? Que, côté fidélité et confiance, tu ne t'es pas gênée, toi, quand tu m'as rencontré, pour tromper ton Mohammed!

Le coup porta. Greta, les yeux exorbités, se leva comme une tigresse et se précipita sur Jesus.

– Je t'interdis de parler de Mohammed.

Elle le gifla. Il lui saisit prestement les deux mains. Elle hurlait.

– Salaud! Macho! Dégueulasse! Tu oses même mépriser les morts!

– Greta, tais-toi! Cesse de gueuler.

– Je hurlerai tant que je veux. J'en ai assez de cette vie, de cette fuite, de ces tromperies!

Elle lui mordit la main. Il grimaça, et la gifla à son tour. En reculant, elle renversa la table. Elle écarta sauvagement la chaise qui lui barrait le passage et bondit à son cou ; ses ongles acérés lui éraflèrent la joue. Il la repoussa fermement vers le lit, où il voulut la maîtriser en allongeant son corps sur le sien.

— Lâche-moi, Jesus ! Lâche-moi ! hurlait-elle.

On frappa à la porte. Le couple s'immobilisa.

— *What's going on here ? Open the door right now !*

Jesus se releva, replaça sa chevelure et entrouvrit la porte.

— *Police ! Open the door and keep your hands on your head.*

Les policiers, appelés par les voisins, en vinrent rapidement à la conclusion qu'il ne s'agissait que d'une querelle d'amoureux sans véritable violence ou danger pour la vie de Greta. Malgré tout, ils obligèrent le couple à les suivre au poste du quartier : aucun des deux ne possédait de papiers d'identité.

\* \* \*

Greta s'éveilla en se massant les poignets. Elle eut le sentiment d'avoir déjà vécu un moment identique. Berlin. Miami. Une même lumière blanche lessivait les murs nus. Mais, cette fois, une fenêtre haute, doublée de solides barreaux, hachurait le soleil du matin. Sur le mur d'en face, la porte blindée la confinait dans ce petit espace où on l'avait forcée à dormir en attendant que des officiers de l'Immigration viennent l'interroger.

Dans l'autre aile du bâtiment fédéral, Jesus s'éveillait au même moment en glissant ses doigts sur deux petites cicatrices qui lui brûlaient encore le cou. Il attendait lui aussi qu'on vienne le questionner.

# 27

– *Please stand up.*
Le silence de la petite salle d'audience, qui n'avait en rien l'air d'un tribunal, fut froissé par les plaintes des chaises qu'on reculait vivement. Les trois commissaires vinrent s'asseoir à une table face au public inquiet et à un petit groupe d'avocats plutôt indifférents.
– *Please be seated.*
Angoissés, Greta et Jesus attendaient depuis dix jours ce moment clé de leur vie de fuyards. Dix jours pendant lesquels on leur avait interdit de se voir, de se parler. Dix jours d'internement avec des douzaines d'autres hommes et femmes qui, comme eux, avaient été interceptés par la police. Des immigrants illégaux. Les captures de mars de la police de Miami. Un cheptel humain épouvanté par la crainte d'être refoulé dans leur pays d'origine. «À moins que...», songea Greta en regardant Jesus assis de l'autre côté de la salle. «À moins que Jesus reconnaisse que je suis sa conjointe, sa femme...» Elle frémit à l'idée de devoir s'inféoder à Jesus pour pouvoir fixer sa vie aux États-Unis.
– *We will proceed by alphabetical order.*
La petite phrase du greffier indiqua à Greta que Jesus Cordoban serait entendu avant elle, Taylin Tancir. Car, finalement, après avoir tenté de cacher sa véritable identité, elle avait dû avouer, sous les questions habiles et l'intransigeance des enquêteurs, son nom et ses origines turques. On lui concéda seulement qu'elle se prénommait aussi «Greta».
– Coroban, Jesus.
La gorge nouée, Greta vit Jesus s'avancer vers la table des témoins. Un autre homme le suivit. Il avait donc pris un avocat. Cubain comme lui, à voir son teint, sa démarche, ses vêtements

et ses cheveux légèrement ondulés. Jesus jeta un regard à Greta, lui sourit discrètement et détourna la tête.

– Messieurs les commissaires, dit l'avocat, je voudrais d'abord souligner que mon client se nomme Cordoban et non Coroban, comme l'a interpellé le greffier.

– Bien, bien, dit le président du tribunal. De toute façon, Coroban ou Cordoban, j'avais deviné que votre client est cubain. Vous allez baser votre plaidoirie sur les mêmes éléments que d'habitude?

«Ils se connaissent donc bien», réfléchit Greta. L'avocat fit témoigner Jesus en insistant sur ses origines cubaines, son séjour en Allemagne communiste, son départ obligé de l'Allemagne réunifiée, sa volonté de ne plus retourner en sol communiste et même son intention de faire venir aux États-Unis sa femme et son fils, «prisonniers du régime de Fidel Castro».

Greta fut sidérée. Jesus ne lui avait jamais révélé l'existence de sa femme et de son fils. Elle eut envie de vomir. De bondir. De hurler au tribunal comment cet homme l'avait séduite, comment cet opportuniste et ce menteur l'avait trompée et comment il continuerait d'agir de la sorte une fois établi aux U.S.A. Sa douleur était d'autant plus grande qu'elle l'aimait encore; du moins, comme complice de sa renaissance. Voilà qu'en ce matin d'avril cet homme poursuivait sa vie de séducteur en ignorant celle qui l'avait accompagné dans sa quête de liberté et d'identité. Lui possédait une identité qui lui ouvrirait les portes de la liberté. Elle avait acquis une liberté qui la priverait de son identité.

Devant l'aveu de Jesus qu'il avait à Cuba une femme et un fils, son espoir d'être identifiée comme sa conjointe venait de mourir. Elle se retrouvait donc encore une fois seule. Seule dans sa quête de liberté, dans sa volonté de s'affirmer allemande, dans son désir entêté de ne plus remettre les pieds en Turquie. Seule, à vingt ans, avec l'immense tâche de se mettre au monde, de grandir et de vivre. Elle éclata en sanglots. On fit peu de cas de son émotion; c'était là chose courante dans ce tribunal. Une réfugiée d'une trentaine d'années, la tête recouverte d'un tcharchaf, lui offrit des mouchoirs de papier. «Je ne peux même pas me lever et aller pleurer seule», songea-t-elle en acceptant les kleenex de sa voisine.

Jesus ne l'entendit pas sangloter. Il laissait naviguer son avocat entre les arguments juridiques et les évaluations politico-morales primaires que servent régulièrement les Américains lorsqu'il s'agit de crucifier le communisme, surtout quand il sévit depuis près de quarante ans dans leur cour arrière. Une fois l'audition terminée, les trois commissaires informèrent Jesus que son dossier permettait un sursis et qu'une décision finale serait rendue d'ici un mois.

Les comparutions se succédèrent à un rythme plutôt rapide. Certains se voyaient même expulsés du pays dans les quarante-huit heures. Peu à peu, les dossiers commençant par F, G, P, R défilaient. Greta se sentait de plus en plus près du précipice de l'exil.

– *The court will ajourn for lunch. Back at two p.m.*

Cet ajournement survint au moment où le nom de Greta allait émerger. Pendant l'heure du repas, elle chercha en vain Jesus dans la cafétéria, où s'agglutinaient les hommes et les femmes qui n'avaient pas encore paradé devant le tribunal. Elle ne mangea pas, buvant à peine un coca-cola. Elle se réfugia aux toilettes, où elle eut l'occasion de pleurer décemment, seule.

\* \* \*

– Tancir, Taylin-Greta!

Son nom, répercuté dans le silence qui régnait dans la salle d'audience presque vide, l'arracha de son siège. Chancelante, elle s'approcha du petit siège rouge où on l'invita à s'asseoir.

– Vous comprenez l'anglais?

– Oui.

– Vous êtes bien Taylin-Greta Tancir?

Les questions d'usage défilèrent machinalement comme des morceaux de vérité qu'on embroche pour les faire cuire sur les braises de la loi. Oui, elle était turque. Non, pas d'avocat.

– Seule?

Elle hésita. Était-elle seule? Jesus avait disparu. Mohammed? Mort. Son père? En prison. Sa mère? À Konak. Monique? Louise? Retourner à Montréal, où l'on avait fait le lien entre elle et sa famille? Non.

– Oui, seule, murmura-t-elle.

– Pour quelles raisons avez-vous fui aux U.S.A.?

La Turquie était un pays ami des États-Unis. Donc, aucune chance de ce côté-là. L'Allemagne? Inutile d'y penser. L'islam? Le tcharchaf? Le pays était ouvert à toutes les religions. De nombreuses femmes y portaient le voile sans problème. Mais oui, pourquoi donc avait-elle fui? Comment faire comprendre à des commissaires de l'Immigration qu'après avoir grandi en Allemagne on ne veut pas retourner en Turquie; qu'on a déserté le clan familial; qu'on est allemande et libre? Comment expliquer qu'on fuit l'Allemagne parce que son père est venu y tuer son amant? Comment parler du Brésil, du conteneur, de Montréal? Si on n'a rien à se reprocher, pourquoi ne pas avoir fait une demande en bonne et due forme pour immigrer aux États-Unis? Pourquoi?

– Monsieur, je ne suis pas communiste. Je n'ai jamais été violentée dans mon pays. J'avais un emploi à Istanbul. Un ami. Je suis devant vous aujourd'hui parce que j'ai cru qu'il y avait ici plus de liberté que n'importe où ailleurs dans le monde. Au lycée, en Allemagne, on m'a appris que votre pays avait été créé par des hommes et des femmes qui rêvaient d'une plus grande liberté. En Amérique, tout le monde est immigré. Je ne désirais qu'ajouter mon nom aux vôtres.

– Mademoiselle, l'histoire de notre pays, nous la connaissons. Pour quelle raison – je pose la question pour la dernière fois – pour quelle raison croyez-vous que nous devrions vous garder ici parmi nous?

– Une seule : le respect de la liberté.

Greta savait qu'elle venait de mettre fin à son rêve.

Le dernier jour d'avril, elle fut reconduite à l'aéroport de Miami. Destination : New York et Istanbul. Expulsée. Refoulée. Retransplantée dans sa terre natale. L'ordre du tribunal l'avait foudroyée. Elle n'avait ni la force, ni les moyens de se battre contre les propriétaires de la liberté universelle et de l'identité la plus recherchée du monde.

Lorsque l'avion décolla de New York, elle sentit, tout comme à Berlin un an et demi auparavant, qu'une main de fer se glissait sous son âme, l'arrachait à ses rêves et l'enfouissait dans une terre inconnue. À dix mille mètres d'altitude, il n'y avait plus de jour ou de nuit; plus de temps, plus d'espace. La dose de liberté avait été létale pour Greta l'Allemande. Lorsqu'un léger frisson la ramena temporairement à la vie, elle prit machinalement le tcharchaf de Louise dans son sac et s'en couvrit la tête. Elle s'endormit, l'index pendu à la petite chaîne d'or comme au dernier lien qui l'unissait au monde. Elle rêva qu'elle ne pouvait plus rêver.

* * *

– Vous êtes priés de redresser le dossier de votre siège...

Le message lancé dans les haut-parleurs tira Greta de son coma. Par le hublot, elle vit Istanbul éperonner le ciel de ses dizaines de minarets aussi orgueilleux que les buildings de New York. «Ce n'est pas vrai; je rêve», songea-t-elle.

La boucle était bouclée. Onze mois après avoir quitté cette ville qui l'avait si chaleureusement cachée, elle s'y retrouvait à découvert, sans aucun espoir de s'y enfoncer incognito. Quand le Boeing toucha le sol, elle sentit un boulet de plomb lui envahir le ventre pour l'empêcher à tout jamais de s'évader de nouveau vers une autre identité. Le tcharchaf tomba sur ses épaules. Il y traînait encore l'odeur du parfum dont Louise avait pris soin de l'asperger. Elle glissa son doigt sur la chaîne d'or.

Deux policiers l'attendaient à la sortie. On lui passa les menottes au poignet gauche; la main droite n'avait qu'un petit sac auquel s'accrocher, un ballot de toile plein des souvenirs d'une liberté abolie. Le trio franchit sans s'arrêter les comptoirs des douaniers. On l'emmena au bureau de l'officier du ministère de l'Immigration et de la Citoyenneté. Les policiers la présentèrent à un officier supérieur et disparurent.

– Vos papiers.

– On me les a volés à Miami.

– Il faudra expliquer tout cela au patron. Il sera de retour lundi.

– Mais c'est dans deux jours...

– On vous garde ici. Il y a des chambres. On vous nourrira.

– Mais je suis citoyenne turque.

– Encore faut-il en faire la preuve. Suivez-moi.

Ce furent deux jours de vide. «Prisonnière à Miami; prisonnière à Istanbul, dans mon pays...» Le mot «mon» lui échappa. Elle en fut troublée. Avait-elle finalement accepté de redevenir turque? «Impossible, se dit-elle. Mais il me faut jouer la carte de la Turquie pour redevenir libre.»

273

Lorsqu'elle s'éveilla, le lundi matin, elle se dirigea vers les lavabos en compagnie d'autres femmes, à qui elle n'avait dit mot de tout le week-end. Dans la glace, ses yeux s'ouvrirent péniblement sur une image d'abord floue puis de plus en plus claire : la racine noire de ses cheveux repoussait les derniers reflets blonds qu'elle s'était offerts à Montréal. Avant d'entrer voir l'officier de l'Immigration elle crut sage de mettre son tcharchaf. L'odeur du parfum de Louise la sécurisa.

– Qui peut vous identifier ?

Cette question, elle avait voulu l'éloigner au cours des deux derniers jours. Elle en connaissait bien la réponse, mais refusait de s'y soumettre. Seul Ismaïl pouvait venir témoigner en sa faveur à Istanbul. Mais où logeait-il ? La seule réponse pouvait donc venir de Konak. Contacter sa mère, c'était voir s'ouvrir la prison de l'aéroport pour voir se refermer celle de la famille. Refuser de parler de Konak, c'était croupir en prison tant que les recherches de la police n'auraient pas réussi à remonter jusqu'à Konak. Le seul petit espoir de liberté passait donc par son village.

– Ma mère habite Konak, près de Tavas.

Une semaine plus tard, Greta fut convoquée au bureau de l'officier. Quand la porte s'ouvrit, elle vit au fond de la pièce une femme vieillie se précipiter vers elle en hurlant de joie et de douleur. L'étreinte dura cinq bonnes minutes. Les mains de la mère parcouraient le corps de sa fille comme une femme vérifie tous les membres de son nouveau-né. Aucun mot ne fut échangé. Une fois les papiers remplis, le nouveau passeport émis, Greta et sa mère sortirent, suspendues l'une à l'autre comme deux survivantes. La mère l'emmena vers le parking où la Mercedes de son père les attendait.

– Un cousin de Tavas m'a emmenée.

– Et papa ? risqua timidement Greta.

Becuchi ne savait pas comment aborder cette question. Elle expliqua rapidement que Mustafa était parti régler certaines affaires en Allemagne. Et elle ajouta :

– C'est peut-être mieux ainsi.

Greta sourit.

La voiture quitta l'aéroport d'Istanbul et s'aventura sur les routes défoncées du printemps turc. Greta colla sa tête à la fenêtre, ajusta son tcharchaf et regarda le soleil enfouir le jour dans la cendre de la nuit naissante. Par-dessus les montagnes violacées, des couples de cigognes battaient l'air tiède de leurs ailes colorées par les derniers spasmes orangés du soleil couchant.

Greta laissa sa mère lui tenir la main tout au long du voyage. Une étrange chaleur envahit ses veines. Une énergie inconnue, cette tendresse exclusive que seule une mère peut transmettre à son enfant. Discret, le cousin ne dit mot, sauf lorsqu'il fallait s'arrêter pour boire, manger ou faire le plein. Les huit cents kilomètres furent l'occasion pour la mère de reprendre contact délicatement avec Greta, qu'elle appelait parfois Taylin en s'excusant presque. Consciente que sa fille ne parlerait pas en présence du cousin, elle ne lui posa aucune question embêtante.

Quand elles arrivèrent à Konak le lendemain matin, la longue plainte du muezzin saluait le jour nouveau.

# 28

Depuis deux jours, Becuchi et sa fille restaient cloîtrées, dans la maison de Konak. La mère, ignorante de ce que connaissait Greta du sort de Mustafa, n'osait aborder la question. Elle savait son mari emprisonné pour une histoire de bagarre. Pour soustraire ses trois fils à ce cauchemar, elle les avait placés en pension dans une école d'Izmir. Greta, épuisée, dormit tout son saoul. La mère et la fille reprenaient contact par des gestes, des sourires, des mots tendres et de longs silences apaisants. Elles n'avaient jamais eu l'occasion de s'apprivoiser de la sorte. Greta était devenue femme et Becuchi sentit qu'elle allait enfin pouvoir s'ouvrir à sa fille.

– Je dois te parler de ton père, lui dit-elle un matin.

Greta sentit ses lèvres trembler. Elle savait que cet instant fatidique arriverait.

– Si papa avait été ici, jamais je ne serais revenue à Konak.

– Ma petite Taylin, ma grande fille, si tu savais…

– Je sais, maman, je sais…

– Tu sais?

– Oui, je sais tout. Papa ne reviendra pas à Konak de sitôt.

Les deux femmes se tinrent les mains en silence, la tête de Greta enfouie dans la jupe de sa mère. Au bout de longues minutes, la mère rompit le silence.

– Moi non plus, je ne voulais pas revenir à Konak.

Greta fut renversée. La mère enchaîna :

– J'ai un secret à te confier. C'est moi qui ai insisté, il y a vingt ans, pour que nous partions en Allemagne. À Konak, avant de connaître Mustafa, j'ai d'abord connu Adnan; Adnan Gursel, le maire actuel du village.

– Tu l'as… connu?

– Connu et fréquenté un peu.

Greta lança à sa mère un petit sourire complice.

– Un jour, mon père, qui possédait l'atelier de tissage où je travaillais, m'a suggéré d'accorder un peu d'intérêt au jeune homme qu'il avait embauché...

– Papa?

– Oui. Mustafa était devenu gérant, mon père voulait lui confier l'entreprise et, pour que le commerce reste dans la famille, il voulait que je marie Mustafa. Il était beau garçon, fort, vaillant...

– Tu l'aimais?

– J'étais un peu amoureuse des deux. Je les rencontrais séparément sans que l'un ou l'autre...

Becuchi fit une pause et respira profondément. Elle fixa sa fille dans les yeux.

– Un jour, je me suis aperçue que j'étais enceinte.

– Tu n'étais pas mariée!

– Non. Et dans un village comme le nôtre...

– Et papa le savait, lui?

Becuchi prit les mains de sa fille dans les siennes.

– Quel père?

– Mais papa, mon père...

– Greta, je ne sais pas qui est ton père. J'ai «connu» à quelques jours près ton père et Adnan.

Greta se sentit à la fois assommée et libérée.

– Tu veux dire que Mustafa ou Adnan...

– Oui, ma Taylin. L'un ou l'autre. Je ne sais pas.

– Et papa?

– Il croit que c'est lui, bien sûr.

– Et Adnan?

– Il sait seulement que mon père nous a forcés, Mustafa et moi, à nous marier. Puis, nous sommes partis pour l'Allemagne.

– Alors... je ne suis pas turque.

– Greta, je te parle de ton père...

– Je ne suis pas turque...

– C'est si important pour toi...?

– Tu te rends compte? Je suis née en Allemagne!

– Oui, Greta, en Allemagne, mais de père incertain...

– Mais il n'y a que deux choses qui soient importantes, maman, deux certitudes : tu es ma mère et je suis née en Allemagne.

277

– Tu es née à Solingen. Mais nous t'avons inscrite au consulat de Turquie pour que tu sois citoyenne turque.

– Pourquoi ne m'as-tu pas dit tout cela plus tôt? J'aurais pu demeurer en Allemagne.

– Mais je ne voulais pas, *nous* ne voulions pas nous séparer de toi.

– Je ne suis pas turque... Je ne suis pas turque...

Greta répétait cette phrase comme un mantra, une incantation.

– Mais oui, tu es turque, ma fille. Et tu devrais en être fière. Les Allemandes ne sont pas de meilleures femmes que les Turques.

– Tu connais beaucoup d'Allemandes, toi, qui rêvent de devenir turques?

La conversation s'étira toute la journée et toute la nuit. Greta s'ouvrit totalement à sa mère : Mohammed, la liberté, Istanbul, la fuite, Berlin, Jesus, le meurtre, l'évasion, le conteneur et, comme elle, un enfant dont le père était incertain. Puis Montréal, les États-Unis et l'expulsion.

– Tu as beaucoup vieilli, ma fille.

– Et toi, maman, je crois que tu es plus libre que jamais.

Ce jour-là, par un grand soleil de mai, Greta et sa mère, bras dessus, bras dessous, marchèrent lentement dans toutes les rues de Konak, sourire aux lèvres, fixant droit dans les yeux ceux et celles qui osaient les dévisager.

# 29

Le facteur frappa à la porte et remit à Greta une lettre postée d'Allemagne. Dans le coin gauche, l'identification de l'expéditeur : Ambassade de Turquie, Bonn.
– Maman, une lettre pour toi.

*Madame,*
*À la demande de votre mari, Mustafa Tancir, nous vous informons que, suite à la révélation de faits nouveaux dans le cas de son dossier, un nouveau procès a eu lieu. Le procureur de la République fédérale d'Allemagne a soumis de nouvelles preuves qui contribuent à jeter un doute raisonnable sur la culpabilité de votre mari dans l'agression d'un ressortissant yéménite prénommé Mohammed. Des militants de groupes néonazis sont soupçonnés d'être à l'origine de plusieurs attentats contre des citoyens arabo-musulmans, dont le dénommé Mohammed.*
*Votre mari sera donc relâché et rentrera en Turquie le 30 mai prochain. Il vous prie de venir le chercher à Istanbul (hôtel Laleli).*
*Avec mes sentiments distingués.*

*Le premier secrétaire.*

La mère replia la lettre et demanda à Greta de s'asseoir. Elle revint quelques instants plus tard et lui tendit un document.
– Greta, fit-elle en insistant sur le prénom allemand, voici les documents officiels de ta naissance, le 15 septembre 1971, à Solingen, en Allemagne. Et voici deux mille marks que j'avais conservés au retour d'Allemagne.

– Deux mille marks! Pourquoi?

– Le 29 mai prochain, toi et moi allons quitter Konak en car pour Istanbul. J'ai un important rendez-vous là-bas au sujet de Mustafa. Quand nous serons là, tu te trouveras un appartement, du travail, et tu t'installeras pour y faire ta vie.

– Mais maman…

– C'est ce que tu veux, non?

– Je le veux autant que tu l'aurais voulu…

– Alors, ma Greta, tu feras ce que moi j'ai toujours rêvé de faire.

* * *

Greta vivait maintenant seule à Istanbul. Elle avait été embauchée comme hôtesse au comptoir d'accueil de la Lufthansa, à l'aéroport. Elle avait décidé de laisser ses cheveux noirs. Son contact quotidien avec des Allemands suffisait à la rendre heureuse; il n'était pas exclu qu'elle puisse un jour être mutée en Allemagne. Elle n'obtiendrait la citoyenneté que si elle épousait un Allemand. «Hans, peut-être.»

Un matin, une jeune femme coiffée d'un tcharchaf vint lui demander de lui confirmer l'heure d'arrivée du vol en provenance de Berlin. Son visage à demi voilé isolait des yeux magnifiques qui la troublèrent. Elle reconnaissait ces yeux. Elle la regarda errer pendant quelques minutes dans l'aérogare, consulter le tableau des arrivées, aller et venir. Chaque fois que son regard croisait le sien, elle cherchait un visage à dessiner autour des yeux. En allant accueillir un passager qui avait besoin d'un fauteuil roulant, Greta croisa de nouveau la jeune femme.

– Le vol de Berlin vient d'arriver. Porte numéro cinq.

Greta laissa sortir les voyageurs et remit le fauteuil vide à une hôtesse, qui alla chercher le passager à son siège. Soudain, ses jambes se mirent à trembler. Son regard se voila. Elle sentit sa tête basculer et s'appuya au mur pour ne pas défaillir. Devant elle, un homme amaigri, balafré, immobile dans le fauteuil roulant, attendait que l'hôtesse d'accueil l'emmène vers la douane. Il avait les mêmes yeux que la jeune femme au tcharchaf. Il regarda Greta et porta la main à son cœur.

– Greta, murmura-t-il.

Elle s'approcha et toucha son visage.

– Mohammed.

Lentement, comme un couple de voyageurs, ils se dirigèrent vers la sortie. Il n'y avait pas de mots assez forts pour exprimer l'angoisse et la joie qui les avaient envahis. Elle le touchait aux épaules; il lui caressait la main. Elle demeura à ses côtés tout le temps que dura l'interrogatoire du douanier. Il avait un passeport en règle. Il rentrait d'un séjour à Berlin, où il avait été victime d'une agression sauvage. On l'avait cru mort. Il avait été soigné et sauvé par des médecins de l'hôpital universitaire de Berlin. Après des mois de physiothérapie, il retrouvait maintenant sa motricité. On l'avait autorisé à repartir. Il était en transit. Il partait demain pour le Yémen.

Les portes s'ouvrirent. La jeune femme au tcharchaf était là. Greta eut un pincement au cœur quand elle la vit se précipiter sur Mohammed et l'embrasser.

– Voici Balkis, ma fille.

Le lendemain, sous un grand soleil de juin, l'avion décolla vers Sanaa. Greta savait qu'il y avait à bord un homme ressuscité. Il lui devait d'avoir apprivoisé la mort, l'amour et la vie.

Elle glissa son doigt sur une petite chaîne d'or, devenue symbole de liberté.

(Visan, mai 1993 – Montréal, octobre 1998.)

IMPRESSION
IMPRIMERIE GAGNÉ

IMPRIMÉ AU CANADA